중학 수학 수준별 학습서
개념 플러스 유형

탑 난이도 **중~최상**
다양한 고난도 문제로
내신 최고 수준 달성!

파워 난이도 **중하~중상**
자세한 개념 설명은 기본,
핵심 유형 문제로 실력 향상!

라이트 난이도 **하~중**
자세한 개념 설명과 반복적인
연습 문제로 기초를 탄탄하게!

세상이 변해도 배움의 즐거움은 변함없도록

시대는 빠르게 변해도
배움의 즐거움은
변함없어야 하기에

어제의 비상은
남다른 교재부터
결이 다른 콘텐츠
전에 없던 교육 플랫폼까지

변함없는 혁신으로
교육 문화 환경의 새로운 전형을
실현해왔습니다.

비상은 오늘, 다시 한번
새로운 교육 문화 환경을 실현하기 위한
또 하나의 혁신을 시작합니다.

오늘의 내가 어제의 나를 초월하고
오늘의 교육이 어제의 교육을 초월하여
배움의 즐거움을 지속하는 혁신,

바로, 메타인지학습을.

상상을 실현하는 교육 문화 기업 비상

메타인지학습

초월을 뜻하는 meta와 생각을 뜻하는 인지가 결합된 메타인지는
자신이 알고 모르는 것을 스스로 구분하고 학습계획을 세우도록 하는
궁극의 학습 능력입니다. 비상의 메타인지학습은 메타인지를 키워주어
공부를 100% 내 것으로 만들도록 합니다.

개념+유형

PLUS

최고수준

TOP 탑

중등 수학

3·1

이 책의 구성

STRUCTURE

개념+대표 문제 확인하기

단원별로 꼭 알아야 할 핵심 개념과 출제율이 가장 높은 대표 문제로 내신 기본기를 다질 수 있다.

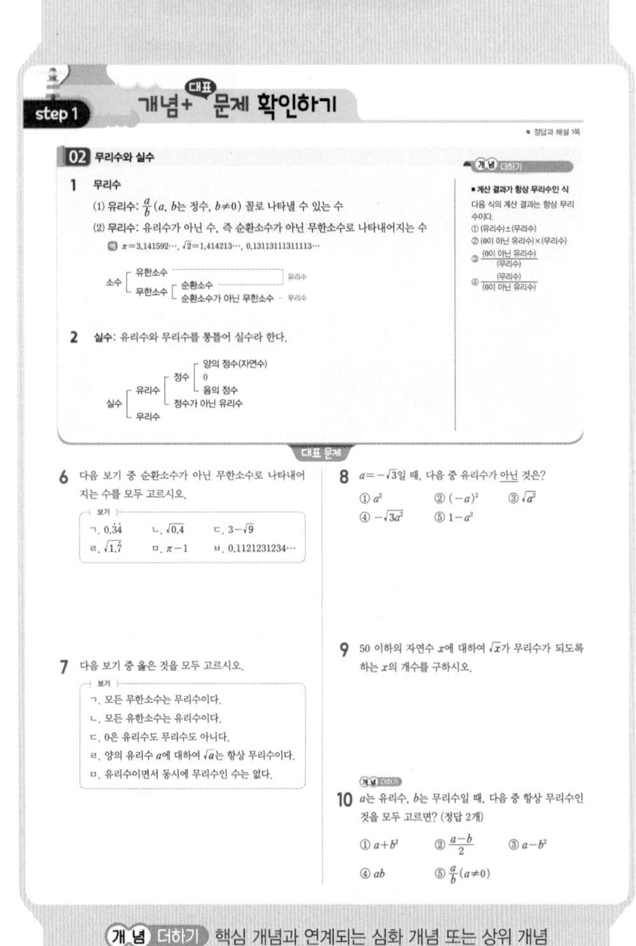

step 1 개념+대표 문제 확인하기

• 정답과 해설 1쪽

02 무리수와 실수

1 무리수

(1) 유리수: $\frac{a}{b}$ (a, b는 정수, $b\neq0$) 꼴로 나타낼 수 있는 수

(2) 무리수: 유리수가 아닌 수, 즉 순환소수가 아닌 무한소수로 나타내어지는 수

예 $\pi=3.141592\cdots$, $\sqrt{2}=1.414213\cdots$, $0.131131113\cdots$

소수 ┌ 유한소수 ─ 유리수 / └ 무한소수 ┌ 순환소수 / └ 순환소수가 아닌 무한소수 ─ 무리수

2 실수: 유리수와 무리수를 통틀어 실수라 한다.

실수 ┌ 유리수 ┌ 정수 ┌ 양의 정수(자연수) / 0 / └ 음의 정수 / └ 정수가 아닌 유리수 / └ 무리수

개념 더하기

• 계산 결과가 항상 무리수인 식

다음 식의 계산 결과는 항상 무리수이다.

① (유리수)±(무리수)

② (0이 아닌 유리수)×(무리수)

③ $\frac{(0이 아닌 유리수)}{(무리수)}$

④ $\frac{(무리수)}{(0이 아닌 유리수)}$

대표 문제

6 다음 보기 중 순환소수가 아닌 무한소수로 나타내어지는 수를 모두 고르시오.

보기

ㄱ. $0.3\dot{4}$ ㄴ. $\sqrt{0.4}$ ㄷ. $3-\sqrt{9}$

ㄹ. $\sqrt{1.\dot{7}}$ ㅁ. $\pi-1$ ㅂ. $0.1121231234\cdots$

7 다음 보기 중 옳은 것을 모두 고르시오.

보기

ㄱ. 모든 무한소수는 무리수이다.

ㄴ. 모든 유한소수는 유리수이다.

ㄷ. 0은 유리수도 무리수도 아니다.

ㄹ. 양의 유리수 a에 대하여 $\sqrt{a}$는 항상 무리수이다.

ㅁ. 유리수이면서 동시에 무리수인 수는 없다.

8 $a=-\sqrt{3}$일 때, 다음 중 유리수가 아닌 것은?

① a^2 ② $(-a)^2$ ③ $\sqrt{a^2}$

④ $-\sqrt{3a^2}$ ⑤ $1-a^2$

9 50 이하의 자연수 x에 대하여 $\sqrt{x}$가 무리수가 되도록 하는 x의 개수를 구하시오.

개념 더하기

10 a는 유리수, b는 무리수일 때, 다음 중 항상 무리수인 것을 모두 고르면? (정답 2개)

① $a+b^2$ ② $\frac{a-b}{2}$ ③ $a-b^2$

④ ab ⑤ $\frac{a}{b}(a\neq0)$

개념 더하기 핵심 개념과 연계되는 심화 개념 또는 상위 개념

Step2

내신 5% 따라잡기

까다로운 기출문제와 적중률이 높은 예상 문제로 내신 만점을 달성할 수 있다.

다양한 창의 사고력 문제들로 문제 해결력을 높일 수 있다.

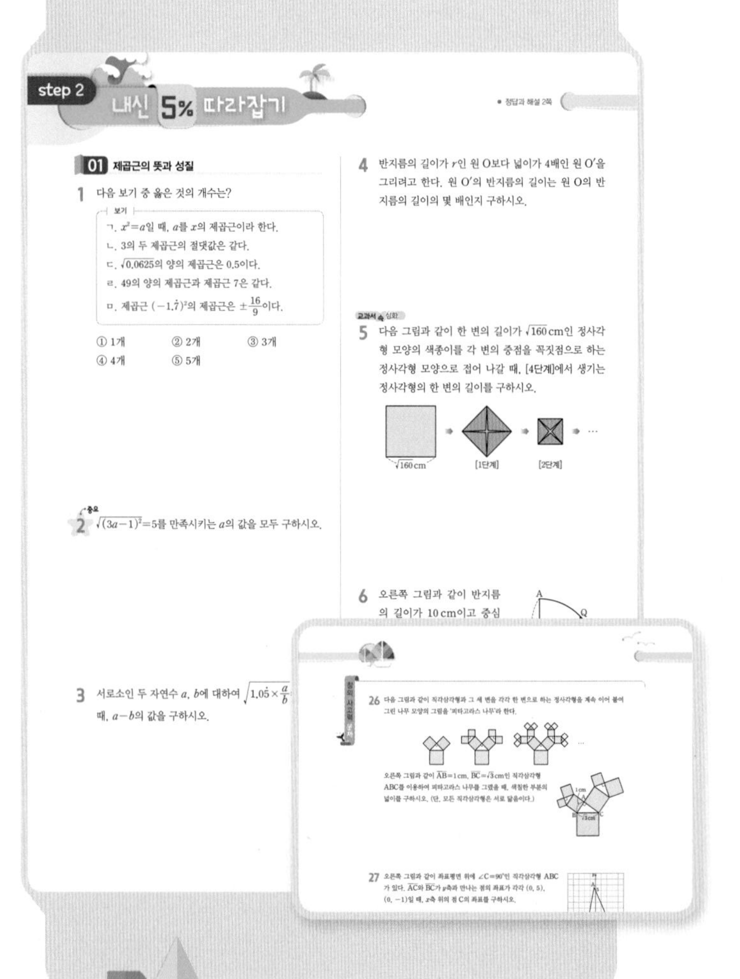

step 2 내신 5% 따라잡기

• 정답과 해설 2쪽

01 제곱근의 뜻과 성질

1 다음 보기 중 옳은 것의 개수는?

보기

ㄱ. $x^2=a$일 때, a를 x의 제곱근이라 한다.

ㄴ. 3의 두 제곱근의 절댓값은 같다.

ㄷ. $\sqrt{0.0625}$의 양의 제곱근은 0.5이다.

ㄹ. 49의 양의 제곱근과 제곱근 7은 같다.

ㅁ. 제곱근 $(-1.\dot{7})^2$의 제곱근은 $\pm\frac{16}{9}$이다.

① 1개 ② 2개 ③ 3개

④ 4개 ⑤ 5개

중요

2 $\sqrt{(3a-1)^2}=5$를 만족시키는 a의 값을 모두 구하시오.

3 서로소인 두 자연수 a, b에 대하여 $\sqrt{1.0\dot{5}\times\frac{a}{b}}$ … 때, $a-b$의 값을 구하시오.

4 반지름의 길이가 r인 원 O보다 넓이가 4배인 원 O′을 그리려고 한다. 원 O′의 반지름의 길이는 원 O의 반지름의 길이의 몇 배인지 구하시오.

교과서 심화

5 다음 그림과 같이 한 변의 길이가 $\sqrt{160}$ cm인 정사각형 모양의 색종이를 각 변의 중점을 꼭짓점으로 하는 정사각형 모양으로 접어 나갈 때, [4단계]에서 생기는 정사각형의 한 변의 길이를 구하시오.

$\sqrt{160}$ cm [1단계] [2단계]

6 오른쪽 그림과 같이 반지름의 길이가 10 cm이고 중심 …

창의 사고력

26 다음 그림과 같이 직각삼각형과 그 세 변을 각각 한 변으로 하는 정사각형을 계속 이어 붙여 그린 나무 모양의 그림을 '피타고라스 나무'라 한다.

오른쪽 그림과 같이 $\overline{AB}=1$ cm, $\overline{BC}=\sqrt{3}$ cm인 직각삼각형 ABC를 이용하여 피타고라스 나무를 그렸을 때, 색칠한 부분의 넓이를 구하시오. (단, 모든 직각삼각형은 서로 닮음이다.)

27 오른쪽 그림과 같이 좌표평면 위에 ∠C=90°인 직각삼각형 ABC가 있다. $\overline{AC}$와 $\overline{BC}$가 y축과 만나는 점의 좌표가 각각 (0, 5), (0, −1)일 때, x축 위의 점 C의 좌표를 구하시오.

Step3

내신 1% 뛰어넘기

경시대회와 고난도 기출문제의 변형 및 예상 문제로 내신 만점 이상의 실력을 쌓을 수 있다.

step 3 내신 1% 뛰어넘기

● 정답과 해설 5쪽

01 $\sqrt{1+3}$, $\sqrt{1+3+5}$, $\sqrt{1+3+5+7}$, $\sqrt{1+3+5+7+9}$, …와 같이 수를 나열할 때, $\sqrt{1+3+5+7+9+\cdots+51+53}$을 근호를 사용하지 않고 나타내시오.

02 $1<a<b$일 때, $\sqrt{\left(\frac{b}{b-1}-\frac{a}{a-1}\right)^2}-\sqrt{\left(\frac{1}{1-a}\right)^2}+\sqrt{\left(\frac{1}{b-1}\right)^2}$을 간단히 하시오.

TOP
03 연속하는 세 짝수 a, b, c에 대하여 $a+b+c<400$일 때, $\sqrt{a+b+c}$가 자연수가 되도록 하는 모든 b의 값의 합을 구하시오. (단, $a<b<c$)

04 $\sqrt{7a}+\sqrt{b}=11$이 성립하도록 하는 두 자연수 a, b에 대하여 $\sqrt{2a^2-b}$보다 작은 자연수의 개수를 구하시오.

서술형

서술형 완성하기

1~2개의 단원마다 다양한 유형의 서술형 문제와 고난도 서술형 문제를 연습할 수 있다.

1~2 서술형 완성하기

● 정답과 해설 13쪽

모든 문제는 풀이 과정을 자세히 서술한 후 답을 쓰세요.

1 $a<b<c<0$일 때, 다음 식을 간단히 하시오.

$$\sqrt{(-ac)^2}-\sqrt{b^2(c-a)^2}-a\sqrt{(c-b-a)^2}$$

풀이 과정

답

2 서로 다른 두 개의 주사위를 동시에 던져서 나오는 눈의 수를 각각 a, b라 할 때, $\sqrt{72-2ab}$가 정수가 될 확률을 구하시오.

풀이 과정

답

3 자연수 x에 대하여 $\sqrt{x}$ 이하의 홀수의 개수를 $f(x)$라 할 때, $f(173)-f(73)$의 값을 구하시오.

풀이 과정

답

4 두 수 5와 7 사이에 있는 무리수 중에서 자연수 n에 대하여 $\sqrt{n}$ 꼴로 나타낼 수 있는 가장 큰 수의 정수 부분을 p, 소수 부분을 q라 할 때, $\frac{q}{p}=a\sqrt{3}+b$를 만족시킨다. 이때 두 유리수 a, b에 대하여 $a+b$의 값을 구하시오.

풀이 과정

답

이 책의 차례

CONTENTS

Ⅰ. 실수와 그 연산

1 제곱근과 실수
- step1 ········ 8
- step2 ········ 11
- step3 ········ 16

2 근호를 포함한 식의 계산
- step1 ········ 20
- step2 ········ 23
- step3 ········ 28

1~2 서술형 완성하기 ········ 30

Ⅱ. 식의 계산과 이차방정식

3 다항식의 곱셈
- step1 ········ 34
- step2 ········ 37
- step3 ········ 42

4 인수분해
- step1 ········ 46
- step2 ········ 49
- step3 ········ 54

3~4 서술형 완성하기 ········ 56

5 이차방정식

step1 ······ 60

step2 ······ 66

step3 ······ 75

5 서술형 완성하기 ······ 78

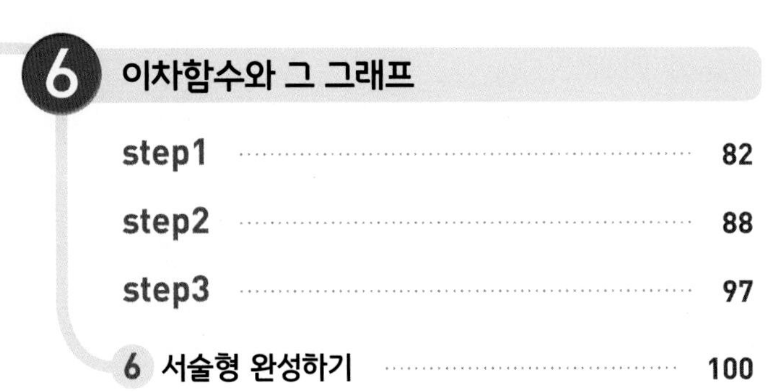

Ⅲ. 이차함수

6 이차함수와 그 그래프

step1 ······ 82

step2 ······ 88

step3 ······ 97

6 서술형 완성하기 ······ 100

1 제곱근과 실수

01 제곱근의 뜻과 성질

02 무리수와 실수

03 실수와 수직선 및 대소 관계

개념+대표 문제 확인하기

● 정답과 해설 1쪽

01 제곱근의 뜻과 성질

1 제곱근의 뜻

어떤 수 x를 제곱하여 a가 될 때, x를 a의 제곱근이라 한다.

➡ $x^2=a$일 때, x는 a의 제곱근

(1) 양수의 제곱근은 양수와 음수 2개가 있고, 그 두 수의 절댓값은 같다.

(2) 음수의 제곱근은 없다. ← 양수나 음수를 제곱하면 항상 양수이므로 음수의 제곱근은 생각하지 않는다.

(3) 0의 제곱근은 0 하나뿐이다.

2 제곱근의 표현

양수 a의 제곱근 중에서 양수인 것을 양의 제곱근, 음수인 것을 음의 제곱근이라 하고, 기호 $\sqrt{}$를 사용하여 다음과 같이 나타낸다.

양의 제곱근: $\sqrt{a}$, 음의 제곱근: $-\sqrt{a}$

➡ $x^2=a\,(a>0)$이면 $x=\pm\sqrt{a}$ ← $\sqrt{a}$와 $-\sqrt{a}$를 한꺼번에 $\pm\sqrt{a}$로 나타내기도 한다.

기호 기호 $\sqrt{}$를 근호라 하고, $\sqrt{a}$를 '제곱근 a' 또는 '루트 a'라 읽는다.

3 제곱근의 성질

(1) $a>0$일 때, $(\sqrt{a})^2=a$, $(-\sqrt{a})^2=a$, $\sqrt{a^2}=a$, $\sqrt{(-a)^2}=a$

(2) $\sqrt{a^2}=|a|=\begin{cases} a\ (a\geq 0) \\ -a\ (a<0) \end{cases}$

4 제곱근의 대소 관계: $a>0$, $b>0$일 때

(1) $a<b$이면 $\sqrt{a}<\sqrt{b}$

(2) $\sqrt{a}<\sqrt{b}$이면 $\begin{cases} a<b \\ -\sqrt{a}>-\sqrt{b} \end{cases}$

개념 활용하기

■ $\sqrt{A}$가 자연수가 되는 조건

A가 (자연수)^2 꼴이어야 한다.

예 a가 정수일 때

① $\sqrt{3a}$가 자연수가 되려면
$3a=$(자연수)^2 꼴이어야 하므로
$a=3\times1^2,\ 3\times2^2,\ 3\times3^2,\ \cdots$
$\therefore a=3,\ 12,\ 27,\ \cdots$

② $\sqrt{a+2}$가 자연수가 되려면
$a+2=$(자연수)^2 꼴이어야 하므로
$a+2=1^2,\ 2^2,\ 3^2,\ 4^2,\ \cdots$
$\therefore a=-1,\ 2,\ 7,\ 14,\ \cdots$

■ 제곱근을 포함한 부등식

$a>0$, $b>0$일 때, $a<\sqrt{x}<b$를 만족시키는 x의 값의 범위는 부등식의 각 변을 제곱하여 구한다.

➡ $a<\sqrt{x}<b$의 각 변을 제곱하면
$a^2<(\sqrt{x})^2<b^2$
$\therefore a^2<x<b^2$

대표 문제

1 $(-5)^2$의 양의 제곱근을 a, $\sqrt{81}$의 음의 제곱근을 b, 제곱근 36을 c라 할 때, $a+b+c$의 값을 구하시오.

2 다음을 계산하시오.

$$\sqrt{\left(-\frac{2}{3}\right)^2}-\sqrt{1.44}\div\left(-\sqrt{\frac{6}{25}}\right)^2+\sqrt{2^6}\times(\sqrt{0.5^2})^2$$

3 $a<b$, $ab<0$일 때, $\sqrt{4a^2}+\sqrt{(-3b)^2}-\sqrt{(a-b)^2}$을 간단히 하시오.

4 $\sqrt{\frac{600}{n}}$과 $\sqrt{24n}$이 모두 자연수가 되도록 하는 가장 작은 자연수 n의 값을 구하시오.

5 부등식 $5<\sqrt{\frac{a}{2}}<6$을 만족시키는 자연수 a의 개수를 구하시오.

02 무리수와 실수

1 무리수

(1) 유리수: $\frac{a}{b}$(a, b는 정수, $b\neq0$) 꼴로 나타낼 수 있는 수

(2) 무리수: 유리수가 아닌 수, 즉 순환소수가 아닌 무한소수로 나타내어지는 수

예 $\pi=3.141592\cdots$, $\sqrt{2}=1.414213\cdots$, $0.13113111311113\cdots$

소수
- 유한소수 — 유리수
- 무한소수
  - 순환소수 — 유리수
  - 순환소수가 아닌 무한소수 – 무리수

2 실수: 유리수와 무리수를 통틀어 실수라 한다.

실수
- 유리수
  - 정수
    - 양의 정수(자연수)
    - 0
    - 음의 정수
  - 정수가 아닌 유리수
- 무리수

개념 더하기

■ **계산 결과가 항상 무리수인 식**

다음 식의 계산 결과는 항상 무리수이다.

① (유리수)±(무리수)

② (0이 아닌 유리수)×(무리수)

③ $\frac{\text{(0이 아닌 유리수)}}{\text{(무리수)}}$

④ $\frac{\text{(무리수)}}{\text{(0이 아닌 유리수)}}$

대표 문제

6 다음 보기 중 순환소수가 아닌 무한소수로 나타내어지는 수를 모두 고르시오.

보기

ㄱ. $0.\dot{3}\dot{4}$ ㄴ. $\sqrt{0.4}$ ㄷ. $3-\sqrt{9}$

ㄹ. $\sqrt{1.\dot{7}}$ ㅁ. $\pi-1$ ㅂ. $0.1121231234\cdots$

7 다음 보기 중 옳은 것을 모두 고르시오.

보기

ㄱ. 모든 무한소수는 무리수이다.

ㄴ. 모든 유한소수는 유리수이다.

ㄷ. 0은 유리수도 무리수도 아니다.

ㄹ. 양의 유리수 a에 대하여 $\sqrt{a}$는 항상 무리수이다.

ㅁ. 유리수이면서 동시에 무리수인 수는 없다.

8 $a=-\sqrt{3}$일 때, 다음 중 유리수가 아닌 것은?

① a^2 ② $(-a)^2$ ③ $\sqrt{a^2}$

④ $-\sqrt{3a^2}$ ⑤ $1-a^2$

9 50 이하의 자연수 x에 대하여 $\sqrt{x}$가 무리수가 되도록 하는 x의 개수를 구하시오.

개념 더하기

10 a는 유리수, b는 무리수일 때, 다음 중 항상 무리수인 것을 모두 고르면? (정답 2개)

① $a+b^2$ ② $\frac{a-b}{2}$ ③ $a-b^2$

④ ab ⑤ $\frac{a}{b}(a\neq0)$

03 실수와 수직선 및 대소 관계

1 무리수 $\sqrt{2}$와 $-\sqrt{2}$를 수직선 위에 나타내기

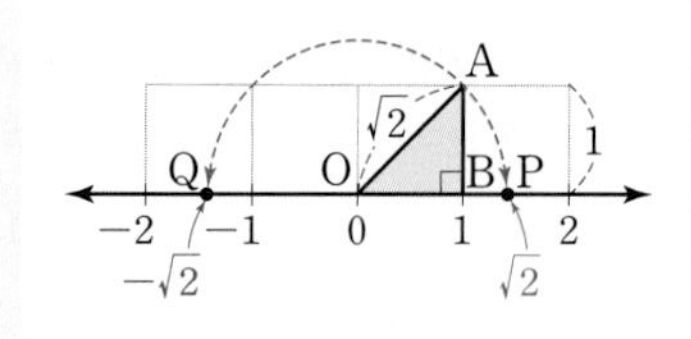

❶ 수직선 위에 원점 O를 꼭짓점으로 하고 직각을 낀 두 변의 길이가 각각 1인 직각삼각형 AOB를 그린다.
➡ $\overline{OA}=\sqrt{1^2+1^2}=\sqrt{2}$

❷ 원점 O를 중심으로 하고 $\overline{OA}$를 반지름으로 하는 원을 그릴 때 원과 수직선이 만나는 두 점 P, Q에 대응하는 수가 각각 $\sqrt{2}$, $-\sqrt{2}$이다.

2 실수와 수직선

(1) 모든 실수는 각각 수직선 위의 한 점에 대응하고, 또 수직선 위의 한 점에는 한 실수가 반드시 대응한다.
(2) 서로 다른 두 실수 사이에는 무수히 많은 실수가 있다.
(3) 수직선은 유리수와 무리수, 즉 실수에 대응하는 점들로 완전히 메울 수 있다.

3 실수의 대소 관계

두 실수의 대소를 비교할 때는 다음과 같은 방법으로 한다.

방법 1 두 수의 차를 이용한다. ➡ a, b는 실수일 때, ① $a-b>0$이면 $a>b$
② $a-b=0$이면 $a=b$
③ $a-b<0$이면 $a<b$

방법 2 부등식의 성질을 이용한다. 예 $\sqrt{2}+\sqrt{3}$과 $2+\sqrt{3}$의 대소 비교 ➡ $\sqrt{2}<2$이므로 $\sqrt{2}+\sqrt{3}<2+\sqrt{3}$

대표 문제

11 다음 그림은 한 칸의 가로와 세로의 길이가 각각 1인 모눈종이 위에 수직선과 두 직각삼각형을 그린 것이다. $\overline{AB}=\overline{AP}$, $\overline{CD}=\overline{CQ}$일 때, 두 점 P, Q의 좌표를 각각 구하시오.

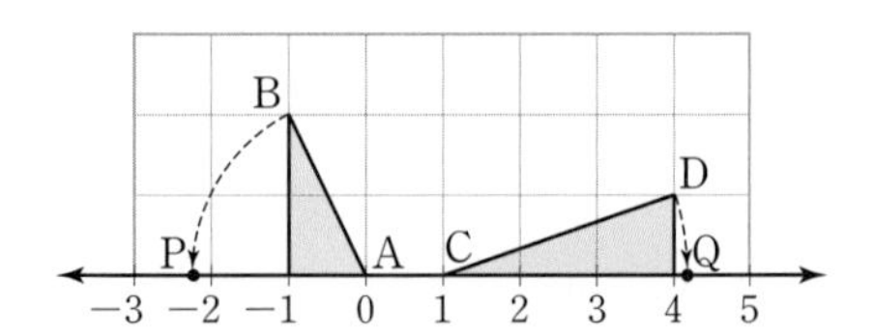

12 다음 보기 중 옳은 것을 모두 고르시오.

보기
ㄱ. 2에 가장 가까운 무리수는 $\sqrt{3}$이다.
ㄴ. 3과 5 사이에 존재하는 유리수는 1개뿐이다.
ㄷ. $\sqrt{2}$와 $\sqrt{3}$ 사이에는 무수히 많은 무리수가 있다.
ㄹ. 수직선은 유리수와 무리수에 대응하는 점들로 완전히 메울 수 있다.

13 다음 중 두 수의 대소 관계가 옳지 않은 것은?

① $6+\sqrt{3}<8$　② $2-\sqrt{6}>-1$
③ $\sqrt{7}-2<\sqrt{11}-2$　④ $\sqrt{10}-\sqrt{5}>3-\sqrt{5}$
⑤ $\sqrt{10}-3<\sqrt{10}-\sqrt{13}$

14 $a=8-\sqrt{6}$, $b=2+\sqrt{7}$, $c=8-\sqrt{5}$일 때, 세 수 a, b, c의 대소 관계를 부등호를 사용하여 나타내시오.

15 두 수 $2-\sqrt{15}$와 $\sqrt{7}+3$ 사이에 있는 모든 정수의 합을 구하시오.

01 제곱근의 뜻과 성질

1 다음 보기 중 옳은 것의 개수는?

보기
ㄱ. $x^2=a$일 때, a를 x의 제곱근이라 한다.
ㄴ. 3의 두 제곱근의 절댓값은 같다.
ㄷ. $\sqrt{0.0625}$의 양의 제곱근은 0.5이다.
ㄹ. 49의 양의 제곱근과 제곱근 7은 같다.
ㅁ. 제곱근 $(-1.\dot{7})^2$의 제곱근은 $\pm\frac{16}{9}$이다.

① 1개 ② 2개 ③ 3개
④ 4개 ⑤ 5개

중요
2 $\sqrt{(3a-1)^2}=5$를 만족시키는 a의 값을 모두 구하시오.

3 서로소인 두 자연수 a, b에 대하여 $\sqrt{1.0\dot{5}\times\frac{a}{b}}=2.\dot{1}$일 때, $a-b$의 값을 구하시오.

4 반지름의 길이가 r인 원 O보다 넓이가 4배인 원 O′을 그리려고 한다. 원 O′의 반지름의 길이는 원 O의 반지름의 길이의 몇 배인지 구하시오.

교과서 속 심화
5 다음 그림과 같이 한 변의 길이가 $\sqrt{160}$ cm인 정사각형 모양의 색종이를 각 변의 중점을 꼭짓점으로 하는 정사각형 모양으로 접어 나갈 때, [4단계]에서 생기는 정사각형의 한 변의 길이를 구하시오.

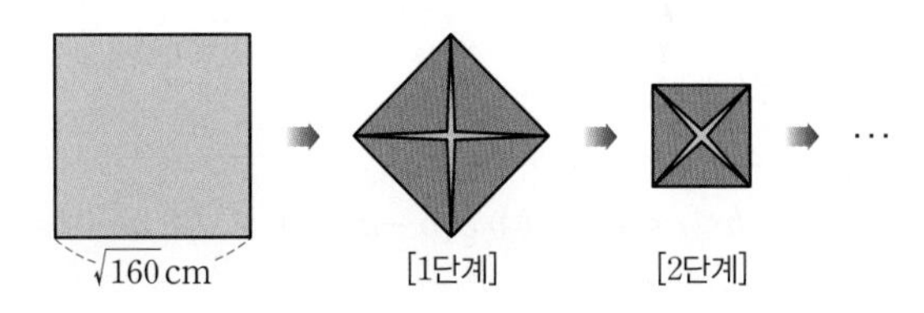

6 오른쪽 그림과 같이 반지름의 길이가 10 cm이고 중심각의 크기가 90°인 부채꼴 AOB에서 $\overline{OB}$ 위에 $\overline{OP}=7$ cm가 되도록 점 P를 잡은 후, 점 P를 지나고 $\overline{OB}$에 수직인 직선이 $\widehat{AB}$와 만나는 점을 Q라 할 때, $\overline{BQ}$의 길이는?

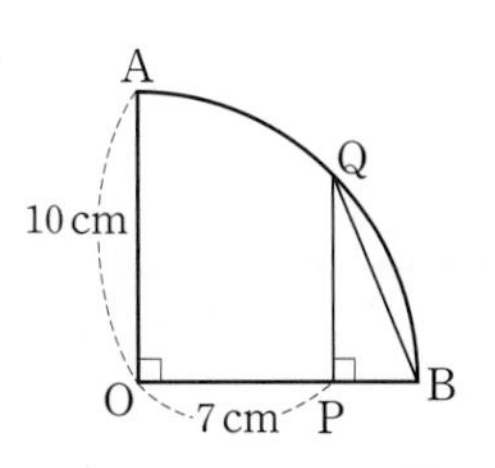

① $\sqrt{56}$ cm ② $\sqrt{58}$ cm ③ $\sqrt{60}$ cm
④ $\sqrt{62}$ cm ⑤ 8 cm

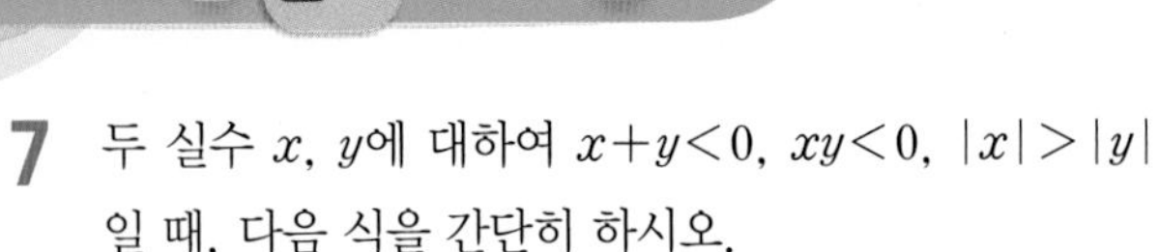

7 두 실수 x, y에 대하여 $x+y<0$, $xy<0$, $|x|>|y|$일 때, 다음 식을 간단히 하시오.

$$\sqrt{9x^2}-\sqrt{(2y)^2}+\sqrt{(-y)^2}-|5x|$$

8 다음 조건을 모두 만족시키는 세 실수 a, b, c에 대하여 $\sqrt{(c-b)^2}-\sqrt{4b^2}-\sqrt{(-a)^2}+\sqrt{(b-a)^2}$을 간단히 하면?

조건

(가) $b<c<a$ (나) $c(b-a)<0$ (다) $ac+b=0$

① $2a+c$ ② $4b-c$ ③ c
④ $c-4b$ ⑤ $c-2b$

9 $-1<x<0$일 때, $\sqrt{4x^2}-\sqrt{\left(x+\frac{1}{x}\right)^2}+\sqrt{\left(x-\frac{1}{x}\right)^2}$을 간단히 하시오.

중요
10 $\sqrt{\frac{1\times2\times3\times\cdots\times8\times9\times10}{n}}$이 자연수가 되도록 하는 가장 작은 자연수 n의 값을 구하시오.

중요
11 서로 다른 두 개의 주사위를 동시에 던져서 나오는 눈의 수를 각각 a, b라 할 때, $\sqrt{180ab}$가 자연수가 될 확률을 구하시오.

교과서 속 심화
12 진공 상태에서 물체를 낙하시킬 때, 물체의 처음 높이를 h m, 물체가 땅에 떨어지기 직전의 속력을 v m/s라 하면 $v=\sqrt{2\times9.8\times h}$인 관계가 성립한다고 한다. v가 자연수가 되도록 하는 세 자리의 자연수 h의 값 중에서 가장 작은 수를 구하시오.

13 $\sqrt{200+a}-\sqrt{150-b}$의 값이 가능한 한 작은 정수가 되도록 하는 두 자연수 a, b에 대하여 $a-b$의 값을 구하시오.

중요
14 $0<a<1$일 때, 다음 수를 작은 것부터 차례로 나열하시오.

$$a,\quad \sqrt{a},\quad \frac{1}{a},\quad \sqrt{\frac{1}{a}},\quad a^2$$

15 $a=5$, $b=\sqrt{37}-1$일 때, $\sqrt{(a+b)^2}-\sqrt{(a-b)^2}$의 값은?

① 6 ② 7 ③ 8
④ 9 ⑤ 10

16 부등식 $(x-1)^2<230<(x+2)^2$을 만족시키는 자연수 x의 값을 모두 구하시오.

17 두 실수 $\frac{\sqrt{5}}{5}$와 $\frac{\sqrt{3}}{3}$ 사이에 있는 수 중에서 분모가 15인 기약분수를 모두 구하시오.

교과서 속 심화
18 자연수 x에 대하여 $\sqrt{x}$ 이하의 자연수의 개수를 $f(x)$라 할 때, $f(x)=9$인 자연수 x의 개수를 구하시오.

02 무리수와 실수

19 순환소수 $0.\dot{a}$의 양의 제곱근 $\sqrt{0.\dot{a}}$가 무리수가 되도록 하는 한 자리의 자연수 a의 개수를 구하시오.

중요
20 $\sqrt{3n}$, $\sqrt{5n}$, $\sqrt{18n}$이 모두 무리수가 되도록 하는 400 이하의 자연수 n의 개수를 구하시오.

03 실수와 수직선 및 대소 관계

21 오른쪽 그림과 같이 수직선 위에 한 변의 길이가 1인 정사각형 ABCD를 그렸다. $\overline{AC}=\overline{AP}$이고 수직선 위의 세 점 A, B, P에 대응하는 수를 각각 a, b, p라 할 때, 다음 보기 중 옳은 것을 모두 고른 것은?

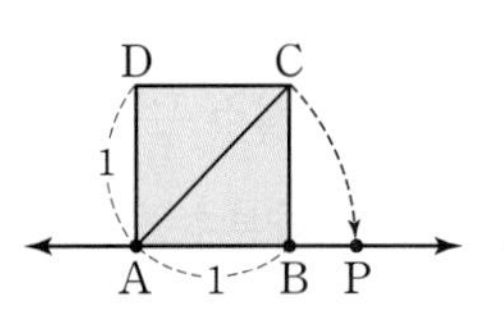

보기
ㄱ. p가 유리수이면 a, b는 모두 무리수이다.
ㄴ. p가 무리수이면 a, b는 모두 유리수이다.
ㄷ. b가 유리수이면 p는 무리수이다.

① ㄱ ② ㄴ ③ ㄱ, ㄴ
④ ㄱ, ㄷ ⑤ ㄴ, ㄷ

22 다음 그림과 같이 $\angle B=90°$이고 $\overline{AB}=2$, $\overline{BC}=1$인 직각삼각형 ABC의 변 AB가 수직선 위에 놓여 있다. △ABC를 수직선 위에서 오른쪽으로 한 바퀴 굴렸더니 점 A가 점 A′의 위치로 이동하였다. 점 A에 대응하는 수가 1일 때, 점 B′에 대응하는 수를 구하시오.

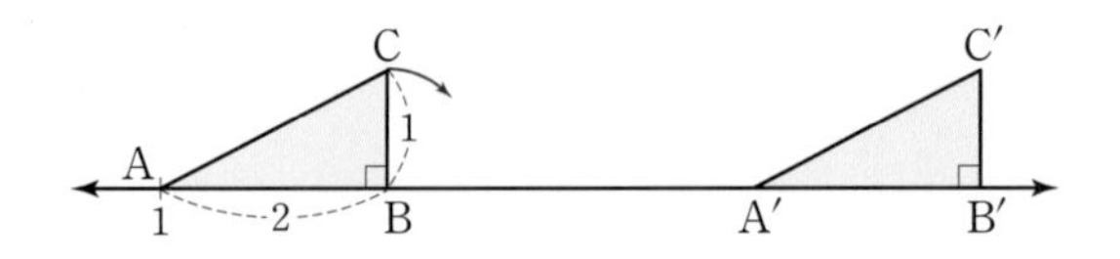

교과서 속 심화
23 다음 그림과 같이 넓이가 16π인 원이 점 A에서 수직선과 접하고 있다. 이 원을 수직선 위에서 세 바퀴 굴렸더니 원 위의 점 A가 수직선 위의 점 P와 겹쳐졌다. 점 A에 대응하는 수가 3일 때, 점 P에 대응하는 수를 구하시오.

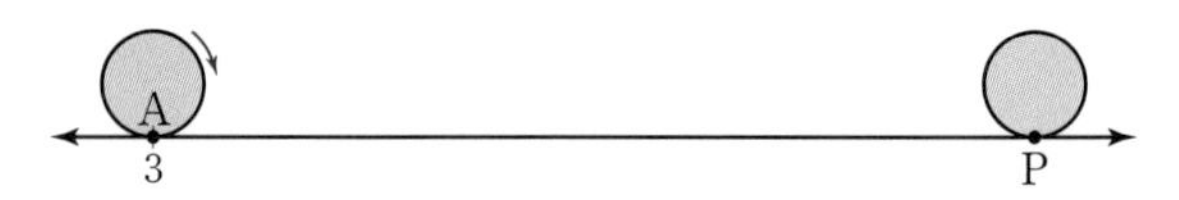

24 다음 그림은 수직선 위에 자연수의 양의 제곱근 1, $\sqrt{2}$, $\sqrt{3}$, 2, $\sqrt{5}$, $\sqrt{6}$, $\sqrt{7}$, $\sqrt{8}$, 3, …에 대응하는 점을 각각 나타낸 것이다.

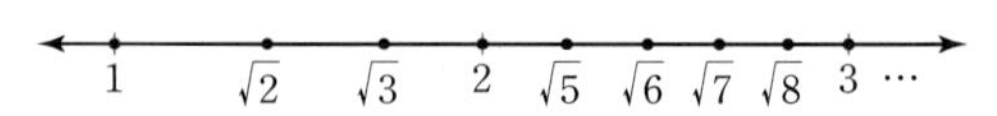

위의 수직선에서 두 자연수 a와 b 사이에 있는 점의 개수를 $\langle a, b\rangle$라 하면 $\langle 1, 2\rangle=2$, $\langle 2, 3\rangle=4$일 때, $\langle 89, 90\rangle$의 값을 구하시오.

25 다음 수를 크기가 큰 것부터 차례로 나열할 때, 두 번째에 오는 수를 구하시오.

$3+\sqrt{11}$, 7, $-2-\sqrt{11}$, $\sqrt{5}+\sqrt{11}$

창의 사고력 문제

26 다음 그림과 같이 직각삼각형과 그 세 변을 각각 한 변으로 하는 정사각형을 계속 이어 붙여 그린 나무 모양의 그림을 '피타고라스 나무'라 한다.

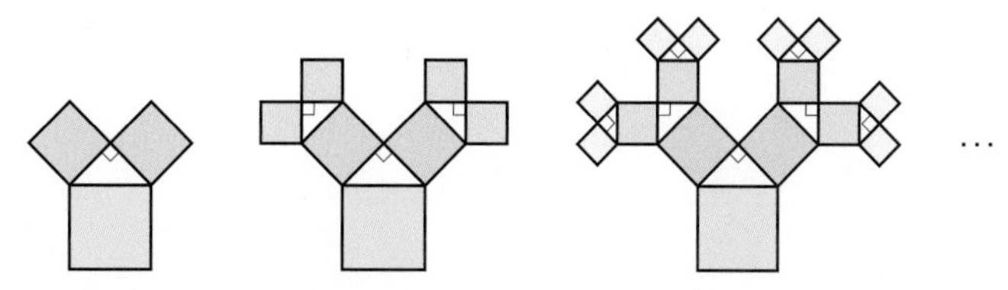

오른쪽 그림과 같이 $\overline{AB}=1\,\text{cm}$, $\overline{BC}=\sqrt{3}\,\text{cm}$인 직각삼각형 ABC를 이용하여 피타고라스 나무를 그렸을 때, 색칠한 부분의 넓이를 구하시오. (단, 모든 직각삼각형은 서로 닮음이다.)

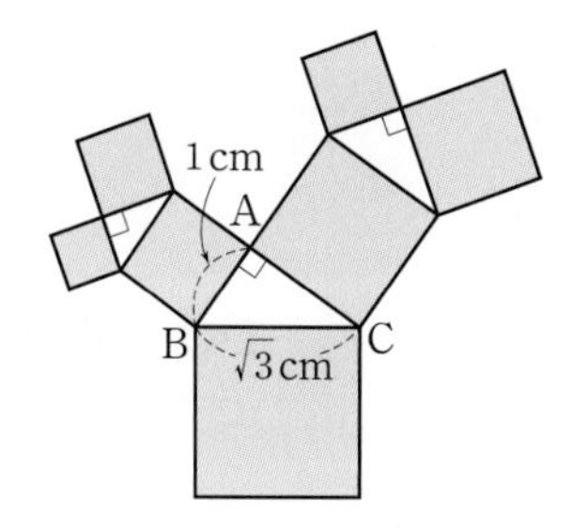

27 오른쪽 그림과 같이 좌표평면 위에 $\angle C=90^\circ$인 직각삼각형 ABC가 있다. $\overline{AC}$와 $\overline{BC}$가 y축과 만나는 점의 좌표가 각각 $(0,\ 5)$, $(0,\ -1)$일 때, x축 위의 점 C의 좌표를 구하시오.

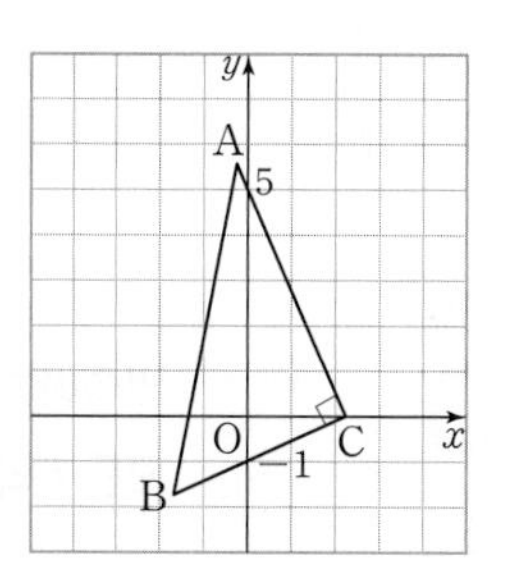

28 오른쪽 그림과 같이 직사각형 모양의 땅에 정사각형 모양의 배추밭, 상추밭을 만들고, 남은 땅에 고추밭을 만들려고 한다. 배추밭의 넓이는 $24n$, 상추밭의 넓이는 $87-n$이고 두 밭의 각 변의 길이가 자연수일 때, 고추밭의 넓이를 구하시오.

(단, n은 자연수)

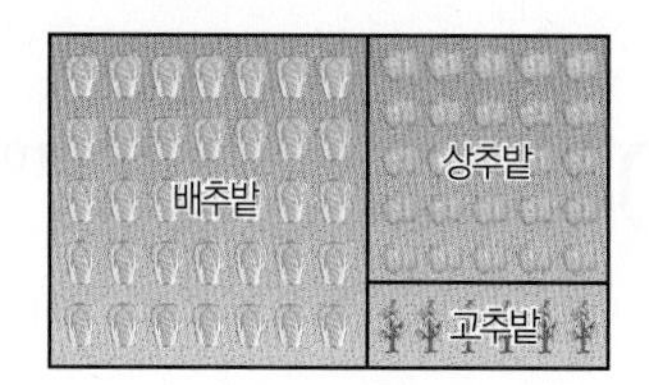

● 정답과 해설 5쪽

01 $\sqrt{1+3}$, $\sqrt{1+3+5}$, $\sqrt{1+3+5+7}$, $\sqrt{1+3+5+7+9}$, …와 같이 수를 나열할 때, $\sqrt{1+3+5+7+9+\cdots+51+53}$을 근호를 사용하지 않고 나타내시오.

02 $1<a<b$일 때, $\sqrt{\left(\frac{b}{b-1}-\frac{a}{a-1}\right)^2}-\sqrt{\left(\frac{1}{1-a}\right)^2}+\sqrt{\left(\frac{1}{b-1}\right)^2}$을 간단히 하시오.

TOP
03 연속하는 세 짝수 a, b, c에 대하여 $a+b+c<400$일 때, $\sqrt{a+b+c}$가 자연수가 되도록 하는 모든 b의 값의 합을 구하시오. (단, $a<b<c$)

04 $\sqrt{7a}+\sqrt{b}=11$이 성립하도록 하는 두 자연수 a, b에 대하여 $\sqrt{2a^2-b}$보다 작은 자연수의 개수를 구하시오.

05

$x=\sqrt{629}$일 때, 다음을 계산하시오.

$$\sqrt{(x-1)^2}+\sqrt{(x-2)^2}+\sqrt{(x-3)^2}+\cdots+\sqrt{(x-49)^2}+\sqrt{(x-50)^2}$$

06

자연수 x에 대하여 $\sqrt{x}$ 이하의 자연수의 개수를 $f(x)$라 할 때, $f(1)+f(2)+\cdots+f(n)=54$가 성립하도록 하는 자연수 n의 값을 구하시오.

TOP

07

서로 다른 두 개의 주사위 A, B를 동시에 던질 때 나오는 눈의 수를 각각 a, b라 하자. 이때 $\sqrt{a}-\sqrt{b}$가 무리수일 확률을 구하시오.

08

두 정수 a, b에 대하여 $a+\sqrt{10}<n<b-\sqrt{10}$을 만족시키는 정수 n이 2개일 때, $b-a$의 값을 구하시오.

2 근호를 포함한 식의 계산

01 제곱근의 곱셈과 나눗셈

02 제곱근표를 이용한 제곱근의 값

03 제곱근의 덧셈과 뺄셈

● 정답과 해설 8쪽

01 제곱근의 곱셈과 나눗셈

1 제곱근의 곱셈과 나눗셈

$a>0$, $b>0$이고 m, n이 유리수일 때

(1) $\sqrt{a}\sqrt{b}=\sqrt{ab}$

(2) $\dfrac{\sqrt{a}}{\sqrt{b}}=\sqrt{\dfrac{a}{b}}$

(3) $m\sqrt{a}\times n\sqrt{b}=mn\sqrt{ab}$

(4) $m\sqrt{a}\div n\sqrt{b}=\dfrac{m}{n}\sqrt{\dfrac{a}{b}}$ (단, $n\neq0$)

2 근호가 있는 식의 변형

$a>0$, $b>0$일 때

(1) $\sqrt{a^2b}=\sqrt{a^2}\sqrt{b}=a\sqrt{b}$

(2) $\sqrt{\dfrac{b}{a^2}}=\dfrac{\sqrt{b}}{\sqrt{a^2}}=\dfrac{\sqrt{b}}{a}$

참고 $a\sqrt{b}$ 꼴로 나타낼 때, 일반적으로 근호 안의 수는 가장 작은 자연수가 되도록 한다.

3 분모의 유리화

(1) $\dfrac{b}{\sqrt{a}}=\dfrac{b\times\sqrt{a}}{\sqrt{a}\times\sqrt{a}}=\dfrac{b\sqrt{a}}{a}$ (단, $a>0$)

(2) $\dfrac{\sqrt{b}}{\sqrt{a}}=\dfrac{\sqrt{b}\times\sqrt{a}}{\sqrt{a}\times\sqrt{a}}=\dfrac{\sqrt{ab}}{a}$ (단, $a>0$, $b>0$)

참고 분모의 근호 안에 제곱인 인수가 있으면 $\sqrt{a^2b}=a\sqrt{b}$임을 이용하여 근호 안의 수를 가장 작은 자연수로 만든 후 분모를 유리화한다.

대표 문제

1 $\sqrt{2}\times\sqrt{5}\times2\sqrt{3}\times\sqrt{2a}=12\sqrt{5}$일 때, 양의 유리수 a의 값을 구하시오.

2 $a<0$, $b>0$일 때, 다음 중 옳은 것은?

① $\sqrt{(-a)^2b}=a\sqrt{b}$　② $\sqrt{a^2b^2}=ab$

③ $-\sqrt{a^4b^2}=a^2b$　④ $\sqrt{\dfrac{b}{a^2}}=-\dfrac{\sqrt{b}}{a}$

⑤ $-\sqrt{\dfrac{a^2}{b^2}}=-\dfrac{a}{b}$

3 $\sqrt{0.008}=k\sqrt{5}$일 때, 유리수 k의 값은?

① $\dfrac{1}{10}$　② $\dfrac{1}{25}$　③ $\dfrac{2}{25}$

④ $\dfrac{1}{5}$　⑤ $\dfrac{2}{5}$

4 $\sqrt{2}=a$, $\sqrt{3}=b$일 때, 다음 중 $\sqrt{108}$을 a, b를 사용하여 나타낸 것은?

① ab^2　② a^2b　③ a^2b^2

④ a^2b^3　⑤ a^3b^3

5 $\dfrac{2\sqrt{2}}{\sqrt{5}}=a\sqrt{10}$, $\dfrac{5}{\sqrt{48}}=b\sqrt{3}$일 때, 두 유리수 a, b에 대하여 ab의 값을 구하시오.

6 다음 그림에서 직사각형의 넓이와 삼각형의 넓이가 같을 때, x의 값을 구하시오.

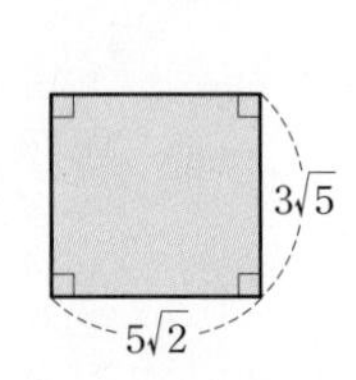

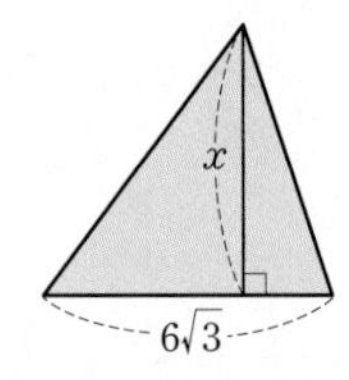

02 제곱근표를 이용한 제곱근의 값

1 제곱근표에 있는 수의 제곱근의 값

1.00부터 99.9까지의 수의 제곱근의 값은 제곱근표를 이용하여 소수점 아래 셋째 자리까지 나타낼 수 있다.

참고 제곱근표는 1.00부터 9.99까지의 수는 0.01 간격으로, 10.0부터 99.9까지의 수는 0.1 간격으로 그 수의 양의 제곱근의 값을 소수점 아래 넷째 자리에서 반올림하여 나타낸 표이다. ← 102~103쪽의 제곱근표 참고

수	0	1	2	3	…
1.0	1.000	1.005	1.010	1.015	…
1.1	1.049	1.054	1.058	1.063	…
1.2	1.095	1.100	1.105	1.109	…
⋮	⋮	⋮	⋮	⋮	⋮

➡ $\sqrt{1.23}$의 값은 1.2의 가로줄과 3의 세로줄이 만나는 칸에 적혀 있는 수인 1.109이다.

2 제곱근표에 없는 수의 제곱근의 값

제곱근표에 없는 수의 제곱근의 값은 $\sqrt{a^2b}=a\sqrt{b}$임을 이용하여 근호 안의 수를 제곱근표에 있는 수로 바꾸어 구한다.

(1) 99.9보다 큰 수의 제곱근의 값: $\sqrt{100k}=10\sqrt{k}$, $\sqrt{10000k}=100\sqrt{k}$, …로 바꾼다.

(2) 0과 1 사이의 수의 제곱근의 값: $\sqrt{\frac{k}{100}}=\frac{\sqrt{k}}{10}$, $\sqrt{\frac{k}{10000}}=\frac{\sqrt{k}}{100}$, …로 바꾼다.

대표 문제

7 다음 제곱근표에서 $\sqrt{16.5}=a$, $\sqrt{b}=4.219$일 때, $100a+b$의 값을 구하시오.

수	5	6	7	8
15	3.937	3.950	3.962	3.975
16	4.062	4.074	4.087	4.099
17	4.183	4.195	4.207	4.219
18	4.301	4.313	4.324	4.336

8 다음 제곱근표를 이용하여 $\sqrt{40200}$과 $\sqrt{0.00042}$의 값을 차례로 소수로 나타내시오.

수	0	1	2	3
4.0	2.000	2.002	2.005	2.007
4.1	2.025	2.027	2.030	2.032
4.2	2.049	2.052	2.054	2.057
4.3	2.074	2.076	2.078	2.081

9 다음 중 $\sqrt{5}=2.236$임을 이용하여 그 값을 소수로 나타낼 수 없는 것은?

① $\frac{1}{\sqrt{5}}$ ② $\sqrt{0.05}$ ③ $\sqrt{0.5}$
④ $\sqrt{125}$ ⑤ $\sqrt{500}$

10 $\sqrt{7}=2.646$, $\sqrt{70}=8.367$일 때, 다음 중 옳지 않은 것은?

① $\sqrt{7000}=83.67$ ② $\sqrt{700}=26.46$
③ $\sqrt{28}=5.292$ ④ $\sqrt{0.007}=0.8367$
⑤ $\sqrt{0.0028}=0.05292$

11 $\sqrt{7.77}=2.787$일 때, $\sqrt{a}=278.7$을 만족시키는 양의 유리수 a의 값은?

① 0.0777 ② 77.7 ③ 777
④ 77700 ⑤ 7770000

12 $\sqrt{2}=1.414$, $\sqrt{3}=1.732$일 때, $\frac{\sqrt{18}}{6}+\sqrt{3.63}$의 값을 구하시오.

03 제곱근의 덧셈과 뺄셈

1 제곱근의 덧셈과 뺄셈

$a>0$이고 m, n이 유리수일 때

(1) $m\sqrt{a}+n\sqrt{a}=(m+n)\sqrt{a}$

(2) $m\sqrt{a}-n\sqrt{a}=(m-n)\sqrt{a}$

참고 근호 안의 수가 같지 않으면 더 이상 간단히 할 수 없다.
➡ $\sqrt{3}+\sqrt{2}\neq\sqrt{3+2}$, $\sqrt{3}-\sqrt{2}\neq\sqrt{3-2}$

2 근호를 포함한 식의 분배법칙

$a>0$, $b>0$, $c>0$일 때

(1) $\sqrt{a}(\sqrt{b}+\sqrt{c})=\sqrt{ab}+\sqrt{ac}$

(2) $(\sqrt{a}+\sqrt{b})\sqrt{c}=\sqrt{ac}+\sqrt{bc}$

3 근호를 포함한 식의 혼합 계산

(1) 괄호가 있으면 분배법칙을 이용하여 괄호를 푼다.

(2) $\sqrt{a^2b}$ 꼴은 $a\sqrt{b}$ 꼴로 고친다.

(3) 분모에 무리수가 있으면 분모를 유리화한다.

(4) 곱셈, 나눗셈을 먼저 한 후 덧셈, 뺄셈을 한다.

개념 활용하기

■ **제곱근의 계산 결과가 유리수가 될 조건**

a, b는 유리수이고 $\sqrt{x}$는 무리수일 때, $a+b\sqrt{x}$가 유리수가 될 조건은 ➡ $b=0$

■ **무리수의 정수 부분과 소수 부분**

(무리수)
=(정수 부분)+(소수 부분)
0<(소수 부분)<1

➡ (소수 부분)
=(무리수)−(정수 부분)

예 $1<\sqrt{2}<2$이므로
($\sqrt{2}$의 정수 부분)$=1$
($\sqrt{2}$의 소수 부분)$=\sqrt{2}-1$

대표 문제

13 $\dfrac{\sqrt{80}}{3}-a\sqrt{5}+\dfrac{\sqrt{45}}{2}=2\sqrt{5}$일 때, 유리수 a의 값을 구하시오.

14 $A=\sqrt{2}\left(\dfrac{1}{\sqrt{3}}-\dfrac{5}{\sqrt{10}}\right)$, $B=\sqrt{3}\left(\dfrac{1}{\sqrt{2^3}}+\sqrt{15}\right)$일 때, $A+B$의 값을 구하시오.

15 $\dfrac{2\sqrt{7}+\sqrt{21}}{\sqrt{3}}-\sqrt{7}\left(4-\dfrac{6}{\sqrt{12}}\right)$을 계산하시오.

16 오른쪽 그림은 수직선 위에 넓이가 5인 정사각형 PQRS를 그린 것이다.
$\overline{RQ}=\overline{RA}$, $\overline{RS}=\overline{RB}$
일 때, 두 점 A, B에 대응하는 수를 각각 a, b라 하자. 이때 $2a+3b$의 값을 구하시오.

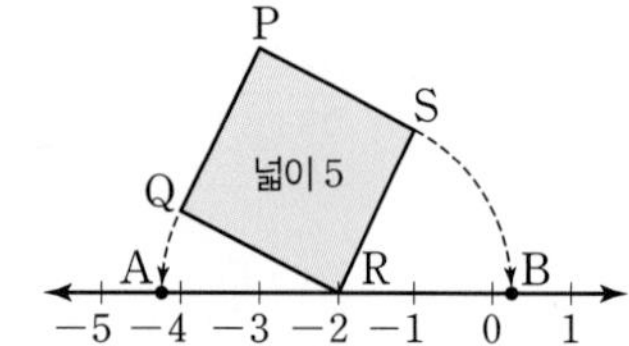

17 다음 중 두 실수의 대소 관계가 옳은 것은?

① $2+\sqrt{11}>6$
② $\sqrt{24}+1>\sqrt{54}$
③ $2+\sqrt{5}<\sqrt{45}-1$
④ $5-\sqrt{63}>3-2\sqrt{7}$
⑤ $\dfrac{2}{\sqrt{3}}-1>\dfrac{\sqrt{3}}{\sqrt{2}}-1$

18 $\sqrt{2}\left(\sqrt{3}+\dfrac{a}{\sqrt{2}}\right)-2(2-a\sqrt{6})$의 계산 결과가 유리수가 되도록 하는 유리수 a의 값과 그때의 식의 값을 차례로 구하시오.

19 $4-\sqrt{3}$의 정수 부분을 a, 소수 부분을 b라 할 때, $\dfrac{a}{\sqrt{3}}-\dfrac{b}{3}$의 값을 구하시오.

● 정답과 해설 9쪽

01 제곱근의 곱셈과 나눗셈

중요

1 $\sqrt{2}\times\sqrt{7}\times\sqrt{a}\times\sqrt{2a}\times\sqrt{28}=14$일 때, 양수 a의 값을 구하시오.

2 $\sqrt{252}=a\sqrt{7}$, $\sqrt{2700}=b\sqrt{3}$을 만족시키는 두 유리수 a, b에 대하여 $\sqrt{ab}=c\sqrt{5}$일 때, 유리수 c의 값을 구하시오.

교과서 속 심화

3 $2\sqrt{30+a}=8\sqrt{5}$, $\sqrt{25-b}=4\sqrt{3}$을 만족시키는 두 유리수 a, b에 대하여 $a-b$의 값을 구하시오.

4 $\sqrt{3}=a$, $\sqrt{10}=b$일 때, $\sqrt{0.025}+\sqrt{1200}$을 a, b를 사용하여 나타내면?

① $20a+\frac{1}{25}b$　② $20a+\frac{1}{24}b$　③ $20a+\frac{1}{20}b$　④ $25a+\frac{1}{25}b$　⑤ $25a+\frac{1}{20}b$

교과서 속 심화

5 어떤 물체가 행성의 중력을 벗어나 무한히 멀어지기 위해 필요한 최소한의 속력을 탈출 속력이라 한다. 질량이 M kg, 반지름의 길이가 R km인 행성의 표면에서 탈출 속력은 $\sqrt{\frac{2GM}{R}}$ km/s (G는 상수)이다. 천왕성은 질량이 지구의 14배, 반지름의 길이가 지구의 4배라 할 때, 천왕성에서 탈출 속력은 지구에서 탈출 속력의 몇 배인지 구하시오.

6 $\frac{5a+3b}{3a-b}=2$일 때, $\frac{\sqrt{32b^2}}{\sqrt{3a^2}}$의 값을 구하시오.

7 다음과 같이 화살표 위에 적힌 계산을 차례로 한 결과가 $\sqrt{6}$일 때, (가)에 알맞은 수는?

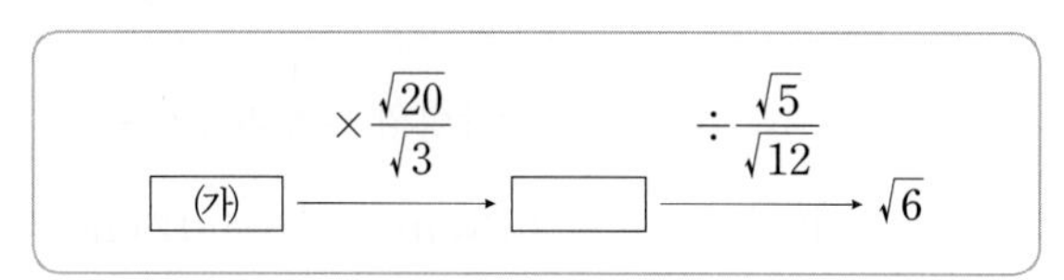

① $\frac{\sqrt{5}}{4}$　② $\frac{\sqrt{6}}{4}$　③ $\frac{3\sqrt{2}}{4}$　④ $2\sqrt{6}$　⑤ $3\sqrt{5}$

8 오른쪽 그림과 같이 넓이가 5π인 원에 내접하는 정사각형과 외접하는 정사각형의 넓이를 차례로 구하시오.

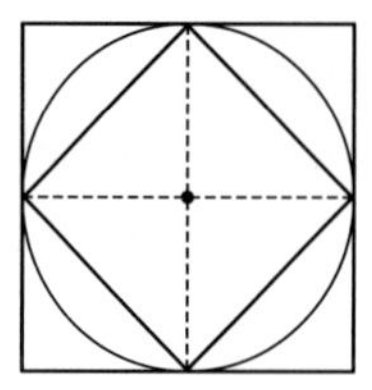

교과서 속 심화

9 오른쪽 그림과 같은 정육면체에서 대각선 AG의 길이가 12 cm일 때, △AEG의 넓이를 구하시오.

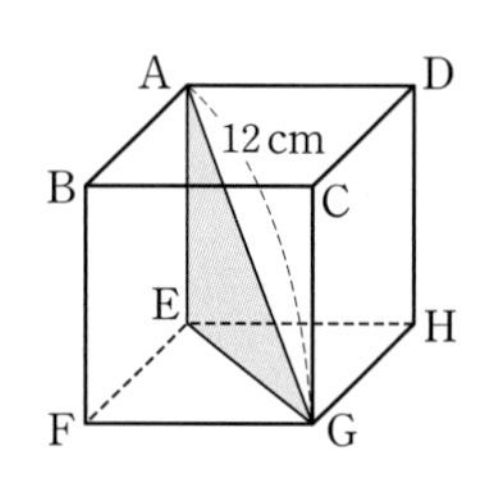

10 넓이가 $4\sqrt{3}\,\text{cm}^2$인 정삼각형의 둘레의 길이는?

① 8 cm ② $6\sqrt{3}$ cm ③ 12 cm
④ $8\sqrt{3}$ cm ⑤ $12\sqrt{3}$ cm

02 제곱근표를 이용한 제곱근의 값

중요

11 다음 제곱근표를 이용하여 $\sqrt{62.01}$의 값을 소수로 나타내시오.

수	6	7	8	9
6.7	2.600	2.602	2.604	2.606
6.8	2.619	2.621	2.623	2.625
6.9	2.638	2.640	2.642	2.644

12 다음 제곱근표를 이용하여 $\sqrt{136-x}=\sqrt{0.0612}$를 만족시키는 x의 값을 구하시오.

수	3	4	5	6	7
1.2	1.109	1.114	1.118	1.122	1.127
1.3	1.153	1.158	1.162	1.166	1.170
1.4	1.196	1.200	1.204	1.208	1.212
1.5	1.237	1.241	1.245	1.249	1.253

13 오른쪽 표는 자연수 a와 a^2의 값을 나타낸 것이다. 이 표를 이용하여 $\sqrt{5.5}$를 소수로 나타내었을 때, 소수점 아래 둘째 자리의 숫자를 구하시오.

a	a^2
234	54756
235	55225
236	55696
237	56169
238	56644

03 제곱근의 덧셈과 뺄셈

14 중요 $a>0$, $b>0$이고 $ab=24$일 때, $a\sqrt{\frac{3b}{a}}+b\sqrt{\frac{a}{3b}}$의 값을 구하시오.

15 $x=\sqrt{6}+1$, $y=\sqrt{6}-1$일 때, $\frac{1}{x+y}-\frac{1}{x-y}$의 값은?

① $\frac{\sqrt{6}-6}{12}$ ② $\frac{\sqrt{6}-1}{12}$ ③ $\frac{\sqrt{6}+6}{12}$
④ $\frac{\sqrt{6}-3}{6}$ ⑤ $\frac{\sqrt{6}+3}{6}$

16 다음을 계산하시오.

$$\left(\sqrt{20}-\frac{\sqrt{108}}{\sqrt{15}}\right)^2+\left(\frac{18}{\sqrt{24}}-\sqrt{54}+\sqrt{\frac{3}{8}}\right)^2$$

17 두 유리수 a, b에 대하여
$(1+2\sqrt{2})a-(-1+\sqrt{2})b=5+7\sqrt{2}$가 성립할 때,
$a-b$의 값은?

① -5 ② -3 ③ 3
④ 5 ⑤ 7

18 다음 그림은 한 칸의 가로와 세로의 길이가 각각 1인 모눈종이 위에 수직선과 두 정사각형 ABCD, EFGH를 그린 것이다. $\overline{AB}=\overline{AP}$, $\overline{EH}=\overline{EQ}$일 때, 두 점 P, Q 사이의 거리를 구하시오.

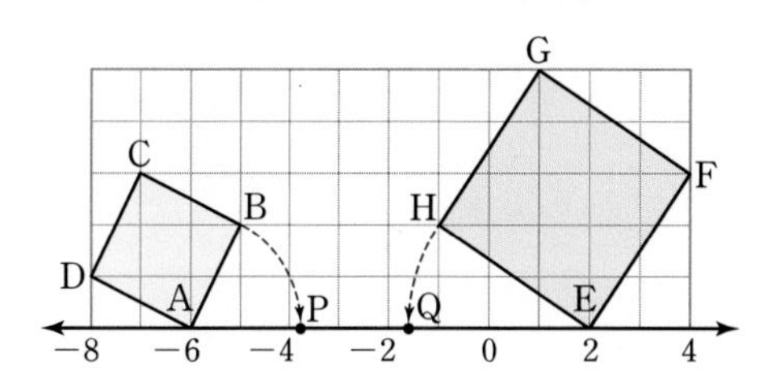

19 중요 $f(x)=\frac{1}{\sqrt{x}}-\frac{1}{\sqrt{x+1}}$일 때,
$f(2)+f(3)+\cdots+f(49)=a\sqrt{2}$를 만족시키는 유리수 a의 값을 구하시오.

20 중요 $\sqrt{(3\sqrt{2}-4)^2}-\sqrt{(5-4\sqrt{2})^2}+\sqrt{(-2)^2}$을 계산하면 $a+b\sqrt{2}$가 될 때, 두 유리수 a, b에 대하여 $a+b$의 값은?

① -2 ② -1 ③ 0
④ 1 ⑤ 2

중요

21 다음 세 수 A, B, C에 대하여 가장 큰 수를 M, 가장 작은 수를 m이라 할 때, $M+m$의 값을 구하시오.

$$A=\sqrt{75}-2,\quad B=\sqrt{48},\quad C=8-\sqrt{3}$$

22 $2\sqrt{2}$의 소수 부분을 a, $10-3\sqrt{2}$의 소수 부분을 b라 할 때, $\sqrt{(a-1)^2}+\sqrt{b^2}$의 값을 구하시오.

중요

23 오른쪽 그림과 같이 밑면의 가로, 세로의 길이가 각각 $\sqrt{14}$, $\sqrt{5}$인 직육면체의 부피가 $14\sqrt{5}+5\sqrt{14}$일 때, 이 직육면체의 겉넓이를 구하시오.

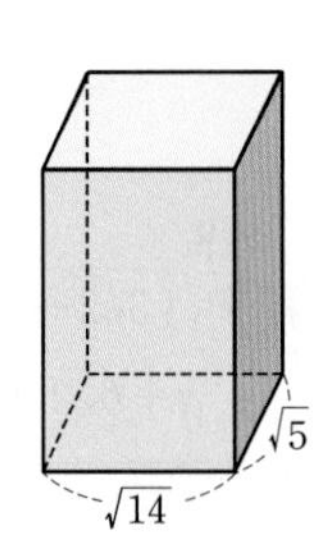

24 밑면의 반지름의 길이가 $\sqrt{6}$이고 높이가 $\sqrt{18}$인 원뿔에서 다음 그림과 같이 높이가 이 원뿔의 높이의 $\frac{1}{3}$인 원뿔을 잘라 낼 때, 원뿔대의 부피를 구하시오.

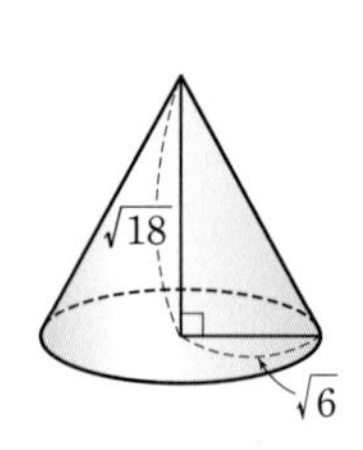

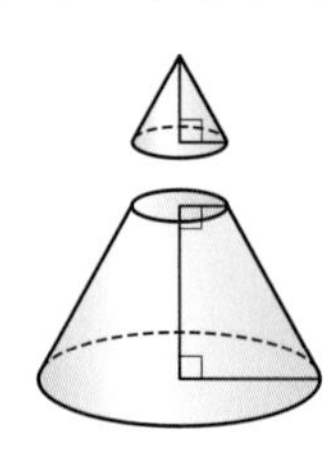

교과서 속 심화

25 오른쪽 그림은 한 변의 길이가 8 cm인 정사각형 안에 정사각형의 각 변의 중점을 연결한 정사각형을 연속하여 3번 그린 것이다. 색칠한 부분의 둘레의 길이의 합은?

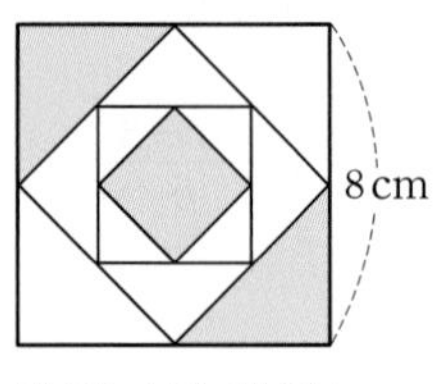

① $8\sqrt{2}$ cm ② $(8+8\sqrt{2})$ cm
③ $(8+16\sqrt{2})$ cm ④ $(16+8\sqrt{2})$ cm
⑤ $(16+16\sqrt{2})$ cm

26 오른쪽 그림은 가로, 세로의 길이가 각각 $1+\sqrt{5}$, 2인 직사각형 안에 4개의 정사각형을 차례로 그리고, 각 정사각형의 한 꼭짓점을 중심으로 하고 그 한 변의 길이를 반지름으로 하는 사분원 A, B, C, D를 그린 것이다. 이때 4개의 사분원 A, B, C, D의 호의 길이의 합을 구하시오.

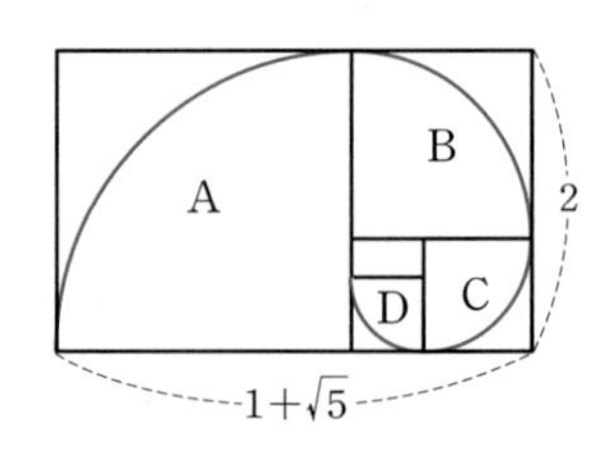

창의 사고력 문제

27 오른쪽 그림에서 솔이의 자는 눈금 0에서부터의 거리가 $\sqrt{a}$인 곳의 눈금을 a로 나타낸 자이고, 민이의 자는 눈금 0에서부터의 거리가 b인 곳의 눈금을 b^2+2로 나타낸 자이다. 다음 그림과 같이 솔이의 자의 눈금 7, 63의 위치와 민이의 자의 눈금 0, A의 위치가 각각 일치하도록 붙여 놓았을 때, A의 값을 구하시오. (단, $a>1$, $b>1$인 실수)

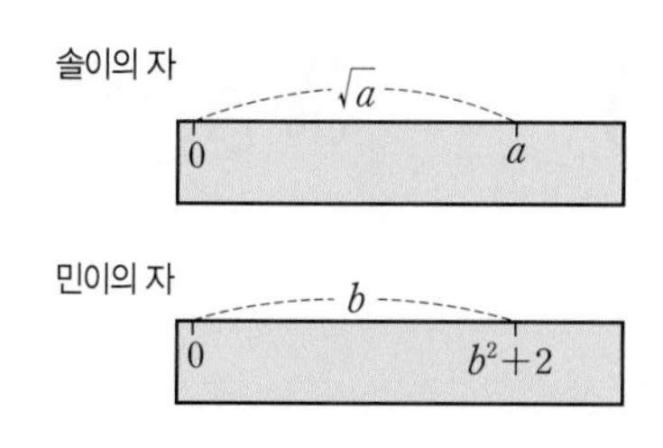

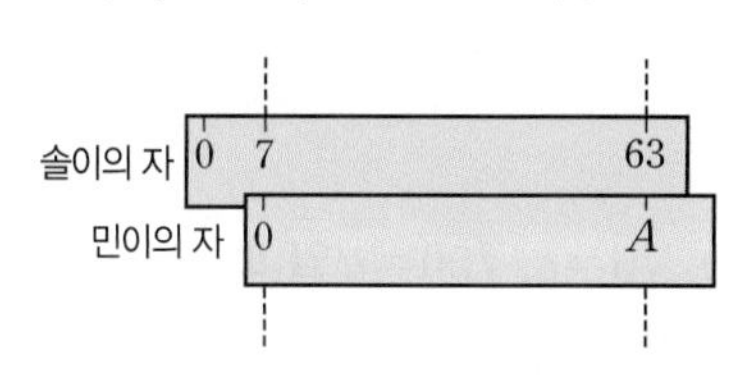

28 정사각형 모양의 도형을 7개의 조각으로 나누어 여러 가지 사물의 모양을 만들어 보는 놀이를 칠교놀이라 한다. 지호는 다음 그림과 같이 한 칸의 가로와 세로의 길이가 각각 1인 모눈종이에 칠교판을 만든 후 이를 이용하여 고양이 모양의 도형을 만들었을 때, 고양이 모양의 도형의 둘레의 길이를 구하시오.

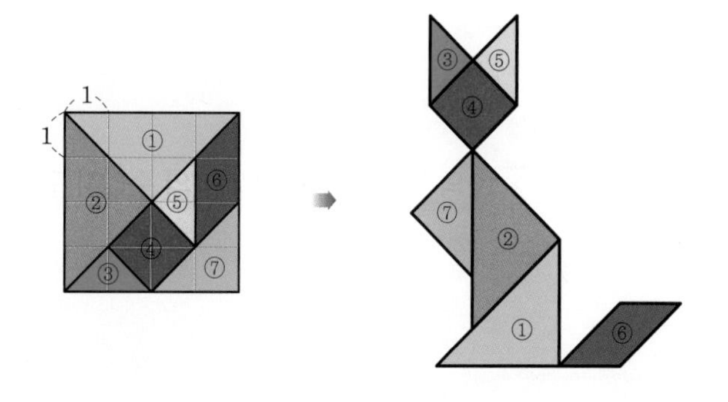

29 오른쪽 그림은 한 칸의 가로와 세로의 길이가 각각 1인 모눈종이 위에 정사각형 A_1을 그리고, 이전 정사각형의 두 대각선의 교점을 한 꼭짓점으로 하는 정사각형 A_2, A_3, …를 각각 그린 것이다. 정사각형 A_2, A_3, …의 한 변의 길이는 각각 정사각형 A_1의 한 변의 길이의 2배, 3배, …일 때, 정사각형 A_7까지 그린 전체 도형의 둘레의 길이를 구하시오.

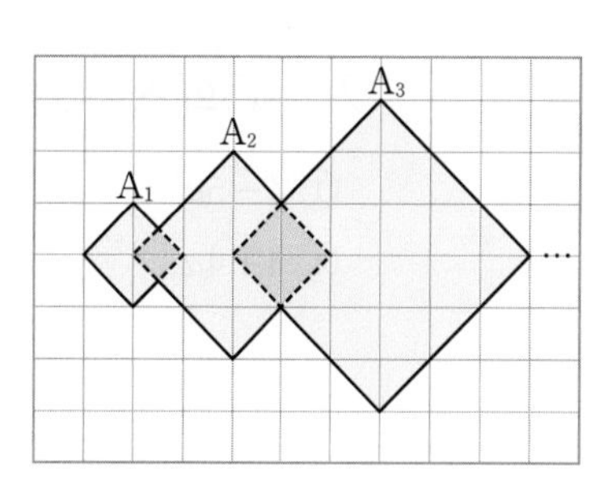

● 정답과 해설 12쪽

01

$\dfrac{\sqrt{6^8+4^9}}{\sqrt{18^4+4^7}}$의 값을 구하시오.

02

$\sqrt{3}=a$, $\sqrt{30}=b$, $\sqrt{5}=c$, $\sqrt{50}=d$일 때, 다음 중 $\sqrt{0.3}+\sqrt{0.5}$를 a, b, c, d를 모두 사용하여 나타낸 것으로 옳은 것은?

① $\dfrac{b}{a}+\dfrac{d}{c}$　② $\dfrac{b^2}{a}+\dfrac{c^2}{d}$　③ $\dfrac{a}{b}+\dfrac{c}{d}$
④ $\dfrac{a^2}{b}+\dfrac{c^2}{d}$　⑤ $\dfrac{a^2}{b}+\dfrac{d^2}{c}$

03

$25\sqrt{1\times2\times3\times\cdots\times10}$의 정수 부분은 몇 자리의 수인지 구하시오.

04

$12-\sqrt{5}$의 소수 부분을 a라 할 때, $4\sqrt{5}$의 소수 부분을 a를 사용하여 나타내면?

① $4-5a$　② $4-4a$　③ $5a$
④ $4+4a$　⑤ $5+5a$

TOP
05

두 자연수 x, y에 대하여 $\sqrt{x}+\sqrt{y}=\sqrt{96}$을 만족시키는 순서쌍 (x, y)를 모두 구하시오.

06

일차부등식 $\sqrt{6}(\sqrt{3}-\sqrt{2})x-\sqrt{3}>3\sqrt{2}x-1$을 만족시키는 x의 값 중 가장 큰 정수를 구하시오.

TOP
07

오른쪽 그림은 한 변의 길이가 1인 정육각형의 각 변의 중점을 연결하여 3개의 정육각형을 차례로 그린 것이다. 정육각형과 각 변의 중점을 연결하여 그린 정육각형의 넓이의 비가 $4:3$으로 일정할 때, 색칠한 부분의 둘레의 길이의 합을 구하시오.

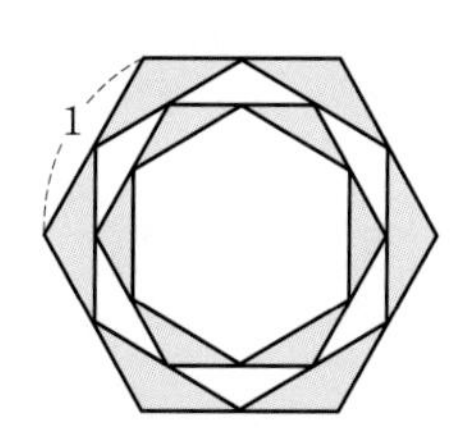

08

다음 그림과 같이 한 변의 길이가 2인 정사각형 ABCD가 직선 l 위에 있다. 정사각형 ABCD를 직선 l을 따라 오른쪽으로 한 바퀴 굴렸을 때, 점 B가 움직인 거리를 구하시오.

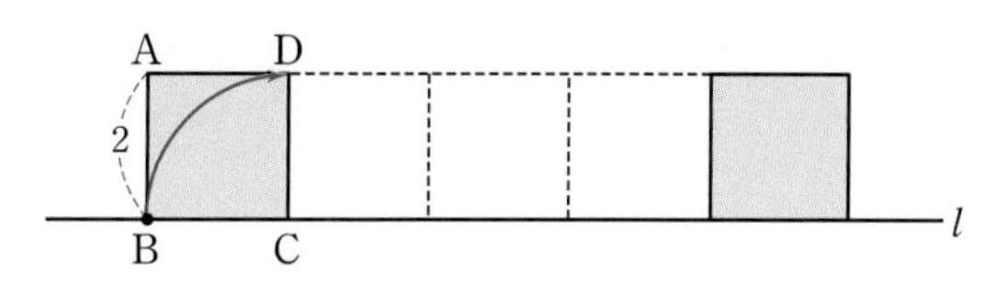

● 정답과 해설 13쪽

1~2 서술형 완성하기

모든 문제는 풀이 과정을 자세히 서술한 후 답을 쓰세요.

1 $a<b<c<0$일 때, 다음 식을 간단히 하시오.

$$\sqrt{(-ac)^2}-\sqrt{b^2(c-a)^2}-a\sqrt{(c-b-a)^2}$$

풀이 과정

답

2 서로 다른 두 개의 주사위를 동시에 던져서 나오는 눈의 수를 각각 a, b라 할 때, $\sqrt{72-2ab}$가 정수가 될 확률을 구하시오.

풀이 과정

답

3 자연수 x에 대하여 $\sqrt{x}$ 이하의 홀수의 개수를 $f(x)$라 할 때, $f(173)-f(73)$의 값을 구하시오.

풀이 과정

답

4 두 수 5와 7 사이에 있는 무리수 중에서 자연수 n에 대하여 $\sqrt{n}$ 꼴로 나타낼 수 있는 가장 큰 수의 정수 부분을 p, 소수 부분을 q라 할 때, $\frac{q}{p}=a\sqrt{3}+b$를 만족시킨다. 이때 두 유리수 a, b에 대하여 $a+b$의 값을 구하시오.

풀이 과정

답

5 오른쪽 그림과 같이 밑면은 한 변의 길이가 6 cm인 정사각형이고, 옆면은 모두 이등변삼각형인 정사각뿔의 높이와 부피를 차례로 구하시오.

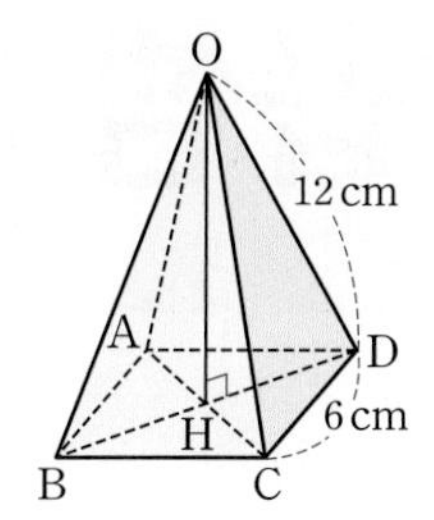

풀이 과정

답

6 다음 그림과 같이 넓이가 각각 5 cm^2, 125 cm^2, 45 cm^{2}인 정사각형 모양의 색종이를 이어 붙일 때, 색종이로 이루어진 도형의 둘레의 길이를 구하시오.

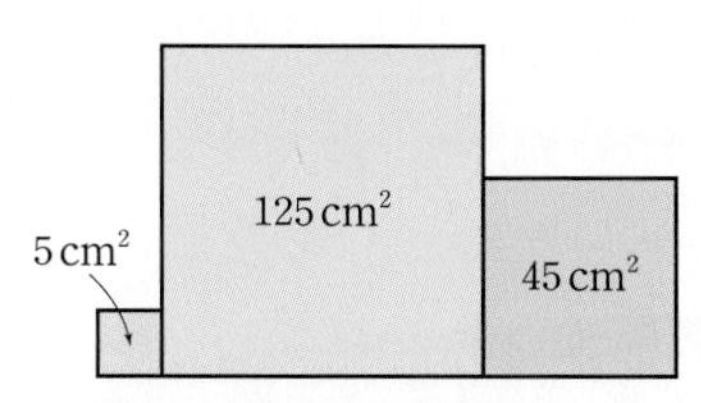

풀이 과정

답

7 1000 이하의 자연수 n에 대하여 $\sqrt{3n}$이 2의 배수가 되도록 하는 n의 개수를 구하시오.

풀이 과정

답

8 오른쪽 그림의 $\triangle$ABC에서 $\overline{BC} /\!/ \overline{DE}$이고, $\overline{DE}=2\sqrt{21}$ cm이다. □DBCE의 넓이와 $\triangle$ABC의 넓이의 비가 3 : 7일 때, $\overline{BC}$의 길이를 구하시오.

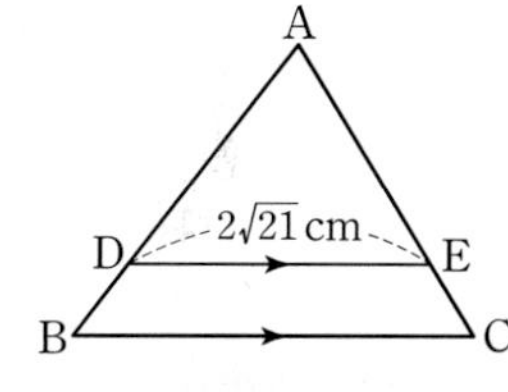

풀이 과정

답

3 다항식의 곱셈

01 곱셈 공식

02 곱셈 공식의 활용

03 복잡한 식의 전개 / 곱셈 공식의 변형과 식의 값

● 정답과 해설 15쪽

01 곱셈 공식

1 (다항식)×(다항식)

분배법칙을 이용하여 전개하고 동류항이 있으면 동류항끼리 모아서 간단히 한다.

$$(a+b)(c+d)=\underset{①}{ac}+\underset{②}{ad}+\underset{③}{bc}+\underset{④}{bd}$$

2 곱셈 공식

(1) $(a+b)^2=a^2+2ab+b^2$ ← 합의 제곱

$(a-b)^2=a^2-2ab+b^2$ ← 차의 제곱

(2) $(a+b)(a-b)=a^2-b^2$ ← 합과 차의 곱

(3) $(x+a)(x+b)=x^2+(a+b)x+ab$ ← x의 계수가 1인 두 일차식의 곱

(4) $(ax+b)(cx+d)=acx^2+(ad+bc)x+bd$ ← x의 계수가 1이 아닌 두 일차식의 곱

개념 활용하기

■ **특정한 항의 계수 구하기**

(다항식)×(다항식)에서 특정한 항의 계수를 구할 때는 모든 항을 전개하지 않고 필요한 항이 나오는 부분만 전개한다.

예 다음 식의 전개식에서 xy의 계수를 구할 때

$(x-y-1)(x+3y+3)$

➡ $x\times 3y+(-y)\times x=2xy$

따라서 xy의 계수는 2이다.

대표 문제

1 다음 식을 전개하면 x^3의 계수는 5이고 x^2의 계수는 -7이다. 이때 상수 a, b의 값을 각각 구하시오.

$(x^2+x-4)(2x^2+ax+b)$

2 다음 중 식을 바르게 전개한 것을 모두 고르면? (정답 2개)

① $(3a-2)^2=9a^2-4$

② $(-2x-y)^2=-4x^2-4xy-y^2$

③ $(-a-1)(-a+1)=a^2-1$

④ $(x+3)(x-2)=x^2-x+6$

⑤ $(2x-3y)(x+2y)=2x^2+xy-6y^2$

3 $(-x+2a)^2+(2x-3)(x-1)$의 전개식에서 x^2의 계수와 x의 계수가 같을 때, 상수항은?

① -13　② -9　③ -1　④ 11　⑤ 19

4 $(x-1)(x+1)(x^2+1)(x^4+1)=x^a+b$일 때, 상수 a, b에 대하여 $a+b$의 값을 구하시오.

5 오른쪽 그림에서 색칠한 부분의 넓이는?

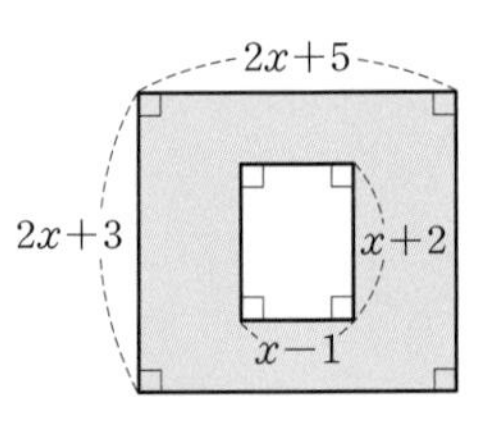

① x^2+4x+5

② $2x^2-3x+13$

③ $3x^2+15x+17$

④ $4x^2+6x+7$

⑤ $5x^2-9x+19$

6 오른쪽 그림과 같이 가로, 세로의 길이가 각각 $4a$ m, $2a$ m인 직사각형 모양의 정원에 폭이 3 m로 일정한 길을 만들려고 한다. 이때 길을 제외한 정원의 넓이를 구하시오.

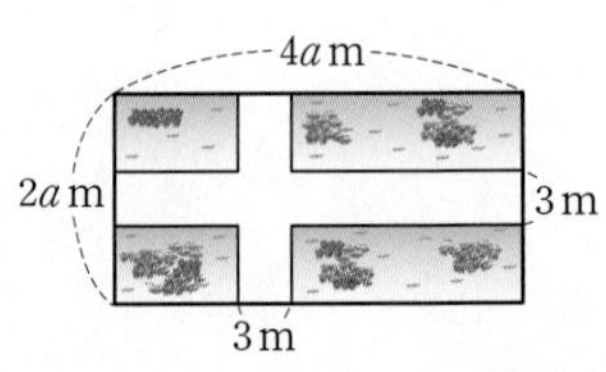

02 곱셈 공식의 활용

1 곱셈 공식을 이용한 수의 계산

(1) 수의 제곱의 계산: $(a+b)^2=a^2+2ab+b^2$ 또는 $(a-b)^2=a^2-2ab+b^2$을 이용한다.

예 • $101^2=(100+1)^2=100^2+2\times100\times1+1^2=10201$

• $99^2=(100-1)^2=100^2-2\times100\times1+1^2=9801$

(2) 두 수의 곱의 계산: $(a+b)(a-b)=a^2-b^2$ 또는 $(x+a)(x+b)=x^2+(a+b)x+ab$를 이용한다.

예 • $101\times99=(100+1)(100-1)=100^2-1^2=9999$

• $101\times102=(100+1)(100+2)=100^2+(1+2)\times100+1\times2=10302$

2 곱셈 공식을 이용한 무리수의 계산

제곱근을 문자로 생각하고 곱셈 공식을 이용하여 계산한다.

예 • $(\sqrt{2}+\sqrt{3})^2=(\sqrt{2})^2+2\times\sqrt{2}\times\sqrt{3}+(\sqrt{3})^2$ ← $(a+b)^2=a^2+2ab+b^2$

$=2+2\sqrt{6}+3=5+2\sqrt{6}$

• $(\sqrt{2}+\sqrt{3})(\sqrt{2}-\sqrt{3})=(\sqrt{2})^2-(\sqrt{3})^2$ ← $(a+b)(a-b)=a^2-b^2$

$=2-3=-1$

3 곱셈 공식을 이용한 분모의 유리화

분모가 두 수의 합 또는 차로 되어 있는 무리수일 때, 곱셈 공식 $(a+b)(a-b)=a^2-b^2$을 이용하여 분모를 유리화한다.

➡ $\frac{c}{\sqrt{a}+\sqrt{b}}=\frac{c\times(\sqrt{a}-\sqrt{b})}{(\sqrt{a}+\sqrt{b})\times(\sqrt{a}-\sqrt{b})}=\frac{c(\sqrt{a}-\sqrt{b})}{(\sqrt{a})^2-(\sqrt{b})^2}=\frac{c(\sqrt{a}-\sqrt{b})}{a-b}$ (단, $a>0$, $b>0$, $a\neq b$)

대표 문제

7 다음 중 주어진 수를 계산하는 데 이용되는 가장 편리한 곱셈 공식으로 적당하지 않은 것은?

① 304^2 ⇨ $(a+b)^2=a^2+2ab+b^2$ (단, $b>0$)

② 299^2 ⇨ $(a-b)^2=a^2-2ab+b^2$ (단, $b>0$)

③ 201×199 ⇨ $(a+b)(a-b)=a^2-b^2$

④ 201×202 ⇨ $(x+a)(x+b)=x^2+(a+b)x+ab$

⑤ 48×52 ⇨ $(ax+b)(cx+d)=acx^2+(ad+bc)x+bd$

8 곱셈 공식을 이용하여 49.3×50.7을 계산하시오.

9 다음을 계산하시오.

$$(2+\sqrt{6})^2-(\sqrt{2}+\sqrt{12})(\sqrt{8}-\sqrt{3})$$

10 $x=\frac{\sqrt{3}+\sqrt{2}}{\sqrt{3}-\sqrt{2}}$, $y=\frac{\sqrt{3}-\sqrt{2}}{\sqrt{3}+\sqrt{2}}$일 때, $x+y$의 값을 구하시오.

11 $-\frac{2}{5\sqrt{2}+7}=a+b\sqrt{2}$일 때, 두 유리수 a, b에 대하여 $a-b$의 값은?

① -24 ② -10 ③ 4

④ 10 ⑤ 24

12 $\frac{4}{3-\sqrt{5}}$의 정수 부분을 a, 소수 부분을 b라 할 때, $\sqrt{a}+\frac{2}{b}$의 값을 구하시오.

03 복잡한 식의 전개 / 곱셈 공식의 변형과 식의 값

1 복잡한 식의 전개

(1) 공통부분이 있는 식의 전개

공통부분을 한 문자로 놓고 전개한 후, 문자 대신 원래의 식을 대입하여 정리한다.

예 $(x+y-1)(x-y-1)$을 전개할 때, $x-1=A$로 놓으면
$(x+y-1)(x-y-1)=(A+y)(A-y)=A^2-y^2=(x-1)^2-y^2=x^2-2x+1-y^2$

(2) ( )( )( )( ) 꼴의 전개

상수항의 합이 같아지도록 둘씩 짝을 지어 전개한 후, 공통부분을 한 문자로 놓고 정리한다.

예 $(x+1)(x+2)(x+3)(x+4)=(x+1)(x+4)(x+2)(x+3)=(x^2+5x+4)(x^2+5x+6)$
$=(A+4)(A+6)=A^2+10A+24=(x^2+5x)^2+10(x^2+5x)+24$
$=x^4+10x^3+35x^2+50x+24$

2 곱셈 공식의 변형

(1) $a^2+b^2=(a+b)^2-2ab=(a-b)^2+2ab$

(2) $(a+b)^2=(a-b)^2+4ab$, $(a-b)^2=(a+b)^2-4ab$

(3) $a^2+\frac{1}{a^2}=\left(a+\frac{1}{a}\right)^2-2=\left(a-\frac{1}{a}\right)^2+2$

(4) $\left(a+\frac{1}{a}\right)^2=\left(a-\frac{1}{a}\right)^2+4$, $\left(a-\frac{1}{a}\right)^2=\left(a+\frac{1}{a}\right)^2-4$

3 $x=a\pm\sqrt{b}$ 꼴이 주어진 경우 식의 값 구하기

방법 1 주어진 조건을 변형한 후, 양변을 제곱하여 정리한 식을 이용하여 식의 값을 구한다.
$x=a+\sqrt{b}$ ➡ $x-a=\sqrt{b}$ ➡ $(x-a)^2=b$

방법 2 주어진 조건을 식에 대입하여 식의 값을 구한다.

대표 문제

13 $(3x+4y-1)(3x-4y+1)$을 전개하시오.

14 $(x+1)(x+3)(x+5)(x+7)$을 전개하시오.

15 $x-y=4$, $xy=1$일 때, 다음 식의 값을 구하시오.

(1) x^2+y^2　　(2) $(x^2-y^2)^2$

16 $x-\frac{1}{x}=2$일 때, 다음 식의 값을 구하시오.

(1) $x^2+\frac{1}{x^2}$　　(2) $x^4+\frac{1}{x^4}$

17 $x^2-4x+1=0$일 때, $x-\frac{1}{x}$의 값은?

① $\pm2\sqrt{3}$　② $\pm\sqrt{13}$　③ ±4
④ $\pm3\sqrt{2}$　⑤ $\pm3\sqrt{3}$

18 $x=\frac{2-\sqrt{3}}{2+\sqrt{3}}$일 때, $x^2-14x+2$의 값을 구하시오.

● 정답과 해설 16쪽

01 곱셈 공식

1 다항식 $(3x^2-x+2)^2$의 전개식에서 x^3의 계수와 x^2의 계수의 합은?

① -10　② -2　③ 5
④ 7　⑤ 9

2 $(2x-3)^2(ax^2+bx-c)$를 전개하여 간단히 하였을 때, x^2의 계수가 -49, x의 계수가 12, 상수항이 45이었다. 이때 상수 a, b, c에 대하여 $a+b+c$의 값을 구하시오.

3 다음 식을 전개하시오.

$$(a-1)^2(a+1)^2(a^2+1)^2$$

교과서 속 심화

4 $(x+a)(x+b)=x^2+cx-36$일 때, 다음 중 c의 값이 될 수 없는 것은? (단, a, b, c는 정수)

① -35　② 4　③ 5
④ 9　⑤ 16

5 a가 자연수일 때, 다음 식을 간단히 하면 x의 계수가 음수이다. 이때 상수항을 구하시오.

$$(2x+a)(x-1)+(x-a)(-a-x)$$

교과서 속 심화

6 진호는 $(x+3)(x-7)$을 전개하는데 상수항 -7을 A로 잘못 보아서 x^2-8x+B로 전개하였고, 수지는 $(2x-3)(x+1)$을 전개하는데 x의 계수 2를 C로 잘못 보아서 Cx^2-5x-3으로 전개하였다. 이때 상수 A, B, C에 대하여 $A+B+C$의 값은?

① -48　② -46　③ -44
④ 46　⑤ 48

7 가로의 길이가 $15a+12b$, 세로의 길이가 $9a-6b$인 직사각형 모양의 바닥에 다음 그림과 같이 합동인 직사각형 모양의 타일 15개를 겹치지 않게 이어 붙이려고 한다. 이때 아직 타일을 붙이지 않은 부분의 넓이를 구하시오. (단, 색칠한 부분이 타일을 붙인 부분이다.)

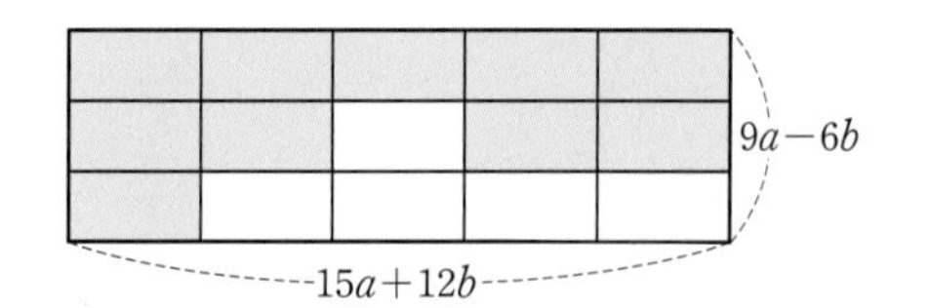

교과서 속 심화

8 가로, 세로의 길이가 각각 x, y인 직사각형 모양의 종이를 오른쪽 그림과 같이 정사각형 3개와 하나의 직사각형 A로 나누었다. 이때 직사각형 A의 넓이를 x, y를 사용하여 나타내시오.

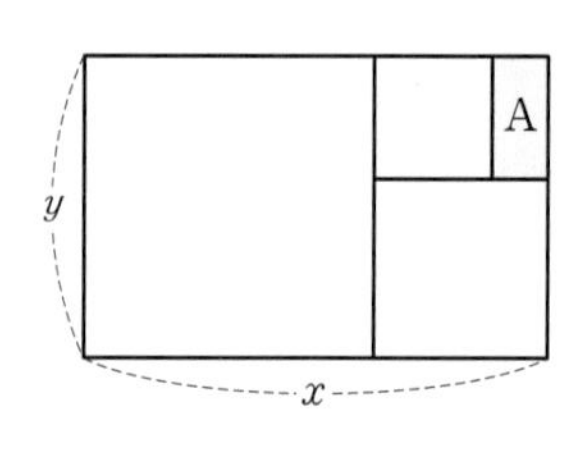

9 오른쪽 그림에서 색칠한 부분의 넓이를 구하시오.

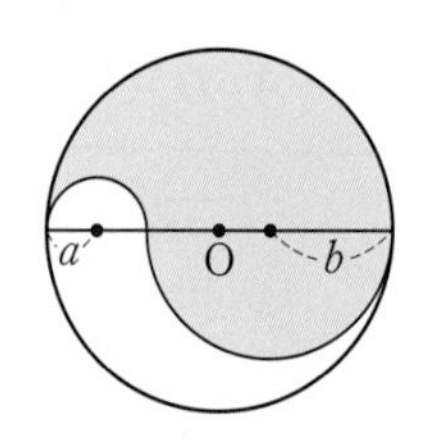

02 곱셈 공식의 활용

10 곱셈 공식을 이용하여 다음을 계산하시오.

(1) $415\times417-414\times416$

(2) $\dfrac{4040}{2021\times2024-2022^2}$

중요

11 $6(9+3)(9^2+3^2)(9^4+3^4)(9^8+3^8)+3^{16}=3^x$일 때, 자연수 x의 값은?

① 4 ② 8 ③ 16
④ 32 ⑤ 64

12 자연수 x에 대하여 $f(x)=5^x+1$이라 하자. 이때 다음 등식을 만족시키는 두 자연수 a, b에 대하여 $a+b$의 값을 구하시오. (단, $0<a<10$)

$$f(1)f(2)f(4)f(8)f(16)=\frac{a^b-1}{4}$$

13 $(7-5\sqrt{2})^{11}=A$라 할 때, $(7+5\sqrt{2})^{11}$을 A를 사용하여 나타내면?

① $-A$ ② $-\dfrac{1}{A}$ ③ $\dfrac{1}{A}$
④ $\dfrac{1}{2}\left(A+\dfrac{1}{A}\right)$ ⑤ $\dfrac{1}{2}\left(A-\dfrac{1}{A}\right)$

중요
14 $(4+a\sqrt{3})(1-2\sqrt{3})^2$이 유리수일 때, 유리수 a의 값을 구하시오.

15 오른쪽 그림과 같은 정사각뿔대의 부피를 구하시오.

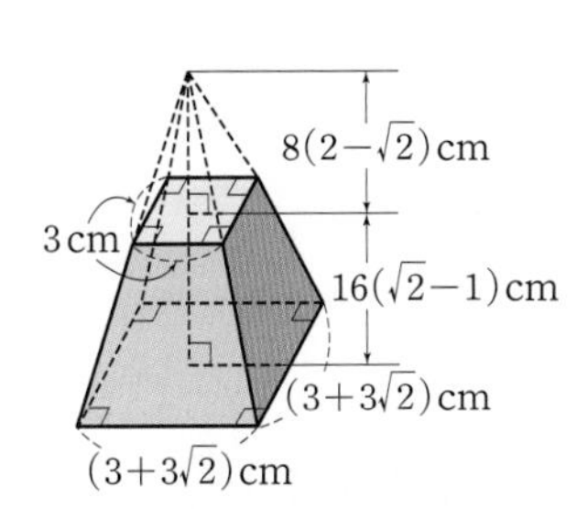

16 다음을 계산하시오.

$$\cfrac{1}{\sqrt{2}-\cfrac{1}{\sqrt{2}-\cfrac{1}{\sqrt{2}-\cfrac{1}{\sqrt{2}-1}}}}$$

교과서 속 심화
17 길이가 21 cm인 끈을 잘라서 넓이의 비가 2 : 3인 두 정삼각형을 만들었을 때, 큰 정삼각형의 한 변의 길이를 구하시오. (단, 끈은 남김없이 모두 사용하였다.)

18 $\frac{1}{1+\sqrt{2}-\sqrt{3}}$의 분모를 유리화하면 $\frac{a+b\sqrt{2}+c\sqrt{6}}{4}$일 때, 세 유리수 a, b, c에 대하여 $a+b+c$의 값을 구하시오.

중요
19 자연수 n에 대하여 $f(n)=\frac{1}{\sqrt{n}+\sqrt{n+1}}$이라 할 때, $f(1)+f(2)+f(3)+\cdots+f(100)$의 값은?

① -9　② 9　③ 10
④ $1-\sqrt{101}$　⑤ $\sqrt{101}-1$

20 $\frac{x}{\sqrt{3}+1}+(1-\sqrt{12})y=3+\sqrt{48}$을 만족시키는 두 유리수 x, y의 값을 각각 구하시오.

21 $x=\frac{1}{\sqrt{2}}$일 때, $\sqrt{\frac{1+x}{1-x}}-\sqrt{\frac{1-x}{1+x}}$의 값을 구하시오.

03 복잡한 식의 전개 / 곱셈 공식의 변형과 식의 값

22 $(2x+1-\sqrt{2})(2x-2-\sqrt{2})$를 전개한 식에서 x의 계수와 상수항의 곱은?

① $-8-2\sqrt{2}$ ② $-8+2\sqrt{2}$ ③ $8-2\sqrt{2}$
④ $4+2\sqrt{2}$ ⑤ $8+2\sqrt{2}$

23 $x^2-3x-5=0$일 때, $(x+2)(x+3)(x-5)(x-6)$의 값은?

① 45 ② 50 ③ 55
④ 60 ⑤ 65

24 $(x-1)(x+1)(2x+1)(2x+5)$를 전개하면?

① $4x^4-12x^3-17x^2-12x-5$
② $4x^4-12x^3-x^2-12x-5$
③ $4x^4-12x^3+x^2+12x-5$
④ $4x^4+12x^3+x^2-12x-5$
⑤ $4x^4+12x^3+17x^2-12x-5$

25 $(x+\sqrt{5})(y-\sqrt{5})=7-4\sqrt{5}$를 만족시키는 두 유리수 x, y에 대하여 x^2+y^2의 값은?

① 32 ② 34 ③ 36
④ 38 ⑤ 40

26 $(2x-1)(2y-1)=3$, $xy=2$일 때, $\frac{x-1}{y}+\frac{y-1}{x}$의 값을 구하시오.

27 $x^2-\sqrt{6}x+1=0$일 때, $x^4+x^2+x+\frac{1}{x}+\frac{1}{x^2}+\frac{1}{x^4}$의 값을 구하시오.

중요
28 $\frac{1}{\sqrt{5}-2}$의 소수 부분을 x라 할 때, x^2+4x+3의 값은?

① 3 ② 4 ③ 5
④ 6 ⑤ 7

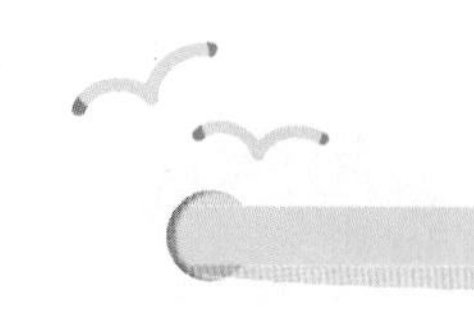

29 두 자리의 자연수 32와 46의 곱은 1472이고, 이 두 수의 십의 자리의 숫자와 일의 자리의 숫자를 각각 바꾼 두 자리의 자연수 23과 64의 곱도 1472이다. 이와 같이 두 자리의 자연수 6□와 4□는 십의 자리의 숫자와 일의 자리의 숫자를 각각 바꾸어도 그 곱이 같다. 두 자리의 자연수 6□와 4□의 □에 알맞은 숫자를 차례로 x, y라 할 때, 순서쌍 (x, y)의 개수를 구하시오. (단, x, y는 한 자리의 자연수)

30 밑면의 가로의 길이가 $2a+b$, 세로의 길이가 $5a-7$이고, 높이가 $2a-b$인 직육면체 모양의 상자가 있다. 이 상자 여러 개를 바닥에 직사각형 모양으로 빈틈없이 깔고 그 위로 몇 개의 상자를 더 쌓았더니 앞, 오른쪽, 위에서 본 모양이 각각 다음 그림과 같았다. 이때 상자 전체의 최소 부피를 a, b를 사용하여 나타내시오.

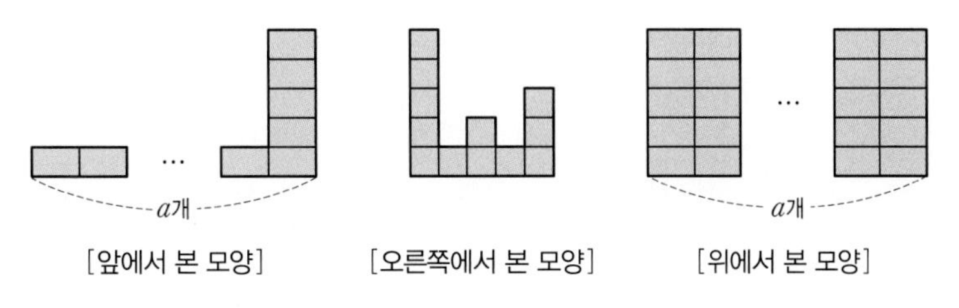

[앞에서 본 모양] [오른쪽에서 본 모양] [위에서 본 모양]

31 다음 글을 읽고, 물음에 답하시오.

> 십의 자리의 숫자가 같고 일의 자리의 숫자의 합이 10인 두 자리의 자연수의 곱셈은 다음과 같이 곱셈 공식을 이용하여 쉽게 계산할 수 있다.
> 두 개의 두 자리의 자연수에서 십의 자리의 숫자를 a라 하고 일의 자리의 숫자를 각각 b, c $(b+c=10)$라 하면
> $$(10a+b)(10a+c)=100a^2+10a(b+c)+bc$$
> $$=100a^2+100a+bc=100a(\boxed{(가)})+\boxed{(나)}$$
> 따라서 $\boxed{a}\boxed{b}\times\boxed{a}\boxed{c}$의 계산 결과는 앞의 두 자리에는 a와 $\boxed{(다)}$의 곱을 적고, 뒤의 두 자리에는 b와 $\boxed{(라)}$의 곱을 적으면 된다.
> 예를 들어 93×97은 십의 자리의 숫자 9와 $9+1$의 곱인 90을 먼저 적고, 그 뒤에는 일의 자리의 숫자 3과 7의 곱인 21을 적으면 된다. 즉, $93\times97=9021$이 된다.

(1) 위의 글에서 (가)~(라)에 알맞은 것을 각각 쓰시오.

(2) 위의 계산 방법으로 72×78을 계산하시오.

● 정답과 해설 19쪽

01 $3\times5\times17\times257=2^a-1$일 때, 자연수 a의 값을 구하시오.

02 1이 아닌 양의 실수 a, b에 대하여 $\frac{1}{\sqrt{a}+1}+\frac{1}{\sqrt{b}+1}=1$일 때, $\frac{1}{\sqrt{a}-1}+\frac{1}{\sqrt{b}-1}$의 값을 구하시오.

03 $2^{3x}=12-4\sqrt{5}$, $2^{3y}=12+4\sqrt{5}$일 때, $x+y$의 값을 구하시오. (단, x, y는 양의 유리수)

04 $(\sqrt{17}-4)^{2020}$의 소수 부분을 A라 할 때, $(\sqrt{17}+4)^{2020}A$의 값을 구하시오.

05

서로 다른 두 자연수 a, b에 대하여 $\langle a,\ b\rangle=\dfrac{\sqrt{a}+\sqrt{b}}{\sqrt{a}-\sqrt{b}}$라 할 때, 다음 식의 값을 구하시오.

$$\langle 1,\ 3\rangle+\langle 2,\ 6\rangle+\langle 3,\ 9\rangle+\cdots+\langle 10,\ 30\rangle$$

TOP

06

$x_1=\sqrt{6}-2$이고, $\dfrac{1}{x_1}$의 소수 부분을 x_2, $\dfrac{1}{x_2}$의 소수 부분을 x_3, $\dfrac{1}{x_3}$의 소수 부분을 x_4, $\cdots$라 할 때, $\dfrac{x_{2021}}{x_{2020}}$의 값을 구하시오.

07

다음 식을 간단히 하면?

$$(x+y-z+w)(x+y+z-w)+(-x+y+z+w)(x-y+z+w)$$

① $x^2+y^2+z^2+w^2$　② $2x^2+2y^2$　③ $2z^2+2w^2$

④ $2xy+2zw$　⑤ $4xy+4zw$

08

두 양수 m, n에 대하여 $m^2+mn-n^2=0$일 때, $\left(\dfrac{m^2+n^2}{mn}\right)^2$의 값을 구하시오.

4 인수분해

01 인수분해와 그 공식

02 인수분해의 활용

03 복잡한 식의 인수분해

개념+대표 문제 확인하기

● 정답과 해설 21쪽

01 인수분해와 그 공식

1 인수와 인수분해

(1) 인수: 하나의 다항식을 두 개 이상의 다항식의 곱으로 나타낼 때, 각각의 식을 처음 식의 인수라 한다.

(2) 인수분해: 하나의 다항식을 두 개 이상의 인수의 곱으로 나타내는 것

예 $x^2+3x+2 \underset{\text{전개}}{\overset{\text{인수분해}}{\rightleftarrows}} (x+1)(x+2)$ ← 인수

2 공통인 인수를 이용한 인수분해

다항식의 각 항에 공통인 인수가 있을 때는 분배법칙을 이용하여 공통인 인수를 묶어 내어 인수분해한다. ➡ $ma+mb-mc=m(a+b-c)$ ← 공통인 인수

3 인수분해 공식

(1) $a^2+2ab+b^2=(a+b)^2$
$a^2-2ab+b^2=(a-b)^2$ ← 완전제곱식: 다항식의 제곱으로 이루어진 식 또는 그 식에 수를 곱한 식

(2) $a^2-b^2=(a+b)(a-b)$

(3) $x^2+(a+b)x+ab=(x+a)(x+b)$

(4) $acx^2+(ad+bc)x+bd=(ax+b)(cx+d)$

개념 활용하기

■ 완전제곱식 $(a\pm b)^2$ 만들기

(1) $a^2\pm2\boxed{a}\boxed{b}+b^2$ (제곱, 제곱)

(2) $a^2\pm\boxed{2ab}+b^2$
제곱근↓ $\pm a$, 제곱근↓ $\pm b$, 곱의 2배

참고 x^2+ax+b가 완전제곱식이 될 조건 ← x^2의 계수가 1일 때

① $b=\left(\frac{a}{2}\right)^2$

② $a=\pm2\sqrt{b}$ (단, $b>0$)

■ 근호 안의 식이 완전제곱식으로 인수분해되는 경우

근호 안의 식을 완전제곱식으로 인수분해하여 $\sqrt{A^2}$ 꼴로 만든 후, 부호에 주의하여 근호를 없앤다.

➡ $\sqrt{A^2}=\begin{cases} A\ (A\ge0) \\ -A\ (A<0)\end{cases}$

대표 문제

1 다음 중 인수분해한 것이 옳지 않은 것은?

① $14ab^2-7a^2b=7ab(2b-a)$

② $y^2+\frac{1}{3}y+\frac{1}{36}=\left(y+\frac{1}{6}\right)^2$

③ $-9x^2+25=(-3x+5)(3x+5)$

④ $-2a^2-3ab+9b^2=(-2a-3b)(a-3b)$

⑤ $m(x-2y)-n(2y-x)=(m+n)(x-2y)$

2 $4x^2+ax+1$과 x^2-6x+b가 모두 완전제곱식이 될 때, $a+b$의 값을 구하시오. (단, a, b는 양수)

3 $-4<a<2$일 때, $\sqrt{a^2-4a+4}-\sqrt{a^2+8a+16}$을 간단히 하시오.

4 두 다항식 $3x^2+ax+10$, $bx^2+13x-15$가 모두 $x-5$를 인수로 가질 때, 상수 a, b에 대하여 $a+b$의 값을 구하시오.

5 x^2의 계수가 3인 어떤 이차식을 인수분해하는데 승재는 x의 계수를 잘못 보고 $(x+2)(3x-2)$로 인수분해하였고, 보아는 상수항을 잘못 보고 $(x+3)(3x+2)$로 인수분해하였다. 처음 이차식을 바르게 인수분해하시오.

6 다음 그림에서 두 도형 ㈎, ㈏의 넓이가 서로 같을 때, 도형 ㈏의 세로의 길이를 구하시오.

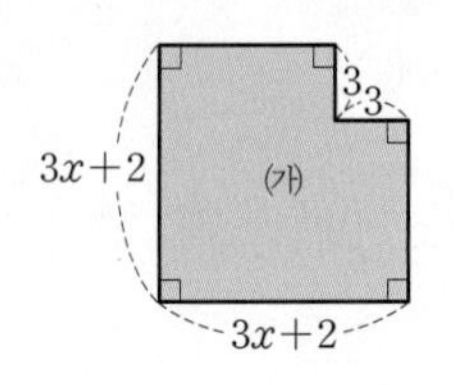

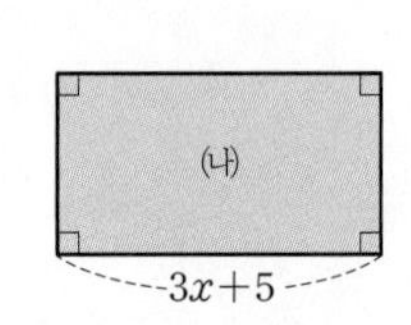

02 인수분해의 활용

1 인수분해를 이용한 수의 계산

복잡한 수의 계산을 할 때, 다음과 같이 인수분해 공식을 이용하면 편리하다.

(1) 공통인 인수를 묶어 내기 ➡ $ma+mb=m(a+b)$

예 $16\times36+16\times64=16\times(36+64)=16\times100=1600$

(2) 완전제곱식을 이용하기 ➡ $a^2+2ab+b^2=(a+b)^2$, $a^2-2ab+b^2=(a-b)^2$

예 $25^2+2\times25\times5+5^2=(25+5)^2=30^2=900$

(3) 제곱의 차를 이용하기 ➡ $a^2-b^2=(a+b)(a-b)$

예 $75^2-25^2=(75+25)(75-25)=100\times50=5000$

2 인수분해를 이용하여 식의 값 구하기

주어진 식을 인수분해한 후 조건을 대입하여 계산한다.

예 $a=1+\sqrt{2}$, $b=1-\sqrt{2}$일 때, $a^2-2ab+b^2$의 값 구하기

$a^2-2ab+b^2=(a-b)^2=\{1+\sqrt{2}-(1-\sqrt{2})\}^2=(2\sqrt{2})^2=8$

대표 문제

7 다음 보기 중 $81.5^2+17\times81.5+8.5^2$을 계산하는 데 가장 알맞은 인수분해 공식을 고르고, 그 값을 구하시오. (단, $a>0$, $b>0$)

보기

ㄱ. $a^2+2ab+b^2=(a+b)^2$

ㄴ. $a^2-2ab+b^2=(a-b)^2$

ㄷ. $a^2-b^2=(a+b)(a-b)$

ㄹ. $x^2+(a+b)x+ab=(x+a)(x+b)$

ㅁ. $acx^2+(ad+bc)x+bd=(ax+b)(cx+d)$

8 인수분해 공식을 이용하여 $\dfrac{96^2+35^2-16-65^2}{81^2-19^2}$을 계산하시오.

9 $2020\times2024+4$가 어떤 자연수의 제곱일 때, 이 자연수를 구하시오.

10 오른쪽 그림과 같이 한지를 이용하여 중심각의 크기가 120°인 부채를 만들었다. 큰 부채꼴과 작은 부채꼴의 반지름의 길이가 각각 22.5 cm, 7.5 cm일 때, 한지 부분의 넓이를 구하시오.

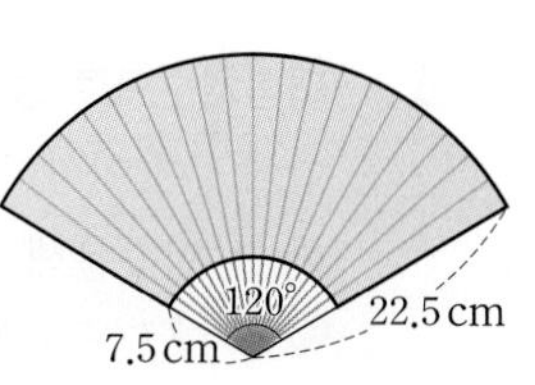

11 $x=11+6\sqrt{2}$, $y=-3+3\sqrt{2}$일 때, $\dfrac{x^2-3xy+2y^2}{x-2y}$의 값은?

① $-3-\sqrt{2}$ ② $4-5\sqrt{2}$ ③ $-2\sqrt{2}$
④ $8-6\sqrt{2}$ ⑤ $14+3\sqrt{2}$

12 $x^2-9y^2=10$이고 $x+3y=-2$일 때, $x+y$의 값을 구하시오.

03 복잡한 식의 인수분해

1 공통인 인수를 묶어 낸 후 인수분해하기

공통인 인수가 있으면 공통인 인수를 묶어 낸 후 인수분해 공식을 이용한다.

예 $x^2(x+2)-y^2(x+2)=(x+2)(x^2-y^2)=(x+2)(x+y)(x-y)$

2 공통부분을 한 문자로 놓고 인수분해하기

공통부분이 있으면 공통부분을 한 문자로 놓고 인수분해 공식을 이용한다.

예 $(x+1)^2+2(x+1)+1=A^2+2A+1$ ← $x+1=A$로 놓기
$=(A+1)^2$ ← 인수분해
$=\{(x+1)+1\}^2$ ← $A=x+1$을 대입
$=(x+2)^2$

3 적당한 항끼리 묶은 후 인수분해하기

두 개 또는 세 개의 항을 묶어 먼저 인수분해한 후 다시 인수분해 공식을 이용한다.

예 • $xy+2x+y+2=(xy+2x)+(y+2)=x(y+2)+(y+2)=(x+1)(y+2)$
• $x^2+4x+4-y^2=(x^2+4x+4)-y^2=(x+2)^2-y^2=(x+y+2)(x-y+2)$

4 내림차순으로 정리하여 인수분해하기

한 문자에 대하여 차수가 높은 항부터 낮은 항의 순서대로 나열하는 것

항이 5개 이상이고, 문자가 2개 이상 있으면 한 문자에 대하여 내림차순으로 정리한 후 인수분해 공식을 이용한다.

예 $x^2+xy-x-2y-2=(x-2)y+x^2-x-2$ ← y에 대하여 내림차순으로 정리
$=(x-2)y+(x-2)(x+1)$
$=(x-2)(x+y+1)$

참고 내림차순으로 정리할 때는 최고 차수가 가장 낮은 문자에 대하여 정리하는 것이 편리하다.
이때 각 문자의 최고 차수가 같으면 어느 한 문자에 대하여 내림차순으로 정리한다.

개념 더하기

■ x^4+ax^2+b 꼴의 인수분해

① $x^2=X$로 놓고 인수분해 공식을 이용한다.

예 x^4-x^2-12에서
$x^2=X$로 놓으면
(주어진 식)
$=(x^2)^2-x^2-12$
$=X^2-X-12$
$=(X-4)(X+3)$
$=(x^2-4)(x^2+3)$
$=(x+2)(x-2)(x^2+3)$

② ①의 방법으로 인수분해되지 않으면 A^2-B^2 꼴로 변형하여 인수분해한다.

예 x^4+5x^2+9
$=x^4+6x^2+9-x^2$
$=(x^2+3)^2-x^2$
$=\{(x^2+3)+x\}\{(x^2+3)-x\}$
$=(x^2+x+3)(x^2-x+3)$

대표 문제

13 다음 중 $6x^3y^2-15x^2y^3-9xy^4$의 인수가 아닌 것은?

① xy ② $3xy^2$ ③ $x-3y$
④ $2x-y$ ⑤ $2x+y$

14 $(a+2b)(a+2b-2)-15$를 인수분해하시오.

15 다음 식을 인수분해하시오.

$$(x+1)(x+2)(x-3)(x-4)-6$$

16 두 양의 정수 x, y에 대하여 $xy-x-5y+5=3$을 만족시키는 순서쌍 (x, y)를 모두 구하시오.

17 $25-4x^2-y^2+4xy$가 $(5+ax+by)(c+dx+y)$로 인수분해될 때, 상수 a, b, c, d에 대하여 $a+b+c+d$의 값을 구하시오.

18 $x^2+y^2-3x+3y-2xy-10$을 인수분해하시오.

개념 더하기

19 x^4-5x^2+4가 x의 계수가 1인 네 개의 일차식의 곱으로 인수분해될 때, 네 개의 일차식의 합을 구하시오.

● 정답과 해설 22쪽

01 인수분해와 그 공식

1 다음 중 인수분해를 바르게 한 것은?

① $x^2y-2xy^2=x^2(y-y^2)$
② $x^4-x^2=x(x^3-x)$
③ $-4x^2+16xy-16y^2=-4(x+2y)^2$
④ $a(3a-2b)-(2b-3a)=(a-1)(3a-2b)$
⑤ $(3a+5b)(2x-1)-3a-5b=2(3a+5b)(x-1)$

교과서 속 심화

2 다항식 $x^2-5ax+3b$에 다항식 $7ax-b$를 더하면 완전제곱식으로 인수분해된다고 한다. a, b가 모두 50 이하의 자연수일 때, $a+b$의 최댓값을 구하시오.

중요

3 $4x^2+(m+2)xy+25y^2$이 $(2x+ny)^2$으로 인수분해될 때, 이를 만족시키는 두 정수 m, n의 순서쌍 (m, n)을 모두 구하시오.

4 $a>1$, $0<b<1$일 때, 다음 식을 간단히 하면?

$$\sqrt{a^2+2+\frac{1}{a^2}}-\sqrt{\left(b+\frac{1}{b}\right)^2-4}-\frac{1}{\sqrt{a^2}}+\sqrt{\frac{1}{b^2}}$$

① $a+b$　② $a-b$　③ $-a-b$
④ $\frac{1}{a}+b$　⑤ $\frac{1}{a}+\frac{1}{b}$

5 $-2<a<4$이고 $\sqrt{x}=a+3$일 때,
$\sqrt{x-2a-5}+\sqrt{x-14a+7}$을 간단히 하면?

① -6　② 6　③ $-2a+6$
④ $2a+2$　⑤ $2a+6$

6 세 실수 a, b, c에 대하여 $[a, b, c]=a^2-c^2-abc$라 할 때, 다음 식을 인수분해하시오.

$$[-a, 2b, c]-[b, -4c, a]-[c, -2a, -b]$$

교과서 속 심화

7 x^2+7x-k가 $(x+a)(x+b)$로 인수분해될 때, 상수 k의 값이 될 수 있는 50 이하의 자연수를 모두 구하시오. (단, a, b는 정수)

교과서 속 심화

8 $5x^2+kx+6$이 $(x+a)(5x+b)$로 인수분해될 때, 다음 중 상수 k의 값이 될 수 없는 것은? (단, a, b는 정수)

① -13 ② -11 ③ 15
④ 17 ⑤ 31

9 넓이가 $6x^2+ax-10$인 직사각형의 가로의 길이가 $2x+5$일 때, 이 직사각형의 둘레의 길이를 x에 대한 일차식으로 나타내시오. (단, a는 상수)

중요
10 오른쪽 그림과 같이 원의 중심이 모두 $\overline{AD}$ 위에 있는 세 원이 한 점 A에서 접하고 있다. $\overline{BC}=\overline{CD}$이고, $\overline{AC}$를 지름으로 하는 원의 둘레의 길이가 36π cm, 색칠한 부분의 넓이가 144π cm^{2}일 때, $\overline{AB}$의 길이를 구하시오.

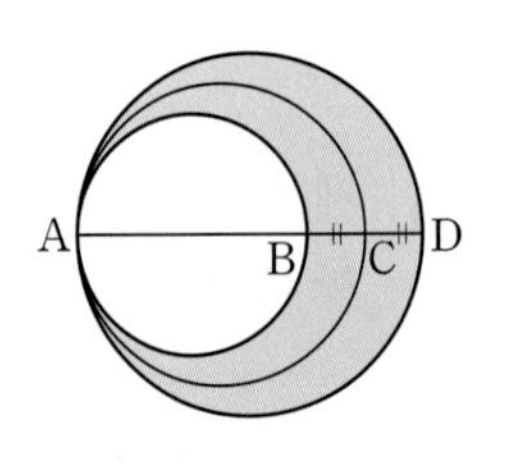

02 인수분해의 활용

11 인수분해 공식을 이용하여 다음을 계산하시오.

$$1^2-3^2+5^2-7^2+9^2-11^2+13^2-15^2+17^2-19^2$$

중요
12 $f(x)=1-\dfrac{1}{x^2}$일 때, 다음 식의 값을 구하시오.

$$f(2)\times f(3)\times f(4)\times\cdots\times f(99)\times f(100)$$

13 자연수 $2^{48}-1$이 5보다 크고 10보다 작은 두 자연수로 나누어떨어질 때, 이 두 자연수의 합을 구하시오.

14 $2x-y=\dfrac{1}{\sqrt{2}-1}$, $x+2y=\dfrac{1}{\sqrt{2}+1}$일 때, $3x^2-8xy-3y^2$의 값을 구하시오.

03 복잡한 식의 인수분해

15 다음 식을 인수분해하면?

$$xyz-xy-xz+x-yz+y+z-1$$

① $(x-1)(y+1)(z+1)$
② $(x-1)(y-1)(z-1)$
③ $(x+1)(y-1)(z+1)$
④ $(x+1)(y+1)(z-1)$
⑤ $(x+1)(y+1)(z+1)$

16 $P(x)=(x-3)^2-4(x-3)+4$라 할 때, 다음 중 다항식 $P(x)\times P(x+10)$의 인수가 아닌 것은?

① $x-5$　② x^2-25
③ x^2+25　④ $(x-5)^2(x+5)$
⑤ $(x-5)^2(x+5)^2$

중요
17 $(x+y)^2-6(x+y)-55$의 값이 소수가 되도록 하는 두 자연수 x, y의 순서쌍 (x, y)의 개수는?

① 8개　② 9개　③ 10개
④ 11개　⑤ 12개

중요
18 $x(x+2)(x+4)(x+6)+k$가 완전제곱식이 되도록 하는 상수 k의 값을 구하시오.

19 연속하는 두 자연수 x, y에 대하여 $X=\sqrt{x^2+y^2+x^2y^2}$일 때, 다음 중 X에 대한 설명으로 옳은 것은?

① 항상 홀수이다.
② 항상 짝수이다.
③ 항상 무리수이다.
④ 홀수일 때도 있고, 짝수일 때도 있다.
⑤ 유리수일 때도 있고, 무리수일 때도 있다.

20 서로 다른 두 개의 주사위 A, B를 동시에 던져서 나온 눈의 수를 각각 x, y라 할 때, $\sqrt{xy-2x-y+2}$가 자연수가 될 확률을 구하시오.

21 $(1-x^2)(1-y^2)-4xy$를 인수분해한 식이 다음과 같을 때, 상수 a, b, c, d, e에 대하여 $a+b+c+d+e$의 값은?

$$(xy+ax+by+c)(xy+x+dy+e)$$

① -4　② -3　③ -2　④ -1　⑤ 0

22 k^4+7k^2+16을 인수분해하시오.

23 $30\times31\times32\times33+1=N^2$을 만족시키는 자연수 N의 값을 구하시오.

24 $x+y=\sqrt{5}$, $x^2-y^2+2x+1=80$일 때, $x-y$의 값을 구하시오.

중요
25 $\sqrt{7}$의 소수 부분을 a, $5-2\sqrt{3}$의 정수 부분을 b라 할 때, $\dfrac{a^3-b^3+a^2b-ab^2}{a-b}$의 값은?

① $6-3\sqrt{7}$　② $6-4\sqrt{3}$　③ $8-2\sqrt{7}$　④ $4+2\sqrt{3}$　⑤ $8+2\sqrt{7}$

26 $2x+2y+xy=28$, $x+y-xy=-4$일 때, $\sqrt{6xy(x^2-y^2)}$의 값을 구하시오. (단, $x>y>0$)

27 $x=\sqrt{5}-2$, $y=4-3\sqrt{5}$일 때, 다음 식의 값을 구하시오.

$$\frac{3x^2+4xy+y^2+6x+2y}{x+y+2}$$

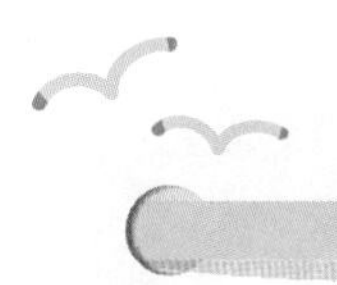

창의 사고력 문제

28 오른쪽 그림과 같이 정사각형 모양의 두 색종이 A, C와 직사각형 모양의 색종이 B를 크기순으로 겹쳐 놓았다. 색종이 B에서 색종이 A와 겹치지 않은 부분의 넓이는 $x^2+xy+2y^2$이고, 색종이 C에서 색종이 B와 겹치지 않은 부분의 넓이는 $4x^2+11xy+5y^2$이다. 색종이 C의 한 변의 길이가 $3x+4y$일 때, 색종이 A의 한 변의 길이를 구하시오. (단, $x>0$, $y>0$)

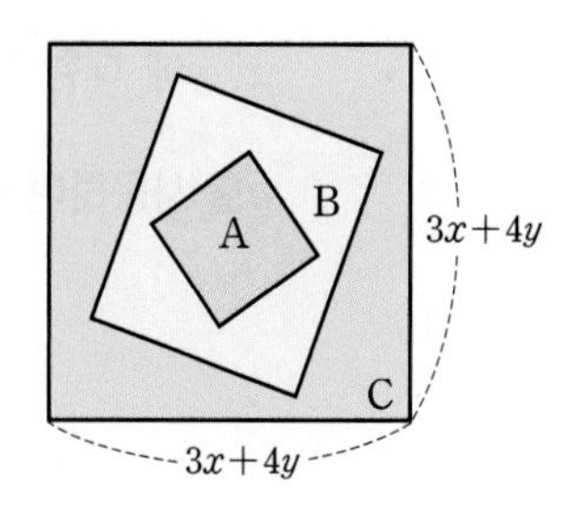

29 정보 보호를 위해서 많이 사용하고 있는 RSA 공개 키 암호 시스템은 소수를 이용한 암호 시스템으로 암호를 걸어 놓은 공개 키와 암호를 해독하는 복호 키가 있다. 이때 공개 키는 두 소수를 곱한 값을 암호화한 것이고, 복호 키는 두 소수가 각각 어떤 수인지를 찾아내는 것이다. 예를 들어 공개 키가 391일 때, $391=17\times23$이므로 복호 키는 두 소수인 17과 23이다. 공개 키가 22499일 때, 인수분해를 이용하여 복호 키를 구하시오.

30 오른쪽 그림과 같은 좌표평면에서 점 A_n은 다음과 같은 규칙으로 이동한다고 한다.

> $n=1$일 때, 점 A_1은 원점에서 x축의 방향으로 1만큼 이동한 점이다.
> $n=2$일 때, 점 A_2는 점 A_1에서 y축의 방향으로 4만큼 이동한 점이다.
> $n=3$일 때, 점 A_3는 점 A_2에서 x축의 방향으로 -9만큼 이동한 점이다.
> ⋮

이때 점 A_{25}의 좌표를 구하시오.

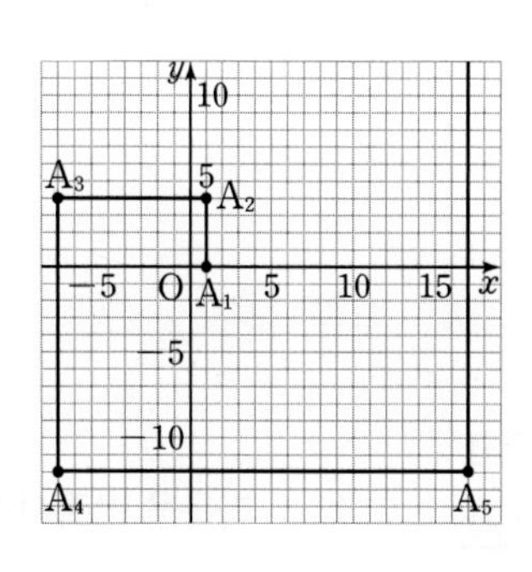

● 정답과 해설 26쪽

01

x, y에 대한 연립방정식 $\begin{cases} 9x-ay=81 \\ ax-y=a^3 \end{cases}$의 해가 $x=\alpha$, $y=\beta$일 때, $\sqrt{\alpha+\frac{2}{3}\beta}-\sqrt{\alpha-\frac{2}{3}\beta}$를 a를 사용하여 나타내시오. (단, $0<a<3$)

02

n이 자연수일 때, $8n^3-2n$ 꼴로 나타낼 수 있는 세 자리의 자연수를 모두 구하시오.

03

200개의 다항식 x^2-2x-1, x^2-2x-2, x^2-2x-3, $\cdots$, $x^2-2x-200$ 중에서 일차항의 계수가 1이고 상수항이 정수인 두 일차식의 곱으로 인수분해되는 다항식의 개수를 구하시오.

TOP

04

다음을 만족시키는 두 자연수 x, y에 대하여 $x+y$의 값을 구하시오.

$$9xy-6x+\frac{x}{y}=242$$

05

$x=3\sqrt{2}-\sqrt{22}$, $y=3\sqrt{2}+\sqrt{22}$일 때, $(x^{7n}-y^{7n})^2-(x^{7n}+y^{7n})^2=4^k$이다. 이때 k를 n에 대한 식으로 나타내시오. (단, n은 홀수)

TOP
06

두 실수 x, y에 대하여 $x^2+\sqrt{3}y=y^2+\sqrt{3}x=2\sqrt{3}$, $xy=3-2\sqrt{3}$일 때, $x^3+x^2y+y^3+xy^2-xy$의 값을 구하시오. (단, $x\neq y$)

07

다음을 만족시키는 세 정수 x, y, z에 대하여 $x+y+z$의 값을 구하시오. (단, $0<x<y<z$)

$$xyz+xy+yz+zx+x+y+z+1=1001$$

TOP
08

두 실수 x, y에 대하여 $x^2-xy+y^2=6$일 때, $x^4+y^4+(x-y)^4$의 값을 구하시오.

3~4 서술형 완성하기

● 정답과 해설 27쪽

모든 문제는 풀이 과정을 자세히 서술한 후 답을 쓰세요.

1 다음 등식을 만족시키는 자연수 x의 값을 구하시오.

$$(4+2)(4^2+2^2)(4^4+2^4)(4^8+2^8)+2^{15}=2^x$$

풀이 과정

답

2 $5-a\sqrt{2}$, $b+3\sqrt{2}$의 합과 곱이 모두 유리수가 되도록 하는 두 유리수 a, b에 대하여 $a+b$의 값을 구하시오.

풀이 과정

답

3 $\dfrac{\sqrt{6}+\sqrt{2}}{\sqrt{6}-\sqrt{2}}$의 정수 부분을 A, $(\sqrt{3}-1)^2$의 소수 부분을 B라 할 때, 다음 물음에 답하시오.

(1) A의 값을 구하시오.

(2) B의 값을 구하시오.

(3) $B(A-B)=x+y\sqrt{3}$일 때, 두 유리수 x, y의 값을 각각 구하시오.

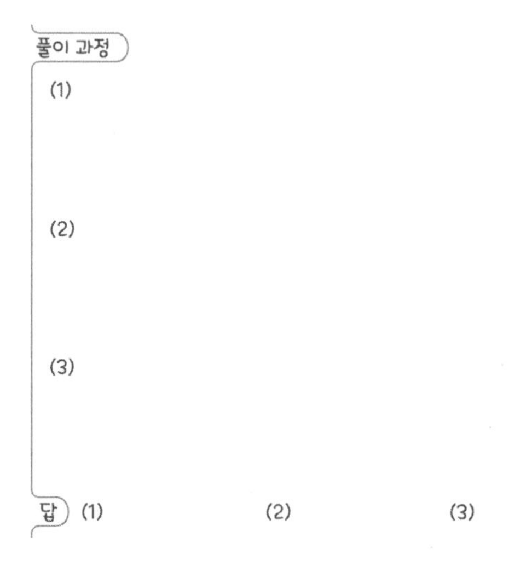

풀이 과정

(1)

(2)

(3)

답 (1) (2) (3)

4 오른쪽 그림에서 △ABC의 둘레의 길이는 $2(4x+5)$이고, 넓이는 $12x^2-13x-35$이다. △ABC의 내심을 I라 할 때, △ABC의 내접원의 반지름의 길이를 구하시오.

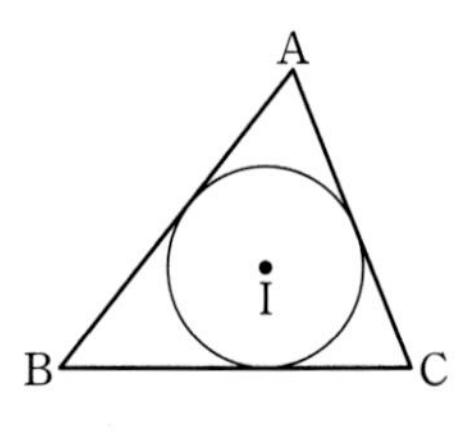

풀이 과정

답

5 $a+b=-3$이고 $a(a-1)-b(b+1)=-7$일 때, $a-b$의 값을 구하시오.

풀이 과정

답

6 $x^2+4xy+3y^2-10x-14y+16$을 인수분해하였더니 $(x+ay+b)(x+cy+d)$가 되었다. 이때 상수 a, b, c, d에 대하여 $a+b+c+d$의 값을 구하시오.

풀이 과정

답

7 실수 x에 대하여 x의 정수 부분을 $\langle x\rangle$라 하자. $x=3+\sqrt{11}$일 때, $\frac{x}{x-\langle x\rangle}+\frac{x-\langle 2x\rangle}{x}$의 값을 구하시오.

풀이 과정

답

8 인수분해 공식을 이용하여 다음을 계산하시오.

$$\frac{215^2-225}{230}+\frac{3^{33}+3^{30}-3^3-1}{3^{30}-1}$$

풀이 과정

답

5 이차방정식

01 이차방정식과 그 해

02 인수분해를 이용한 이차방정식의 풀이

03 제곱근을 이용한 이차방정식의 풀이

04 이차방정식의 근의 공식 / 복잡한 이차방정식의 풀이

05 이차방정식의 근의 개수 / 이차방정식 구하기

06 이차방정식의 활용

step 1

개념+대표 문제 확인하기

● 정답과 해설 30쪽

01 이차방정식과 그 해

1 이차방정식

등식의 모든 항을 좌변으로 이항하여 정리한 식이

(x에 대한 이차식)$=0$

꼴로 나타나는 방정식을 x에 대한 이차방정식이라 한다.

➡ $ax^2+bx+c=0$ (a, b, c는 상수, $a\neq0$)

참고 등식 $ax^2+bx+c=0$이 x에 대한 이차방정식이 되기 위한 조건 ➡ $a\neq0$

2 이차방정식의 해

(1) 이차방정식의 해(근): 이차방정식 $ax^2+bx+c=0$을 참이 되게 하는 미지수 x의 값

(2) 이차방정식을 푼다: 이차방정식의 해(근)를 모두 구하는 것

개념 활용하기

■ 이차방정식의 한 근이 주어질 때, 미지수의 값 구하기

미지수 a를 포함한 이차방정식의 한 근 $x=p$가 주어진 경우

➡ 이차방정식에 $x=p$를 대입하여 a의 값을 구한다.

예 이차방정식 $2x^2-3x-a=0$의 한 근이 $x=2$일 때, 방정식에 $x=2$를 대입하면

$2\times2^2-3\times2-a=0$

$2-a=0$ $\therefore a=2$

대표 문제

1 다음 보기 중 이차방정식인 것을 모두 고르시오.

보기

ㄱ. $x^2-1=-5x$ ㄴ. $3x^2-4x+2$

ㄷ. $x(x+1)=3$ ㄹ. $x^2+2=x(x+3)$

ㅁ. $4x^2-x=(2x-1)^2$ ㅂ. $\frac{1}{x^2}-\frac{2}{x}-3=0$

2 $(a+1)x^2-x=(4x-1)(x+3)$이 x에 대한 이차방정식일 때, 다음 중 상수 a의 값이 될 수 <u>없는</u> 것은?

① -1 ② 1 ③ 3

④ 5 ⑤ 6

3 자연수 x가 부등식 $-2(x-11)\geq5x-8$의 해일 때, 이차방정식 $x^2-9x+18=0$의 해를 구하시오.

4 이차방정식 $5x^2-3(a-4)x+2=0$의 한 근이 $x=-2$일 때, 상수 a의 값을 구하시오.

5 이차방정식 $x^2+3x+1=0$의 한 근이 $x=p$이고 이차방정식 $2x^2-3x-5=0$의 한 근이 $x=q$일 때, $p^2+3p-4q^2+6q$의 값을 구하시오.

6 이차방정식 $x^2-4x+1=0$의 한 근을 $x=a$라 할 때, $a+\frac{1}{a}$의 값을 구하시오.

02 인수분해를 이용한 이차방정식의 풀이

1 **$AB=0$의 성질**: 두 수 또는 두 식 A, B에 대하여 다음이 성립한다.

$AB=0$이면 $A=0$ 또는 $B=0$

참고 • '$A=0$ 또는 $B=0$'은 다음 세 가지 중 하나가 성립한다는 뜻이다.
① $A=0$, $B=0$ ② $A=0$, $B\neq0$ ③ $A\neq0$, $B=0$
• $AB\neq0$이면 $A\neq0$, $B\neq0$이다.

2 **인수분해를 이용한 이차방정식의 풀이**

❶ 이차방정식을 정리한다. ➡ $ax^2+bx+c=0$
❷ 좌변을 인수분해한다. ➡ $a(x-\alpha)(x-\beta)=0$
❸ $AB=0$의 성질을 이용한다. ➡ $x-\alpha=0$ 또는 $x-\beta=0$
❹ 해를 구한다. ➡ $x=\alpha$ 또는 $x=\beta$

3 **이차방정식의 중근**

(1) **이차방정식의 중근**: 이차방정식의 두 해가 중복될 때, 이 해를 중근이라 한다.
(2) **이차방정식이 중근을 가질 조건**
① 이차방정식이 (완전제곱식)$=0$ 꼴로 나타내어지면 중근을 가진다.
② 이차방정식 $x^2+ax+b=0$이 중근을 가질 조건 ➡ $b=\left(\frac{a}{2}\right)^2$ ←(상수항)$=\left\{\frac{(\text{일차항의 계수})}{2}\right\}^2$

대표 문제

7 이차방정식 $(x+3)(x-1)=-2-2x^2$의 두 근을 a, b라 할 때, $3a+b$의 값은? (단, $a>b$)

① -2 ② -1 ③ 0
④ 1 ⑤ 2

8 이차방정식 $x^2-3x-4a=8$의 한 근이 $x=a$일 때, 양수 a의 값을 구하시오.

9 이차방정식 $x^2+ax-2(a-1)=0$의 한 근이 $x=-4$일 때, 상수 a의 값과 다른 한 근을 각각 구하시오.

10 다음 보기의 이차방정식 중 중근을 갖는 것을 모두 구하시오.

보기
ㄱ. $2x^2=2x+4$ ㄴ. $x^2-6x=-9$
ㄷ. $x^2=\frac{2}{3}x-\frac{1}{9}$ ㄹ. $x^2+4x=14x-24$
ㅁ. $3x^2+12x+12=0$ ㅂ. $(x-10)(x+2)=-36$

11 이차방정식 $x^2+2ax=4a-12$가 중근을 가질 때, 양수 a의 값을 구하시오.

12 다음 두 이차방정식의 공통인 근을 구하시오.

$$5x(x+7)=3(x-4)$$
$$x(2x-11)+6=(x-6)^2$$

03 제곱근을 이용한 이차방정식의 풀이

1 제곱근을 이용한 이차방정식의 풀이

(1) 이차방정식 $x^2=q(q\geq 0)$의 해 ➡ $x=\pm\sqrt{q}$

(2) 이차방정식 $(x-p)^2=q(q\geq 0)$의 해 ➡ $x=p\pm\sqrt{q}$

참고 이차방정식 $x^2=q$가 ① 해를 가질 조건 ➡ $q\geq 0$

② 해를 갖지 않을 조건 ➡ $q<0$

2 완전제곱식을 이용한 이차방정식의 풀이

이차방정식 $ax^2+bx+c=0(a\neq 0)$의 좌변을 인수분해하기 어려울 때는 완전제곱식을 이용하여 다음과 같이 푼다.

❶ 이차항의 계수가 1이 되도록 양변을 x^2의 계수 a로 나눈다.

❷ 상수항을 우변으로 이항한다.

❸ 양변에 $\left\{\frac{(\text{일차항의 계수})}{2}\right\}^2$을 더한다.

❹ 좌변을 완전제곱식으로 고쳐서 '(완전제곱식)=(수)' 꼴로 정리한다.

❺ 제곱근을 이용하여 해를 구한다.

이차방정식 $2x^2+4x-8=0$에서
❶ $x^2+2x-4=0$
❷ $x^2+2x=4$
❸ $x^2+2x+1=4+1$
❹ $(x+1)^2=5$
❺ $\therefore x=-1\pm\sqrt{5}$

대표 문제

13 이차방정식 $3(x-2)^2-21=0$의 해가 $x=a\pm\sqrt{b}$일 때, 두 유리수 a, b에 대하여 $a+b$의 값을 구하시오.

14 이차방정식 $(x-p)^2=q-3$이 해를 가질 조건은? (단, p, q는 상수)

① $q<3$ ② $q\leq 3$ ③ $q\geq 3$
④ $q=-3$ ⑤ $q\neq 3$

15 이차방정식 $4x^2+8x-1=0$을 $(x+a)^2=b$ 꼴로 나타낼 때, 상수 a, b의 값을 각각 구하시오.

16 다음 중 이차방정식의 해를 바르게 구한 것은?

① $5x^2-3=0$ ⇨ $x=\pm\frac{\sqrt{3}}{5}$
② $2(x+3)^2=4$ ⇨ $x=3\pm\sqrt{2}$
③ $4x^2+5x-4=-2x^2$ ⇨ $x=\frac{1}{2}$ 또는 $x=\frac{4}{3}$
④ $3x^2-6x-2=0$ ⇨ $x=\frac{3\pm\sqrt{15}}{3}$
⑤ $3x^2+1=6x(1-x)$ ⇨ $x=-\frac{1}{3}$

17 이차방정식 $x^2+14x=1-2k$를 완전제곱식을 이용하여 풀었더니 해가 $x=-7\pm\sqrt{2}$이었다. 이때 상수 k의 값을 구하시오.

04 이차방정식의 근의 공식 / 복잡한 이차방정식의 풀이

1 이차방정식의 근의 공식

(1) 이차방정식 $ax^2+bx+c=0(a\neq0)$의 해 ➡ $x=\dfrac{-b\pm\sqrt{b^2-4ac}}{2a}$ (단, $b^2-4ac\geq0$)

참고 이차방정식의 근의 공식을 구하는 과정

$$ax^2+bx+c=0(a\neq0) \Rightarrow x^2+\frac{b}{a}x+\frac{c}{a}=0 \Rightarrow x^2+\frac{b}{a}x=-\frac{c}{a} \Rightarrow x^2+\frac{b}{a}x+\left(\frac{b}{2a}\right)^2=-\frac{c}{a}+\left(\frac{b}{2a}\right)^2$$

$$\Rightarrow \left(x+\frac{b}{2a}\right)^2=\frac{b^2-4ac}{4a^2} \Rightarrow x+\frac{b}{2a}=\pm\frac{\sqrt{b^2-4ac}}{2a} \Rightarrow x=\frac{-b\pm\sqrt{b^2-4ac}}{2a}$$

(2) 일차항의 계수가 짝수일 때

이차방정식 $ax^2+2b'x+c=0(a\neq0)$의 해 ➡ $x=\dfrac{-b'\pm\sqrt{b'^2-ac}}{a}$ (단, $b'^2-ac\geq0$)

참고 이차방정식의 x의 계수가 짝수일 때, (2)의 공식을 이용하면 계산이 더 간단해진다.

2 복잡한 이차방정식의 풀이

(1) 괄호가 있는 경우: 전개하여 $ax^2+bx+c=0$ 꼴로 정리하여 푼다. ← 분배법칙 또는 곱셈 공식을 이용하여 전개

(2) 계수가 소수인 경우: 양변에 10의 거듭제곱을 곱하여 계수를 정수로 고쳐서 푼다.

(3) 계수가 분수인 경우: 양변에 분모의 최소공배수를 곱하여 계수를 정수로 고쳐서 푼다.

(4) 공통부분이 있는 경우: (공통부분)$=A$로 놓고 $aA^2+bA+c=0$ 꼴로 정리하여 푼다.

대표 문제

18 다음 중 이차방정식을 바르게 푼 것은?

① $x^2-x-4=0$ ⇨ $x=\dfrac{-1\pm\sqrt{17}}{2}$

② $x^2+3x-3=0$ ⇨ $x=\dfrac{-3\pm\sqrt{19}}{2}$

③ $x^2+4x+2=0$ ⇨ $x=2\pm\sqrt{2}$

④ $x^2+6x+4=0$ ⇨ $x=-3\pm\sqrt{10}$

⑤ $x^2-8x-3=0$ ⇨ $x=4\pm\sqrt{19}$

19 이차방정식 $x^2+3x-a=0$의 해가 $x=\dfrac{b\pm\sqrt{17}}{2}$일 때, 두 유리수 a, b에 대하여 $a+b$의 값을 구하시오.

20 이차방정식 $x^2-x+3k=0$의 한 근이 $x=k$일 때, 이차방정식 $4x^2-kx-1=0$의 해를 구하시오.

(단, k는 0이 아닌 유리수)

21 이차방정식 $\dfrac{(x+2)^2}{2}-\dfrac{x}{3}=\dfrac{(2x-3)(2x-1)}{6}$의 음수인 해를 구하시오.

22 이차방정식 $\dfrac{1}{2}x^2-0.3x=\dfrac{x}{5}+x^2-0.6$의 해가 $x=\dfrac{p\pm\sqrt{q}}{10}$일 때, 두 유리수 p, q에 대하여 $p+q$의 값을 구하시오.

23 이차방정식 $4\left(x-\dfrac{1}{2}\right)^2-1=-3\left(x-\dfrac{1}{2}\right)$을 푸시오.

05 이차방정식의 근의 개수 / 이차방정식 구하기

1 이차방정식의 근의 개수

이차방정식 $ax^2+bx+c=0(a\neq0)$의 근의 개수는 근의 공식

$x=\dfrac{-b\pm\sqrt{b^2-4ac}}{2a}$에서 b^2-4ac의 부호에 따라 결정된다.
└ 판별식

(1) $b^2-4ac>0$이면 ➡ 서로 다른 두 근을 가진다.
(2) $b^2-4ac=0$이면 ➡ 한 근(중근)을 가진다.
] 근이 존재할 조건 ➡ $b^2-4ac\geq0$

(3) $b^2-4ac<0$이면 ➡ 근이 없다. → 근호 안의 수는 음수가 될 수 없다.

참고 x의 계수가 짝수인 이차방정식 $ax^2+2b'x+c=0$은 b^2-4ac 대신 b'^2-ac를 이용할 수 있다.

2 이차방정식 구하기

(1) 두 근이 α, β이고 x^2의 계수가 $a\,(a\neq0)$인 이차방정식

➡ $a(x-\alpha)(x-\beta)=0 \xrightarrow{\text{전개}} a\{x^2-(\alpha+\beta)x+\alpha\beta\}=0$

예 두 근이 -4, 3이고 x^2의 계수가 2인 이차방정식 ➡ $2(x+4)(x-3)=0$, 즉 $2x^2+2x-24=0$

(2) 중근이 α이고 x^2의 계수가 $a\,(a\neq0)$인 이차방정식

➡ $a(x-\alpha)^2=0$ ← (완전제곱식)=0 꼴

예 중근이 3이고 x^2의 계수가 2인 이차방정식 ➡ $2(x-3)^2=0$, 즉 $2x^2-12x+18=0$

참고
- 두 근의 차가 k인 이차방정식 ➡ 두 근을 α, $\alpha+k$로 놓는다.
- 한 근이 다른 근의 k배인 이차방정식 ➡ 두 근을 α, αk로 놓는다.
- 두 근의 비가 $m:n$인 이차방정식 ➡ 두 근을 km, kn으로 놓는다. (단, $k\neq0$)

개념 더하기

■ 계수가 유리수인 이차방정식의 근

이차방정식
$ax^2+bx+c=0(a\neq0)$에서
a, b, c가 유리수일 때
➡ 한 근이 $x=p+q\sqrt{m}$이면
다른 한 근은 $x=p-q\sqrt{m}$이다. (단, p, q는 유리수, $\sqrt{m}$은 무리수)

대표 문제

24 이차방정식 $x^2-2mx+2m+3=0$이 중근을 갖도록 하는 모든 상수 m의 값의 합을 구하시오.

25 이차방정식 $2x^2+8x+k-3=0$은 서로 다른 두 근을 갖고, 이차방정식 $x^2-4x+k-5=0$은 근이 없을 때, 자연수 k의 값을 구하시오.

26 이차방정식 $ax^2+bx-45=0$의 해가 $x=-3$ 또는 $x=5$일 때, 상수 a, b의 값을 각각 구하시오.

27 이차방정식 $3(x-1)(x-a)=b$가 중근 $x=2$를 가질 때, 상수 a, b에 대하여 $a+b$의 값은?

① 0 ② 1 ③ 2
④ 3 ⑤ 4

28 이차방정식 $2x^2+12x+k=0$의 두 근의 차가 4일 때, 상수 k의 값을 구하시오.

개념 더하기

29 이차방정식 $x^2-10x+k=0$의 한 근이 $x=5-3\sqrt{2}$일 때, 유리수 k의 값을 구하시오.

06 이차방정식의 활용

1 이차방정식을 활용하여 문제를 해결하는 과정

미지수 정하기 ➡ 이차방정식 세우기 ➡ 이차방정식 풀기 ➡ 문제의 뜻에 맞는지 확인하기

주의 사람 수, 개수, 나이 등은 자연수이고, 길이, 넓이 등은 양수이다.

2 수에 대한 문제

(1) 연속하는 세 자연수 ➡ $x-1$, x, $x+1$ (단, x는 1보다 큰 자연수)

(2) 연속하는 두 홀수(짝수) ➡ x, $x+2$ (단, x는 홀수(짝수))

3 쏘아 올린 물체에 대한 문제

쏘아 올린 물체의 t초 후의 높이가 t에 대한 이차식으로 주어지면

(1) 높이가 h m가 될 때 ➡ (t에 대한 이차식)$=h$

(2) 물체가 지면에 떨어질 때 ➡ 높이가 0 m이므로 (t에 대한 이차식)$=0$

주의 t는 시간이므로 물체를 쏘아 올리는 순간에는 $t=0$이고, 그 이후에는 $t>0$이다.

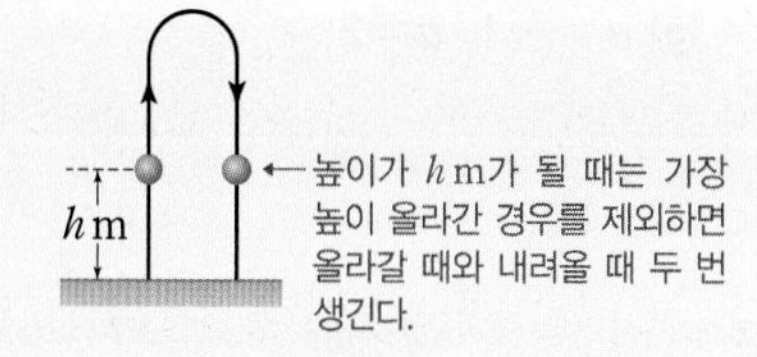

4 도형에 대한 문제

도형의 둘레의 길이나 넓이에 대한 공식을 이용하여 이차방정식을 세운다.

대표 문제

30 n각형의 대각선의 개수가 $\frac{n(n-3)}{2}$개일 때, 대각선의 개수가 44개인 다각형은?

① 팔각형 ② 구각형 ③ 십각형
④ 십일각형 ⑤ 십이각형

31 연속하는 세 홀수의 제곱의 합이 155일 때, 세 홀수의 합을 구하시오.

32 연필 180자루를 학생들에게 남김없이 똑같이 나누어 주면 한 사람이 받는 연필의 수는 학생 수보다 3자루가 적다고 한다. 이때 학생 수를 구하시오.

33 어떤 물체를 지면으로부터 50 m의 높이에서 지면에 수직인 방향으로 초속 70 m로 쏘아 올렸을 때, t초 후의 지면으로부터의 높이는 $(50+70t-5t^2)$ m라 한다. 이 물체가 지면으로부터 250 m 높이의 지점을 처음으로 지나는 것은 쏘아 올린 지 몇 초 후인지 구하시오.

34 오른쪽 그림에서 색칠한 직사각형의 가로의 길이는 매초 1 cm씩 줄어들고 세로의 길이는 매초 2 cm씩 늘어난다. 이 직사각형의 넓이가 처음 직사각형의 넓이와 같아지는 것은 몇 초 후인지 구하시오.

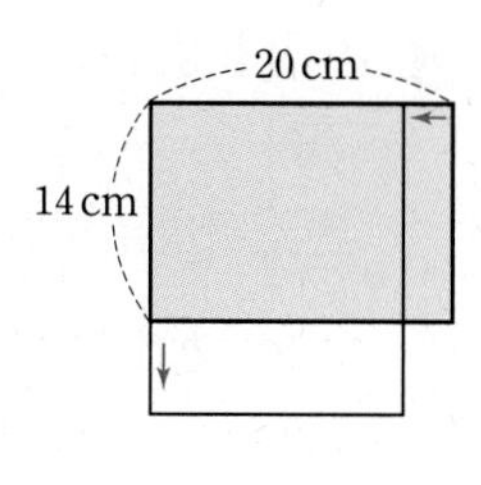

35 오른쪽 그림과 같이 가로, 세로의 길이가 각각 18 m, 10 m인 직사각형 모양의 땅에 폭이 일정한 직선 도로를 만들었다. 도로를 제외한 땅의 넓이가 112 m²일 때, x의 값을 구하시오.

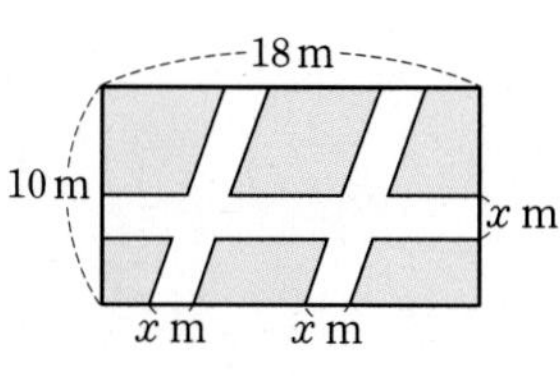

● 정답과 해설 33쪽

01 이차방정식과 그 해

중요

1 $a^2x^2+ax+2=(a+2)x^2-1$이 x에 대한 이차방정식이 되기 위한 상수 a의 조건은?

① $a\neq 0$

② $a\neq -1$ 또는 $a\neq 2$

③ $a\neq -1$, $a\neq 2$

④ $a=-1$ 또는 $a=2$

⑤ $a=-1$, $a=2$

2 이차방정식 $kx^2+ax+(k+2)b=0$이 실수 k의 값에 관계없이 항상 $x=1$을 근으로 가질 때, 상수 a, b에 대하여 $a+b$의 값을 구하시오. (단, $k\neq 0$)

3 이차방정식 $(a+c-2)x^2+(b-5)x-c-3=0$의 한 근이 $x=-1$일 때, 세 자연수 a, b, c를 세 변으로 하는 삼각형은 어떤 삼각형인가?

① $a=b$인 이등변삼각형

② $a=c$인 이등변삼각형

③ $b=c$인 이등변삼각형

④ 정삼각형

⑤ 직각삼각형

중요

4 이차방정식 $2x^2-6x-3=0$의 한 근을 $x=\alpha$라 할 때, $4\alpha^2+\dfrac{9}{\alpha^2}$의 값은?

① 47 ② 48 ③ 49

④ 50 ⑤ 51

5 이차방정식 $4x^2-(2m+1)x-4=0$의 한 근 $x=p$에 대하여 $p-\dfrac{1}{p}=m$일 때, 상수 m의 값을 구하시오.

6 10보다 작은 두 자연수 a, b에 대하여 이차방정식 $x^2+ax-b=0$의 한 근이 $x=a-\sqrt{b}$가 되도록 하는 순서쌍 (a, b)를 구하시오.

02 인수분해를 이용한 이차방정식의 풀이

7 이차방정식 $x^2-kx+k-1=0$의 일차항의 계수와 상수항을 바꾸어 풀었더니 한 해가 $x=-7$이었다. 처음 이차방정식을 푸시오. (단, k는 상수)

교과서 속 심화

8 직선 $2ax+3y=3$이 점 $(a-1,\ a^2)$을 지나고 제4사분면을 지나지 않을 때, 상수 a의 값을 구하시오.

9 자연수 x의 약수의 개수를 $\langle x \rangle$라 할 때, $\langle x \rangle^2+2\langle x \rangle-8=0$을 만족시키는 15 이하의 자연수 x의 개수를 구하시오.

10 이차방정식 $x^2-|x|-2=x+1$의 모든 근의 곱을 구하시오.

중요

11 이차방정식 $(a-1)x^2-a(a+4)x-10=0$의 한 근이 $x=-2$일 때, 다른 한 근을 구하시오. (단, a는 상수)

12 이차방정식 $(a^2-4)x^2-(4-a)x-2(a-1)=0$의 한 근이 $x=1$일 때, 약수가 a개이면서 50보다 작은 모든 자연수의 합은?

① 38 ② 49 ③ 50
④ 87 ⑤ 129

13 두 실수 a, b에 대하여 연산 $*$을 $a*b=ab-a+2b+3$이라 할 때, 이차방정식 $(x+3)*(x-2)=-7$의 두 근을 α, β라 하자. 이때 다음 식의 값을 구하시오.
(단, $\alpha<\beta$)

$$(3\alpha+8\beta)+(3\alpha+8\beta)^2+\cdots+(3\alpha+8\beta)^{2021}$$

14 이차방정식 $4x^2-8ax+a=0$이 중근 $x=k$를 가질 때, 상수 a에 대하여 $\frac{a}{k}$의 값을 구하시오. (단, $a\neq0$)

15 두 자리의 자연수 a, b에 대하여 이차방정식 $x^2+ax+8b=0$의 두 근이 같을 때, a의 값이 최대가 되도록 b의 값을 정하려고 한다. 이때 $b-a$의 값은?

① 42　② 44　③ 48
④ 56　⑤ 64

교과서 속 심화

16 서로 다른 두 개의 주사위를 동시에 던져서 나온 눈의 수를 각각 a, b라 할 때, 이차방정식 $x^2+2ax+3b+1=0$의 해가 중근일 확률은?

① $\frac{1}{36}$　② $\frac{1}{18}$　③ $\frac{1}{12}$
④ $\frac{1}{9}$　⑤ $\frac{1}{6}$

17 두 다항식 $A=x^2+2x-3$, $B=x^2+4x-5$에 대하여 $6A=5B$, $A\neq0$을 모두 만족시키는 x의 값은?

① -3　② -1　③ 1
④ 5　⑤ 7

18 이차방정식 $x^2+2(a+2)x+a^2+4a+3=0$의 두 근 중 큰 근이 이차방정식 $x^2-2x-8=0$의 두 근 중 큰 근과 같을 때, 상수 a의 값을 구하시오.

19 다음 두 이차방정식이 공통인 해를 갖도록 하는 모든 상수 a의 값의 곱을 구하시오.

$$x^2+ax+a-1=0,\quad x^2-(a+3)x+3a=0$$

03 제곱근을 이용한 이차방정식의 풀이

20 이차방정식 $9(x-2)^2=a^2$의 해가 $x=\frac{10}{3}$ 또는 $x=b$일 때, 두 유리수 a, b에 대하여 ab의 값을 구하시오. (단, $a>0$)

교과서 속 심화

21 이차방정식 $2(x+3)^2=a$의 두 근의 차가 $\frac{1}{2}$일 때, 양수 a의 값을 구하시오.

22 이차방정식 $x^2-ax-2a=0$을 $(x+A)^2=B$ 꼴로 나타내었더니 $B=5$가 되었다. 이때 상수 A의 값을 구하시오. (단, a는 양수)

중요

23 이차방정식 $(x-5)^2=\frac{k}{2}+25$의 해가 모두 정수가 되도록 하는 두 자리의 자연수 k의 개수를 구하시오.

04 이차방정식의 근의 공식 / 복잡한 이차방정식의 풀이

24 이차방정식 $x^2-4x+2=0$의 두 근 사이에 있는 자연수를 모두 구하시오.

25 이차방정식 $x^2-3x-7=0$의 두 근 중 양수인 근의 정수 부분을 a, 소수 부분을 b라 할 때, $\frac{a}{b}$의 값을 구하시오.

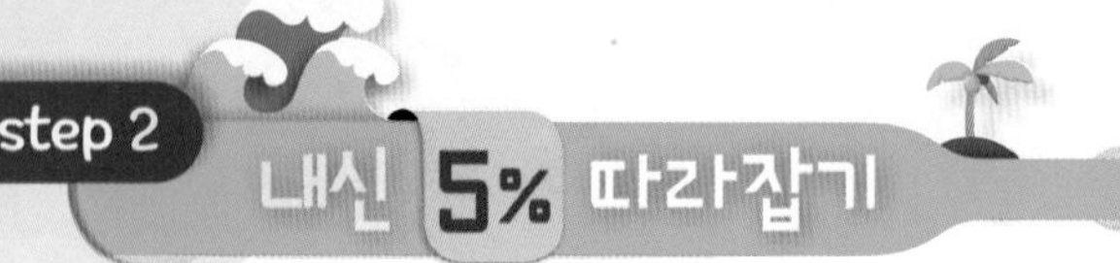

중요
26 이차방정식 $2x^2-8x+k-1=0$의 해가 모두 정수가 되도록 하는 모든 자연수 k의 값의 합은?

① 16 ② 17 ③ 32
④ 33 ⑤ 34

중요
27 이차방정식 $-0.1x^2-\frac{x(x+4)}{2}+\frac{(x-1)^2}{5}+1=0$의 해가 $x=a\pm\sqrt{b}$일 때, 이차방정식 $x^2+ax-b=0$을 푸시오. (단, a, b는 유리수)

28 $2(a+b)^2-a+b-6=8ab$일 때, $a-b$의 값을 구하시오. (단, $a<b$)

05 이차방정식의 근의 개수 / 이차방정식 구하기

중요
29 이차방정식 $(k^2-1)x^2-2(k+1)x+2=0$이 중근을 가질 때, 상수 k의 값은?

① -1 ② 0 ③ 1
④ 2 ⑤ 3

30 주사위를 두 번 던져서 처음에 나오는 눈의 수를 p, 두 번째에 나오는 눈의 수를 q라 할 때, 이차방정식 $px^2-5x+q=0$이 서로 다른 두 근을 가질 확률은?

① $\frac{1}{6}$ ② $\frac{2}{9}$ ③ $\frac{5}{18}$
④ $\frac{1}{3}$ ⑤ $\frac{7}{18}$

31 x에 대한 이차방정식
$(a-b)x^2+(b-c)x+(c-a)=0$이 중근을 가질 때, c를 a와 b에 대한 식으로 나타내시오.

32 이차방정식 $2x^2-3x-2=0$의 두 근을 α, β라 할 때, 두 근이 $\alpha-3$, $\beta-3$이고 x^2의 계수가 2인 이차방정식은?

① $2x^2-6x-3=0$ ② $2x^2-6x+5=0$
③ $2x^2+6x-5=0$ ④ $2x^2+9x-7=0$
⑤ $2x^2+9x+7=0$

33 x^2의 계수가 1인 어떤 이차방정식이 연립방정식 $\begin{cases} p+q=3-2a \\ pq=a^2-2a \end{cases}$를 만족시키는 p, q를 서로 다른 두 근으로 가질 때, 상수 a의 값의 범위를 구하시오.

34 이차방정식 $2x^2+ax+b=0$의 한 근이 $x=\frac{2-\sqrt{2}}{2}$일 때, $a+b$, ab를 두 근으로 하는 이차방정식은 $x^2+px+q=0$이다. 이때 pq의 값을 구하시오.
(단, a, b, p, q는 유리수)

중요

35 이차방정식 $x^2+(m-5)x+32=0$의 두 근의 비가 2 : 1이 되도록 하는 모든 상수 m의 값의 합을 구하시오.

교과서 속 심화

36 이차방정식 $x^2+ax+b=0$의 두 근이 연속하는 홀수이고, 두 근의 제곱의 차가 16이다. 이때 이차방정식 $bx^2+ax+1=0$을 풀면? (단, a, b는 상수)

① $x=-2$ 또는 $x=4$
② $x=-\frac{1}{3}$ 또는 $x=2$
③ $x=\frac{1}{5}$ 또는 $x=\frac{1}{3}$
④ $x=3$ 또는 $x=5$
⑤ $x=8$

37 이차방정식 $x^2-(a^2-3a-18)x-a+2=0$이 다음 조건을 모두 만족시킬 때, 상수 a의 값을 구하시오.

조건
(가) 두 근의 절댓값이 같다.
(나) 두 근의 부호가 반대이다.

06 이차방정식의 활용

38 다음 그림과 같이 각 단계마다 검은 바둑돌과 흰 바둑돌의 개수를 늘려가며 삼각형 모양으로 배열하려고 한다. n단계의 삼각형 모양에 놓인 검은 바둑돌의 개수가 $\frac{n(n+1)}{2}$개일 때, 흰 바둑돌이 45개가 놓이는 삼각형 모양은 몇 단계인지 구하시오.

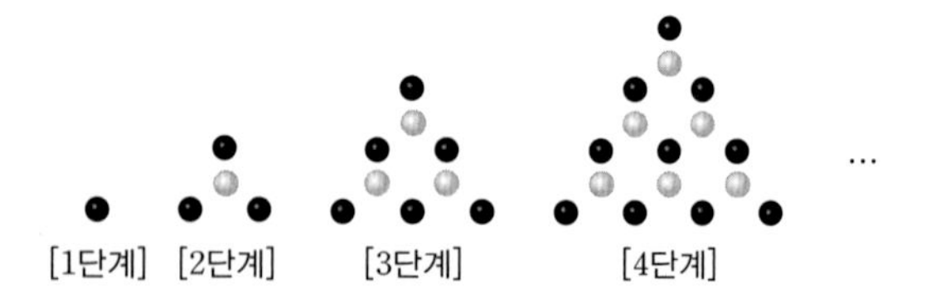

39 연속하는 다섯 개의 자연수가 있다. 큰 수부터 처음 두 수의 제곱의 합이 나머지 세 수의 제곱의 합보다 11만큼 클 때, 다섯 개의 자연수 중에서 가장 작은 수를 구하시오.

40 다음 조건을 모두 만족시키는 두 자리의 자연수를 구하시오.

조건
(가) 십의 자리의 숫자가 일의 자리의 숫자보다 크다.
(나) 각 자리의 숫자의 제곱의 합은 73이다.
(다) 십의 자리의 숫자와 일의 자리의 숫자를 바꾼 수와 처음 수의 합은 121이다.

중요
41 어떤 물체를 지면에서 수직인 방향으로 초속 35 m로 쏘아 올렸을 때, 이 물체의 t초 후의 높이는 $(35t-5t^2)$ m라 한다. 쏘아 올린 물체의 높이가 지면으로부터 50 m 이상일 때는 몇 초 동안인지 구하시오.

교과서 속 심화
42 다음은 인도의 수학자 바스카라가 "릴라바티"라는 책에 실은 글의 일부이다. 이 글에서 처음에 있던 꿀벌은 모두 몇 마리인가? (단, 꿀벌은 한 마리 이상 있다.)

꿀벌의 한 무리들
그 반의 제곱근만큼
재스민 숲으로 날아갔네.
남은 꿀벌은
전체의 꼭 $\frac{7}{8}$이네.

① 8마리 ② 16마리 ③ 32마리
④ 64마리 ⑤ 128마리

43 성범이가 어느 달에 3번 연속으로 같은 요일마다 봉사 활동을 하기로 했다. 봉사 활동을 하는 첫 번째 날의 수는 제곱하고, 두 번째 날의 수는 2배하여 세 번째 날의 수에 모두 더했더니 266이었다. 성범이가 봉사 활동을 하는 3번의 날은 각각 며칠인지 구하시오.

44 오른쪽 그림과 같이 $\overline{AD}=3\,\text{cm}$, $\angle ABC=45°$인 등변사다리꼴 ABCD의 넓이가 $40\,\text{cm}^2$일 때, $\overline{BC}$의 길이를 구하시오.

교과서 속 심화

45 오른쪽 그림과 같이 일차함수 $y=-\frac{1}{2}x+9$의 그래프 위의 한 점 P에서 x축, y축에 내린 수선의 발을 각각 A, B라 하자. 이때 직사각형 OAPB의 넓이가 40이 되게 하는 제1사분면 위의 점 P의 좌표를 모두 구하시오.

(단, 점 O는 원점)

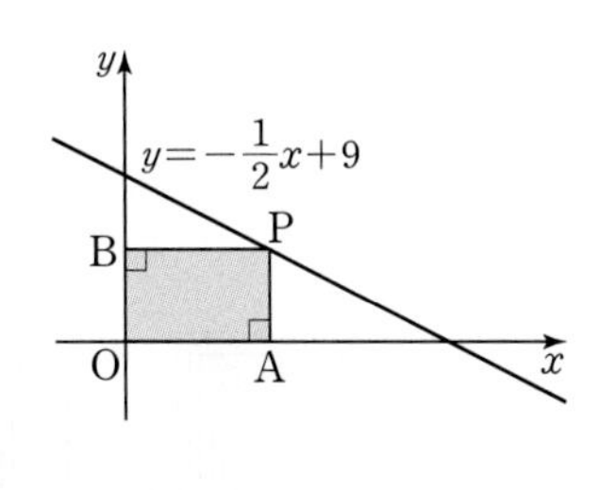

중요

46 오른쪽 그림과 같이 가로, 세로의 길이가 각각 10 cm, 9 cm인 직사각형 ABCD가 있다. 점 P는 점 A를 출발하여 $\overline{AB}$를 따라 점 B까지 초속 1 cm로 움직이고, 점 Q는 점 B를 출발하여 $\overline{BC}$를 따라 점 C까지 초속 2 cm로 움직인다. 두 점 P, Q가 동시에 출발할 때, $\triangle PBQ$의 넓이가 $18\,\text{cm}^2$가 되는 것은 몇 초 후인지 구하시오.

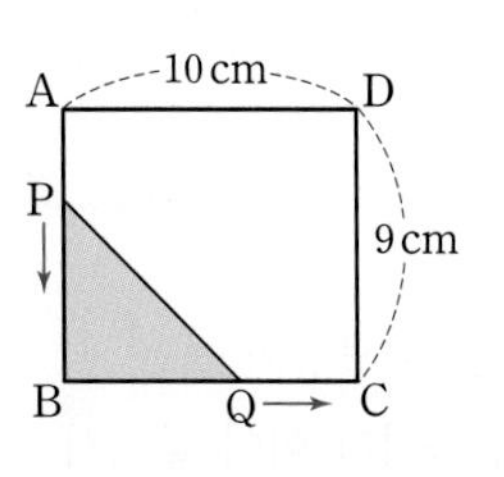

47 오른쪽 그림은 한 변의 길이가 5인 정사각형 ABCD를 대각선 BD를 접는 선으로 하여 접은 후, $\overline{AB}$와 $\overline{BD}$ 위에 각각 점 G, E를 잡아 평행사변형 BEFG를 그린 것이다. □BEFG의 넓이가 6일 때, $\overline{BG}$의 길이를 구하시오. (단, $\overline{AF}>\overline{DF}$)

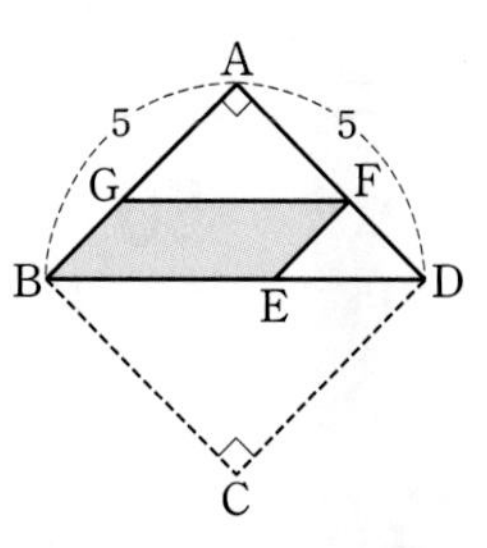

48 오른쪽 그림에서 $\triangle ABC$는 $\overline{AB}=\overline{AC}=5\,\text{cm}$인 이등변삼각형이다. $\angle ABD=\angle CBD$이고 $\angle A=36°$일 때, $\overline{BC}$의 길이를 구하시오.

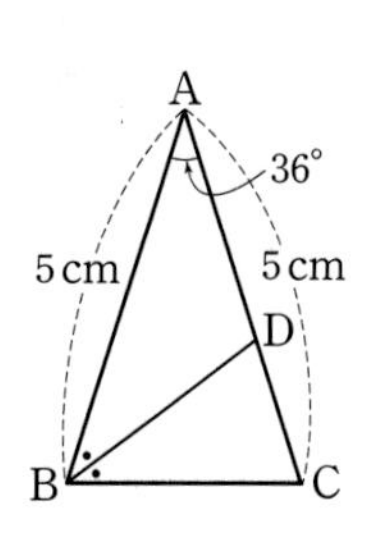

교과서 속 심화

49 오른쪽 그림과 같이 세 반원으로 이루어진 도형에서 $\overline{AB}=40\,\text{cm}$이고, 색칠한 부분의 넓이가 $99\pi\,\text{cm}^2$일 때, $\overline{AC}$의 길이는? (단, $\overline{AC}>\overline{BC}$)

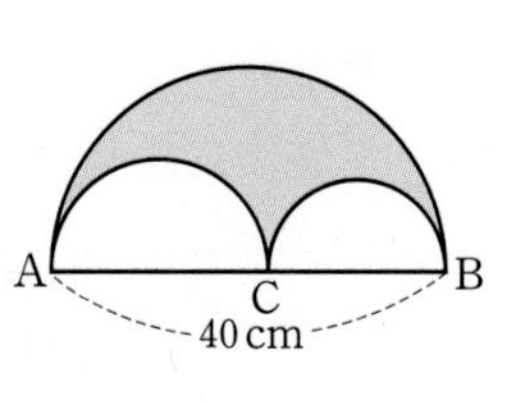

① 18 cm ② 20 cm ③ 22 cm
④ 24 cm ⑤ 26 cm

창의 사고력 문제

50 각 면에 1부터 20까지의 자연수가 각각 하나씩 적힌 정이십면체 모양의 주사위를 던져서 나온 눈의 수를 오른쪽 이차방정식의 □ 안에 쓰고, 이 이차방정식을 풀었을 때 자연수인 해가 나오면 그 해의 숫자만큼의 사은품을 가져갈 수 있다고 한다. 은석이와 소영이가 주사위를 각각 한 번씩 던졌을 때, 둘이 받은 사은품의 개수의 합이 8개 이상일 확률을 구하시오.

$x^2-2x-\square=0$

(단, 해가 자연수가 아닌 경우에는 사은품을 받지 못한다.)

51 오른쪽 그림과 같이 한 변의 길이가 x cm인 정사각형 모양의 타일 A가 5개, 세로의 길이가 x cm이고 가로의 길이가 1 cm인 직사각형 모양의 타일 B가 7개, 한 변의 길이가 1 cm인 정사각형 모양의 타일 C가 7개 있다. 이 타일을 모두 사용하여 넓이가 132 cm^2인 직사각형 모양의 벽면을 빈틈없이 채우려면 타일 A, C가 각각 한 개씩 부족하다고 한다. 이때 x의 값을 구하시오.

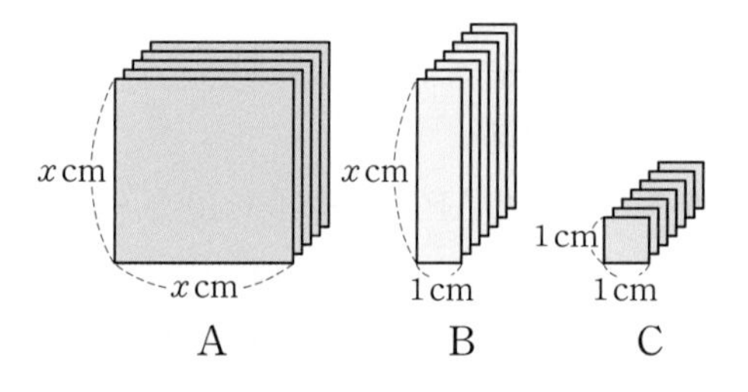

52 오른쪽 그림과 같이 반지름의 길이가 50 cm인 원 모양의 돌을 원 모양의 연못의 중심에서부터 십자 모양으로 빈틈없이 이어 붙여서 돌길을 만들었다. 연못에서 돌이 놓이지 않은 부분의 넓이가 연못 전체 넓이의 $\frac{64}{81}$일 때, 연못에 놓인 돌의 개수를 구하시오.

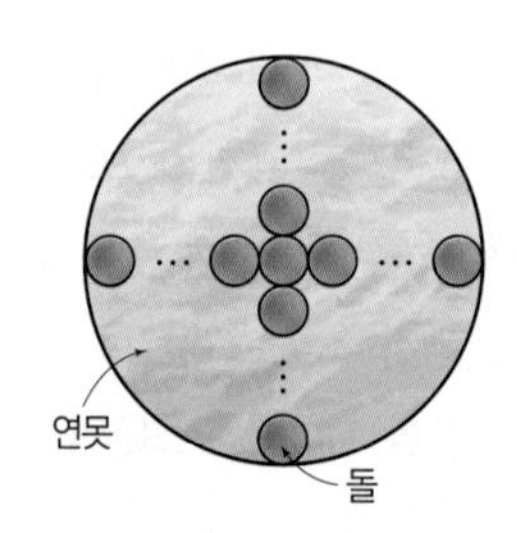

● 정답과 해설 39쪽

01

이차방정식 $x^2-3x+1=0$의 한 근이 $x=a$일 때, $a^5-5a^4+7a^3-a^2-3a+3$의 값을 구하시오.

02

다음을 만족시키는 실수 x의 값을 구하시오.

$$x=2+\cfrac{3}{2+\cfrac{3}{2+\cfrac{3}{2+\cdots}}}$$

03

서로 다른 두 유리수 m, n이 있다. 이차방정식 $x^2+mx+n=0$의 한 근이 이 이차방정식의 x의 계수와 상수항을 바꾸어 놓고 풀었을 때의 한 근과 서로 같았다. 이 두 이차방정식의 공통인 근을 구하시오.

04

$f(x)=\dfrac{1}{\sqrt{x+1}+\sqrt{x}}$이고 x에 대한 이차방정식 $(a^2-1)x^2+(5a-6)x+4(3a-2)=0$의 한 근 m에 대하여 $m=f(1)+f(2)+f(3)+\cdots+f(23)+f(24)$일 때, 상수 a의 값을 구하시오.

TOP

05

해가 모두 정수인 두 이차방정식 $x^2-ax+2b=0$과 $x^2-2cx+a=0$이 공통인 해를 가질 때, a의 값을 구하시오. (단, a, b, c는 소수)

06

다음 조건을 모두 만족시키는 x, y에 대하여 $\frac{x}{y}$의 값을 구하시오.

조건

(가) $x^2-6xy-5y^2=0$

(나) $xy<0$

07

다음 식을 만족시키는 자연수 n의 값을 구하시오.

$$n(n+1)(n+2)(n+3)+1=109^2$$

08

이차방정식 $x^2-ax+b+1=0$이 근을 갖도록 하는 b의 최댓값을 M이라 하자. $-2\le a\le 4$이고 M의 값의 범위가 $p\le M\le q$일 때, $p+q$의 값을 구하시오. (단, a, b는 상수)

TOP

09

이차방정식 $x^2-ax+b=0$의 두 근이 연속하는 자연수이고, 두 근의 제곱의 차는 5이다. $A=(a-b)+(a-b)^2+\cdots+(a-b)^{2021}$, $B=(b-a)+(b-a)^2+\cdots+(b-a)^{2021}$이라 할 때, 두 근이 A, B이고 x^2의 계수가 1인 이차방정식을 구하시오. (단, a, b는 상수)

10

거리가 $30\,\mathrm{km}$인 두 지점 A, B 사이를 우현이는 A 지점에서 B 지점을 향하여 시속 $8\,\mathrm{km}$로, 주아는 B 지점에서 A 지점을 향하여 시속 $a\,\mathrm{km}$로 동시에 출발하였다. 중간에 두 사람이 만나고 나서 1시간 20분 후에 주아가 A 지점에 도착하였을 때, 두 사람이 만날 때까지 걸린 시간과 a의 값을 각각 구하시오.

11

어느 미술관에서 1인당 입장료를 $x\,\%$ 올리면 전체 입장객 수는 $\frac{x}{4}\,\%$ 감소한다고 한다. 입장료로 받는 총수입이 $14\,\%$ 증가하려면 입장료는 몇 $\%$를 올려야 하는지 구하시오.

(단, $0<x<50$)

12

오른쪽 그림과 같이 일차함수 $y=x+3$의 그래프 위의 한 점 P에서 x축에 내린 수선의 발을 Q라 하고, 이 그래프가 y축과 만나는 점을 R라 하자. $\triangle$POQ : $\triangle$PRO$=3:1$일 때, 제1사분면 위의 점 P의 좌표를 구하시오. (단, 점 O는 원점)

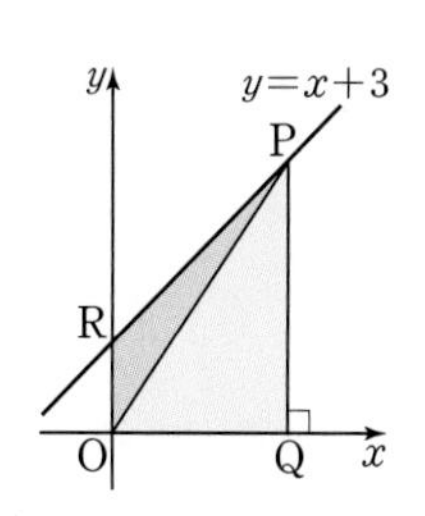

5 서술형 완성하기

모든 문제는 풀이 과정을 자세히 서술한 후 답을 쓰세요.

1 오른쪽 표는 가로, 세로, 대각선에 있는 네 수의 합이 모두 같은 마방진이다. 1부터 16까지의 자연수로 이루어진 이 마방진을 완성하시오.

	15	14	4
12	$x+3$		$2x^2-3x$
	$x+7$		5
13			16

풀이 과정

답

2 이차방정식 $x(x-3)=18$의 두 근 중 작은 근이 이차방정식 $2x^2+(a+1)x+2a=0$의 한 근일 때, 상수 a의 값을 구하시오.

풀이 과정

답

3 $x^2+y^2+2xy-3x-3y-4=0$을 만족시키는 자연수 x, y의 순서쌍 (x, y)의 개수를 구하시오.

풀이 과정

답

4 이차방정식 $3x^2+2ax+2a+9=0$이 음수인 중근을 갖도록 하는 상수 a의 값을 구하시오.

풀이 과정

답

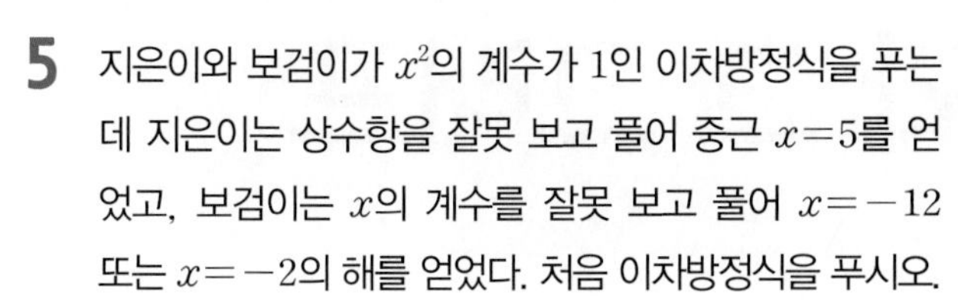

5 지은이와 보검이가 x^2의 계수가 1인 이차방정식을 푸는데 지은이는 상수항을 잘못 보고 풀어 중근 $x=5$를 얻었고, 보검이는 x의 계수를 잘못 보고 풀어 $x=-12$ 또는 $x=-2$의 해를 얻었다. 처음 이차방정식을 푸시오.

풀이 과정

답

6 오른쪽 그림에서 두 직사각형 ABCD와 DEFC가 서로 닮은 도형일 때, $\overline{BC}$의 길이를 구하시오.

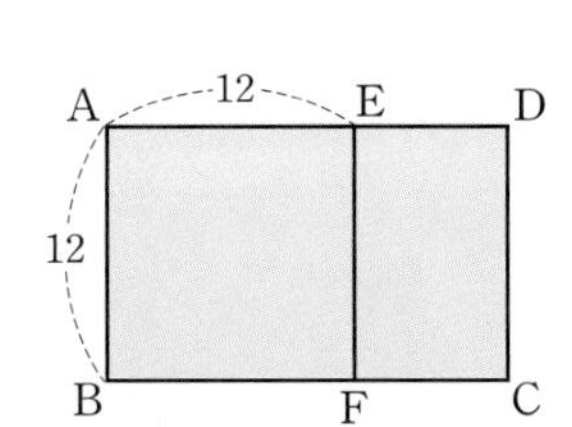

풀이 과정

답

7 최대공약수가 3인 두 자연수 a, b가 이차방정식 $2x^2-30x+k=0$의 두 근일 때, $a-b+k$의 값을 구하시오. (단, $a>b>3$, k는 상수)

풀이 과정

답

8 96장의 야구 경기 관람권을 야구 동아리 학생들에게 남김없이 똑같이 나누어 주었는데 2명의 학생이 동아리에 새로 들어와서 관람권을 재분배하였다. 기존 야구 동아리 학생들에게 관람권을 한 장씩 걷어서 새로 온 학생들에게 남김없이 똑같이 나누어 주었더니 새로 온 학생 1명이 받은 관람권의 수가 기존 학생 1명이 갖게 된 관람권의 수보다 9장 더 많았다. 이때 기존 야구 동아리 학생 수를 구하시오.

풀이 과정

답

6 이차함수와 그 그래프

01 이차함수의 뜻 / 이차함수 $y=ax^2$의 그래프

02 이차함수 $y=ax^2+q$와 $y=a(x-p)^2$의 그래프

03 이차함수 $y=a(x-p)^2+q$의 그래프

04 이차함수 $y=a(x-p)^2+q$의 식 구하기

05 이차함수 $y=ax^2+bx+c$의 그래프

06 이차함수 $y=ax^2+bx+c$의 식 구하기

● 정답과 해설 43쪽

01 이차함수의 뜻 / 이차함수 $y=ax^2$의 그래프

1 이차함수의 뜻

함수 $y=f(x)$에서 y가 x에 대한 이차식 $y=ax^2+bx+c$ (a, b, c는 상수, $a\neq0$)로 나타날 때, 이 함수를 x에 대한 이차함수라 한다.

참고 특별한 말이 없으면 이차함수에서 x의 값의 범위는 실수 전체로 생각한다.

2 이차함수 $y=ax^2$의 그래프

(1) 포물선: 이차함수 $y=ax^2$의 그래프와 같은 모양의 곡선

① 축: 포물선의 대칭축 ← 포물선은 선대칭도형이다.

② 꼭짓점: 포물선과 축의 교점

(2) 이차함수 $y=ax^2$의 그래프

① y축을 축으로 하고, 원점 O(0, 0)을 꼭짓점으로 하는 포물선이다.
→ 축의 방정식: $x=0$(y축)

② $a>0$일 때 아래로 볼록(∪)하고, $a<0$일 때 위로 볼록(∩)하다.

③ a의 절댓값이 클수록 그래프의 폭이 좁아진다.

④ 이차함수 $y=-ax^2$의 그래프와 x축에 서로 대칭이다.

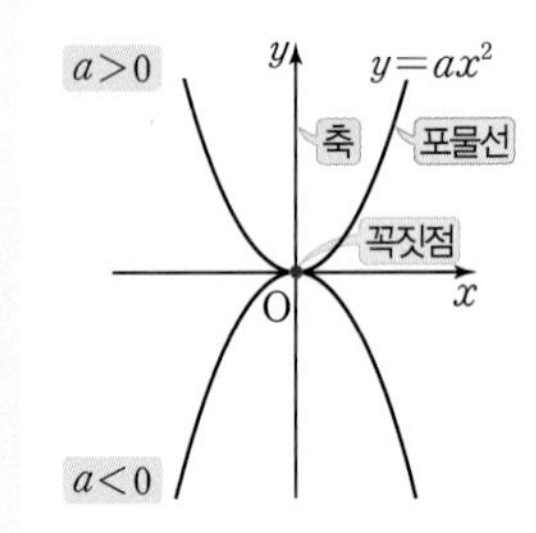

대표 문제

1 다음 보기 중 y가 x에 대한 이차함수인 것을 모두 고르시오.

보기
ㄱ. 한 권에 2000원인 공책 x권의 가격 y원
ㄴ. 자동차가 시속 80 km로 x시간 동안 달린 거리 y km
ㄷ. 둘레의 길이가 10 cm, 세로의 길이가 x cm인 직사각형의 넓이 $y\,\text{cm}^2$
ㄹ. 한 모서리의 길이가 x cm인 정육면체의 부피 $y\,\text{cm}^3$
ㅁ. 반지름의 길이가 x cm인 구의 겉넓이 $y\,\text{cm}^2$

2 이차함수 $f(x)=-\frac{1}{3}x^2+ax-1$에서 $f(3)=2$, $f(b)=-\frac{10}{3}$일 때, 두 자연수 a, b에 대하여 $a+b$의 값을 구하시오.

3 이차함수 $y=5x^2$의 그래프와 x축에 서로 대칭인 그래프가 점 $(-6, k)$를 지날 때, k의 값을 구하시오.

4 세 이차함수 $y=ax^2$, $y=-2x^2$, $y=-\frac{2}{3}x^2$의 그래프가 각각 오른쪽 그림과 같을 때, 상수 a의 값의 범위를 구하시오.

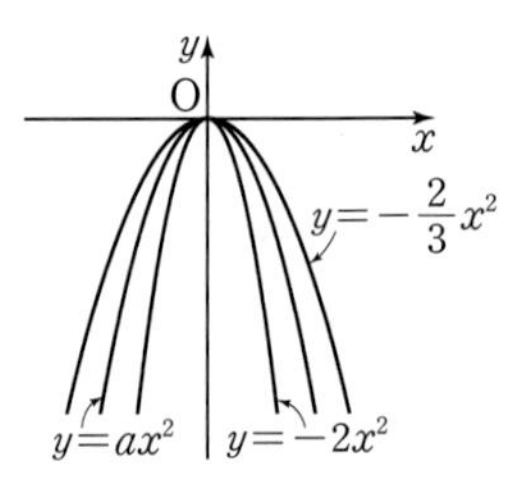

5 다음 중 이차함수 $y=-\frac{1}{2}x^2$의 그래프에 대한 설명으로 옳은 것을 모두 고르면? (정답 2개)

① 꼭짓점의 좌표는 $\left(0, -\frac{1}{2}\right)$이다.
② 축의 방정식은 $y=0$이다.
③ 아래로 볼록한 포물선이다.
④ 제1사분면과 제2사분면을 지나지 않는다.
⑤ 이차함수 $y=\frac{1}{4}x^2$의 그래프보다 폭이 좁다.

6 이차함수 $y=f(x)$의 그래프가 오른쪽 그림과 같을 때, $f(9)-f(6)$의 값을 구하시오.

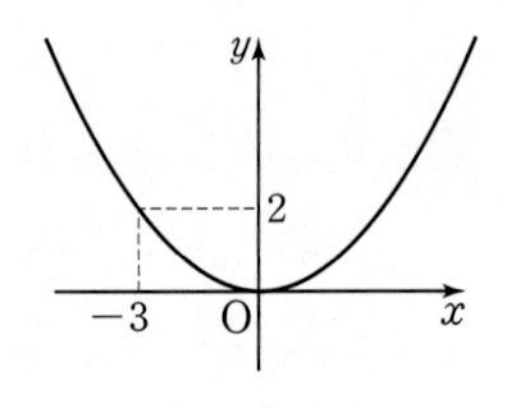

02 이차함수 $y=ax^2+q$와 $y=a(x-p)^2$의 그래프

1 이차함수 $y=ax^2+q$의 그래프

이차함수 $y=ax^2$의 그래프를 y축의 방향으로 q만큼 평행이동한 그래프

(1) 축의 방정식: $x=0$ (y축)

(2) 꼭짓점의 좌표: $(0,\ q)$

참고 이차함수 $y=ax^2$의 그래프를 평행이동하면 그래프의 모양과 폭은 변하지 않고 위치만 바뀐다. 따라서 그래프의 모양과 폭을 결정하는 x^2의 계수 a는 변하지 않는다.

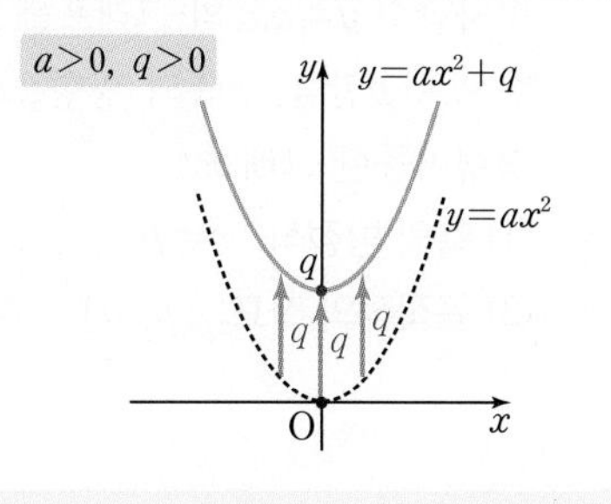

2 이차함수 $y=a(x-p)^2$의 그래프

이차함수 $y=ax^2$의 그래프를 x축의 방향으로 p만큼 평행이동한 그래프

(1) 축의 방정식: $x=p$

(2) 꼭짓점의 좌표: $(p,\ 0)$

참고 이차함수 $y=ax^2$의 그래프를 x축의 방향으로 p만큼 평행이동하면 축의 방정식이 $x=p$가 되므로 그래프의 증가 또는 감소하는 범위도 $x=p$를 기준으로 생각해야 한다.

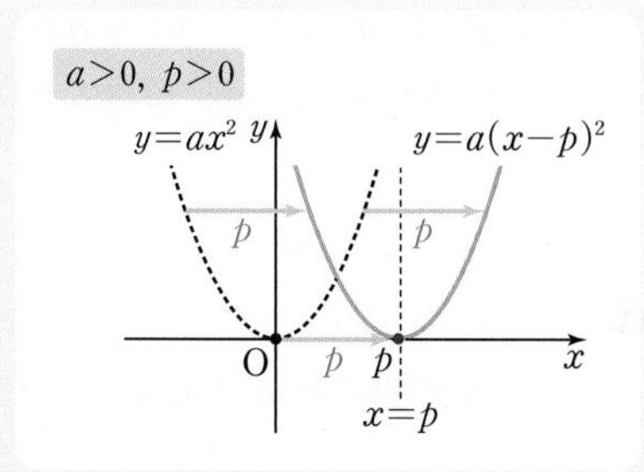

대표 문제

7 오른쪽 그림은 이차함수 $y=ax^2$의 그래프를 y축의 방향으로 평행이동한 그래프이다. 이 그래프의 식을 $y=f(x)$라 할 때, $f(-2)$의 값을 구하시오.

(단, a는 상수)

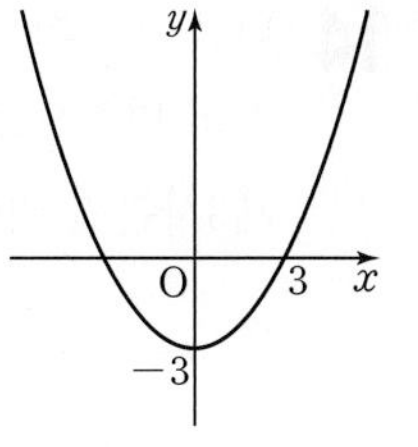

8 이차함수 $y=ax^2+q$의 그래프가 두 점 $(-3,\ -2)$, $\left(1,\ \frac{2}{3}\right)$를 지날 때, 이 그래프의 꼭짓점의 좌표를 구하시오. (단, a, q는 상수)

9 이차함수 $y=-3x^2$의 그래프를 x축의 방향으로 p만큼 평행이동한 그래프가 점 $(1,\ -12)$를 지날 때, p의 값을 모두 구하시오.

10 다음 중 이차함수 $y=-\frac{2}{3}(x+1)^2$의 그래프에 대한 설명으로 옳지 않은 것을 모두 고르면? (정답 2개)

① 이차함수 $y=\frac{2}{3}x^2-4$의 그래프와 폭이 같다.

② 꼭짓점의 좌표는 $(1,\ 0)$이다.

③ y축과 만나는 점의 좌표는 $\left(0,\ -\frac{2}{3}\right)$이다.

④ 이차함수 $y=-\frac{2}{3}x^2$의 그래프를 x축의 방향으로 -1만큼 평행이동한 그래프이다.

⑤ $x<-1$일 때, x의 값이 증가하면 y의 값은 감소한다.

11 이차함수 $y=a(x-p)^2$의 그래프가 점 $(-4,\ -2)$를 지나고 축의 방정식이 $x=-2$일 때, 상수 a, p에 대하여 ap의 값을 구하시오.

03 이차함수 $y=a(x-p)^2+q$의 그래프

1 이차함수 $y=a(x-p)^2+q$의 그래프

이차함수 $y=ax^2$의 그래프를 x축의 방향으로 p만큼, y축의 방향으로 q만큼 평행이동한 그래프

(1) 축의 방정식: $x=p$

(2) 꼭짓점의 좌표: (p, q)

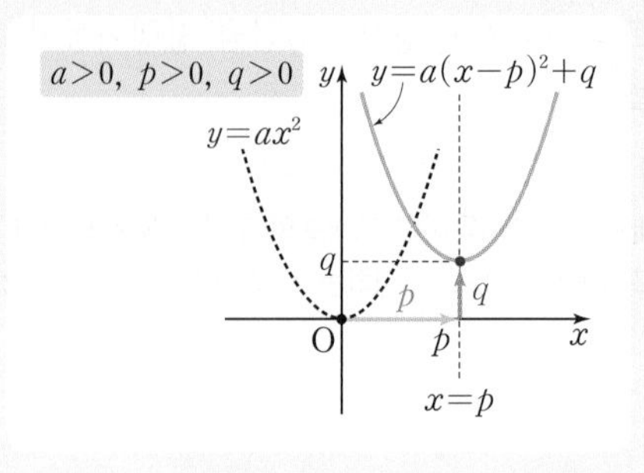

2 이차함수의 그래프의 평행이동

이차함수 $y=a(x-p)^2+q$의 그래프를 x축의 방향으로 m만큼, y축의 방향으로 n만큼 평행이동하면

➡ $y=a(x-m-p)^2+q+n$

(1) 축의 방정식: $x=p \longrightarrow x=p+m$

(2) 꼭짓점의 좌표: $(p, q) \longrightarrow (p+m, q+n)$

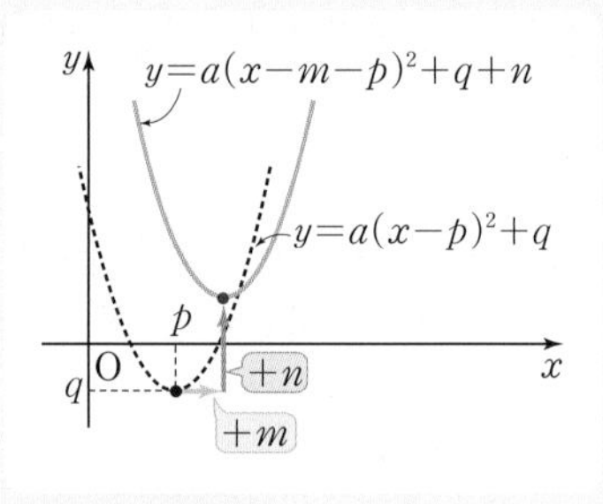

개념 더하기

■ 이차함수의 그래프의 대칭이동

이차함수 $y=a(x-p)^2+q$의 그래프를

(1) x축에 대하여 대칭이동

➡ y 대신 $-y$를 대입

① $-y=a(x-p)^2+q$

$\therefore y=-a(x-p)^2-q$

② 꼭짓점의 좌표: $(p, -q)$

(2) y축에 대하여 대칭이동

➡ x 대신 $-x$를 대입

① $y=a(-x-p)^2+q$

$\therefore y=a(x+p)^2+q$

② 꼭짓점의 좌표: $(-p, q)$

대표 문제

12 이차함수 $y=-2x^2$의 그래프를 x축의 방향으로 3만큼, y축의 방향으로 a만큼 평행이동한 그래프가 두 점 $(2, -1)$, $(5, b)$를 지날 때, $a+b$의 값을 구하시오.

13 다음 보기 중 이차함수 $y=(x+2)^2-5$의 그래프에 대한 설명으로 옳지 않은 것을 모두 고르시오.

보기

ㄱ. 이차함수 $y=-x^2-3$의 그래프와 폭이 같다.

ㄴ. 꼭짓점이 일차함수 $y=-2x-1$의 그래프 위에 있다.

ㄷ. 축의 방정식은 $x=2$이다.

ㄹ. $x>-2$일 때, x의 값이 증가하면 y의 값도 증가한다.

ㅁ. 이차함수 $y=x^2$의 그래프를 x축의 방향으로 -2만큼, y축의 방향으로 -5만큼 평행이동한 것이다.

14 다음 이차함수의 그래프 중 x축의 방향으로 1만큼, y축의 방향으로 -2만큼 평행이동하였을 때, 꼭짓점이 제3사분면 위에 위치하는 것은?

① $y=-x^2+4$　② $y=-\frac{1}{2}(x+2)^2$

③ $y=\frac{1}{3}x^2+3$　④ $y=\frac{3}{2}(x-1)^2$

⑤ $y=-(x+3)^2+4$

15 이차함수 $y=\frac{3}{4}(x-2)^2+1$의 그래프를 x축의 방향으로 m만큼, y축의 방향으로 n만큼 평행이동하면 이차함수 $y=a(x-5)^2-2$의 그래프와 일치한다. 이때 $a+m+n$의 값을 구하시오. (단, a는 상수)

개념 더하기

16 이차함수 $y=-\frac{1}{3}(x-2)^2+a$의 그래프를 y축에 대하여 대칭이동한 그래프가 점 $(-5, 1)$을 지날 때, 상수 a의 값을 구하시오.

04 이차함수 $y=a(x-p)^2+q$의 식 구하기

1 이차함수 $y=a(x-p)^2+q$의 식 구하기

(1) 꼭짓점의 좌표 (p, q)와 그래프가 지나는 다른 한 점의 좌표를 알 때

➡ $y=a(x-p)^2+q$로 놓고, 주어진 점의 좌표를 대입하여 a의 값을 구한다.

(2) 축의 방정식 $x=p$와 그래프가 지나는 서로 다른 두 점의 좌표를 알 때

➡ $y=a(x-p)^2+q$로 놓고, 주어진 두 점의 좌표를 각각 대입하여 a, q의 값을 구한다.

2 이차함수 $y=a(x-p)^2+q$의 그래프에서 a, p, q의 부호

(1) a의 부호: 그래프의 모양에 따라 결정된다.

① 아래로 볼록(∪) ➡ $a>0$

② 위로 볼록(∩) ➡ $a<0$

(2) p, q의 부호: 꼭짓점이 위치하는 사분면에 따라 결정된다.

① 제1사분면 ➡ $p>0$, $q>0$

② 제2사분면 ➡ $p<0$, $q>0$

③ 제3사분면 ➡ $p<0$, $q<0$

④ 제4사분면 ➡ $p>0$, $q<0$

제2사분면 $(-, +)$	제1사분면 $(+, +)$
제3사분면 $(-, -)$	제4사분면 $(+, -)$

대표 문제

17 이차함수 $y=a(x-p)^2+q$의 그래프가 오른쪽 그림과 같을 때, 상수 a, p, q의 값을 각각 구하시오.

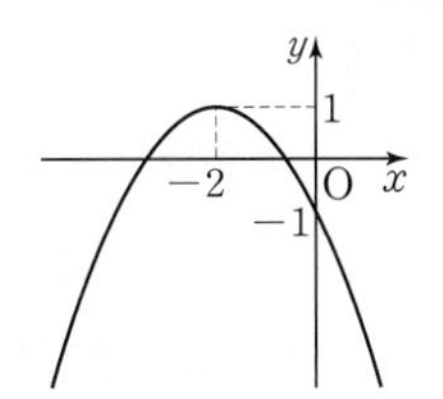

18 다음 조건을 모두 만족시키는 포물선을 그래프로 하는 이차함수의 식을 $y=a(x-p)^2+q$ 꼴로 나타내시오. (단, a, p, q는 상수)

조건

(가) 축의 방정식이 $x=-3$이다.

(나) 두 점 $(-5, 3)$, $(-2, 9)$를 지난다.

19 이차함수 $y=a(x+p)^2-q$의 그래프가 오른쪽 그림과 같을 때, 상수 a, p, q의 부호를 각각 구하시오.

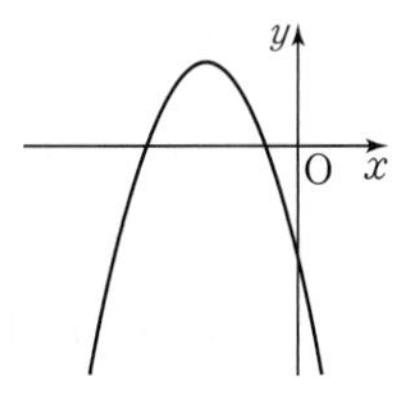

20 일차함수 $y=ax+b$의 그래프가 오른쪽 그림과 같을 때, 다음 중 이차함수 $y=a(x-b)^2$의 그래프로 알맞은 것은? (단, a, b는 상수)

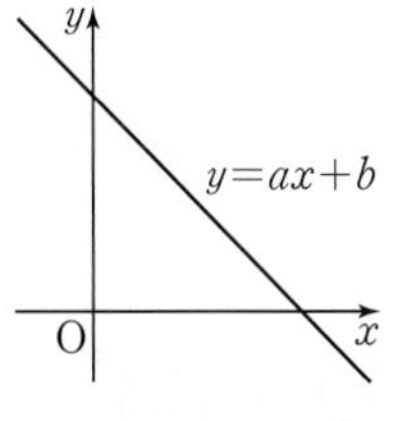

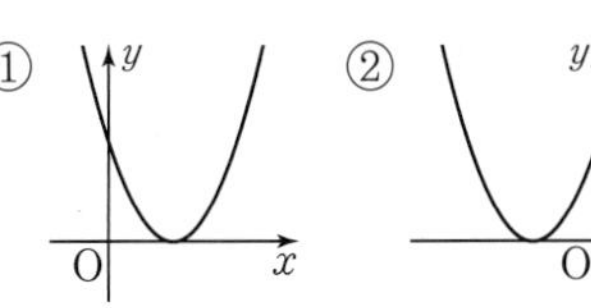

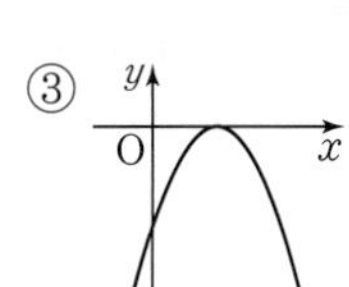

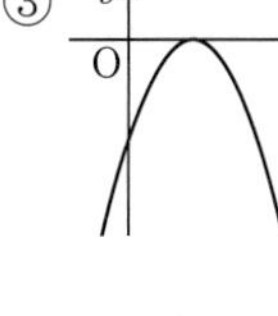

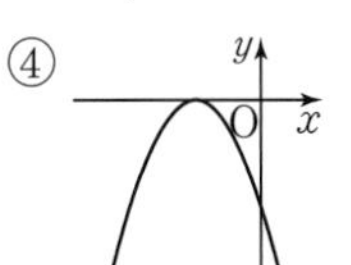

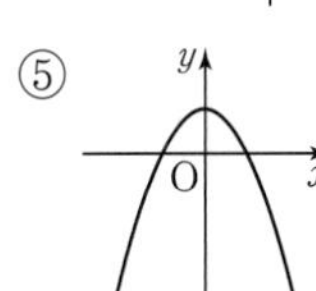

05 이차함수 $y=ax^2+bx+c$의 그래프

1 이차함수 $y=ax^2+bx+c$의 그래프

이차함수 $y=ax^2+bx+c$의 그래프는 $y=a(x-p)^2+q$ 꼴로 고쳐서 그린다.
(↳ 일반형, ↳ 표준형)

$$y=ax^2+bx+c \Rightarrow y=a\left(x+\frac{b}{2a}\right)^2-\frac{b^2-4ac}{4a}$$

(1) 축의 방정식: $x=-\frac{b}{2a}$

(2) 꼭짓점의 좌표: $\left(-\frac{b}{2a}, -\frac{b^2-4ac}{4a}\right)$

(3) y축과 만나는 점의 좌표: $(0, c)$

2 이차함수 $y=ax^2+bx+c$의 그래프가 x축, y축과 만나는 점의 좌표

(1) x축과 만나는 점의 좌표: $y=0$일 때, x의 값 $\alpha \Rightarrow (\alpha, 0)$ 꼴

(2) y축과 만나는 점의 좌표: $x=0$일 때, y의 값 $c \Rightarrow (0, c)$

참고 이차함수의 그래프가 y축과 만나는 점은 항상 1개이지만 x축과 만나는 점은 1개일 수도, 2개일 수도, 없을 수도 있다.

개념 활용하기

■ **$y=ax^2+bx+c$의 그래프와 x축의 교점에 따른 꼭짓점의 위치**

이차함수 $y=ax^2+bx+c$를 $y=a(x-p)^2+q$ 꼴로 고치면 꼭짓점의 좌표는 (p, q)이다.

(1) x축과 한 점에서 만난다.
$\Rightarrow q=0$

(2) x축과 두 점에서 만난다.
$\Rightarrow a>0$이면 $q<0$
$a<0$이면 $q>0$

(3) x축과 만나지 않는다.
$\Rightarrow a>0$이면 $q>0$
$a<0$이면 $q<0$

대표 문제

21 이차함수 $y=-2x^2-24x-40$의 그래프를 x축의 방향으로 m만큼, y축의 방향으로 n만큼 평행이동하면 이차함수 $y=-2x^2+4x-7$의 그래프와 일치한다. 이때 $m+n$의 값을 구하시오.

22 이차함수 $y=2x^2-16x+k+3$의 그래프가 x축과 한 점에서 만날 때, 상수 k의 값을 구하시오.

23 이차함수 $y=-x^2+4x+5k+10$의 그래프가 모든 사분면을 지나기 위한 상수 k의 값의 범위를 구하시오.

24 다음 중 이차함수 $y=-2x^2+8x-6$의 그래프에 대한 설명으로 옳은 것을 모두 고르면? (정답 2개)

① 꼭짓점의 좌표는 $(2, 2)$이다.
② 축의 방정식은 $x=-2$이다.
③ 모든 사분면을 지난다.
④ x축과 한 점에서 만난다.
⑤ $x>2$일 때, x의 값이 증가하면 y의 값은 감소한다.

25 오른쪽 그림과 같이 이차함수 $y=-x^2+3x+4$의 그래프가 y축과 만나는 점을 A, x축과 만나는 두 점을 각각 B, C라 할 때, △ABC의 넓이를 구하시오.

06 이차함수 $y=ax^2+bx+c$의 식 구하기

1 이차함수 $y=ax^2+bx+c$의 식 구하기

(1) 그래프가 지나는 서로 다른 세 점의 좌표를 알 때

➡ $y=ax^2+bx+c$로 놓고, 주어진 세 점의 좌표를 각각 대입한다.

(2) x축과의 두 교점 $(\alpha, 0)$, $(\beta, 0)$과 그래프가 지나는 다른 한 점의 좌표를 알 때

➡ $y=a(x-\alpha)(x-\beta)$로 놓고, 주어진 점의 좌표를 대입한다.

2 이차함수 $y=ax^2+bx+c$의 그래프에서 a, b, c의 부호

(1) a의 부호: 그래프의 모양에 따라 결정된다.

① 아래로 볼록(∪) ➡ $a>0$

② 위로 볼록(∩) ➡ $a<0$

(2) b의 부호: 축의 위치에 따라 결정된다.

① 축이 y축의 왼쪽 ➡ $ab>0$ (a, b는 서로 같은 부호)

② 축이 y축의 오른쪽 ➡ $ab<0$ (a, b는 서로 다른 부호)

(3) c의 부호: y축과의 교점의 위치에 따라 결정된다.

① y축과의 교점이 x축보다 위쪽 ➡ $c>0$

② y축과의 교점이 x축보다 아래쪽 ➡ $c<0$

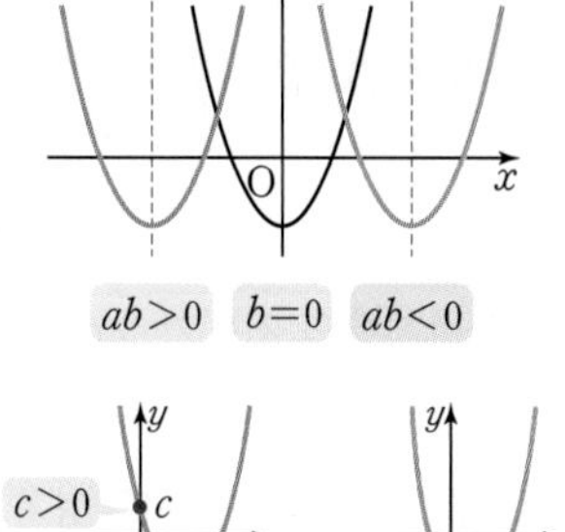

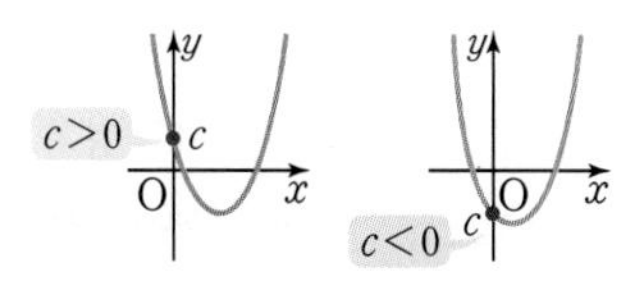

대표 문제

26 세 점 $(-1, 1)$, $(0, 3)$, $(1, 9)$를 지나는 이차함수의 그래프의 축의 방정식과 꼭짓점의 좌표를 차례로 구하시오.

27 이차함수 $y=ax^2+bx+c$의 그래프가 오른쪽 그림과 같을 때, 상수 a, b, c에 대하여 abc의 값을 구하시오.

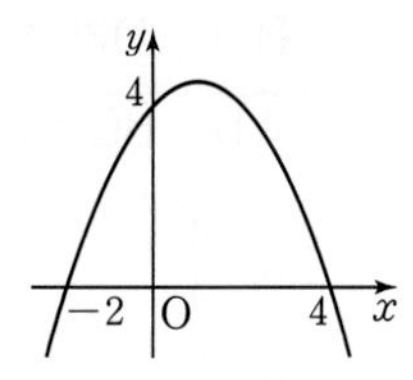

28 이차함수 $y=ax^2+bx+c$의 그래프가 오른쪽 그림과 같을 때, 상수 a, b, c의 부호를 구하시오.

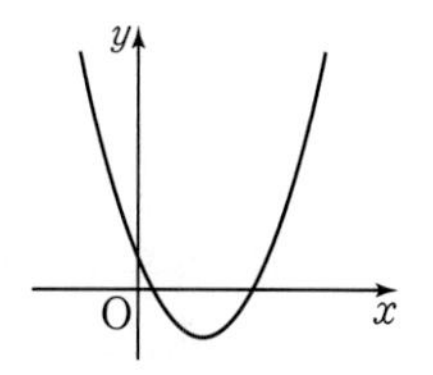

29 0이 아닌 두 실수 a, b에 대하여 $\sqrt{a^2}=-a$, $\sqrt{b^2}=b$가 성립할 때, 다음 중 이차함수 $y=-x^2+ax+b$의 그래프로 알맞은 것은?

①
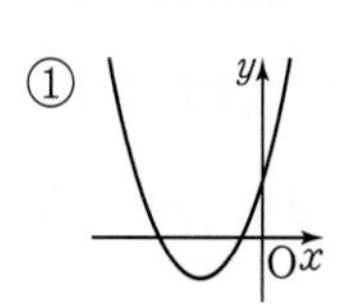

②

③
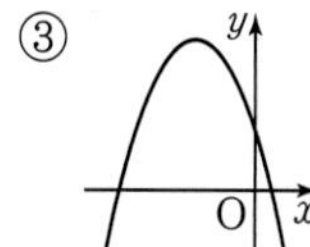

④
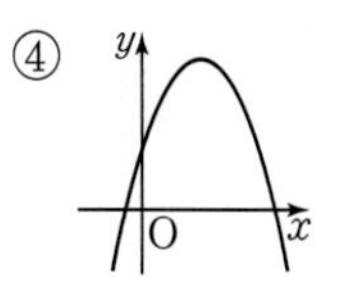

⑤
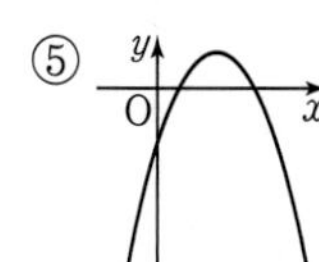

01 이차함수의 뜻 / 이차함수 $y=ax^2$의 그래프

중요

1 다음 보기 중 y가 x에 대한 이차함수인 것을 모두 고르시오.

보기

ㄱ. 꼭짓점의 개수가 x개인 다각형의 대각선의 개수 y개

ㄴ. 둘레의 길이가 $4\pi x$ cm인 원의 넓이 $y\text{cm}^2$

ㄷ. 윗변의 길이가 x cm, 아랫변의 길이가 $(x+2)$ cm, 높이가 $2x$ cm인 사다리꼴의 넓이 $y\text{cm}^2$

ㄹ. 밑면인 원의 반지름의 길이가 x cm, 모선의 길이가 10 cm인 원뿔의 옆넓이 $y\text{cm}^2$

ㅁ. 한 변의 길이가 x cm인 정사각형을 밑면으로 하고 높이가 12 cm인 정사각뿔의 부피 $y\text{cm}^3$

2 $y=k(k-1)x^2-12x^2-5x$가 x에 대한 이차함수일 때, 다음 중 실수 k의 값이 될 수 없는 것을 모두 고르면? (정답 2개)

① -5 ② -3 ③ -1
④ 2 ⑤ 4

3 위로 볼록한 이차함수 $y=ax^2$의 그래프의 폭이 이차함수 $y=-\frac{1}{3}x^2$의 그래프보다 좁고, 이차함수 $y=\frac{5}{2}x^2$의 그래프보다 넓을 때, 다음 중 상수 a의 값으로 알맞은 것은?

① $-\frac{7}{2}$ ② -3 ③ $-\frac{3}{2}$
④ $\frac{1}{3}$ ⑤ $\frac{3}{2}$

4 오른쪽 그림과 같이 이차함수 $y=ax^2$의 그래프가 두 점 $A(-2, -2)$, $B(4, b)$를 지날 때, $\triangle OAB$의 넓이를 구하시오. (단, 점 O는 원점, a는 상수)

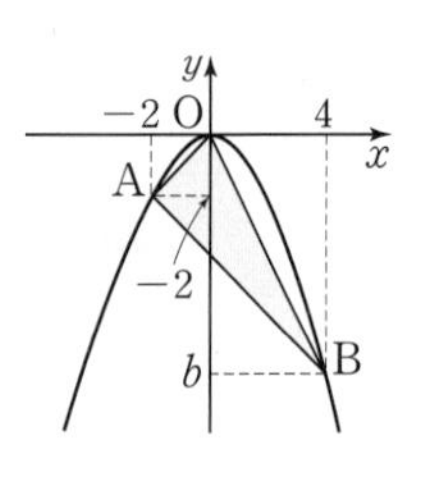

5 오른쪽 그림과 같이 이차함수 $y=ax^2$의 그래프 위의 서로 다른 두 점 A, P에 대하여 직선 AP의 기울기가 $-\frac{1}{2}$일 때, 점 P의 좌표를 구하시오. (단, a는 상수)

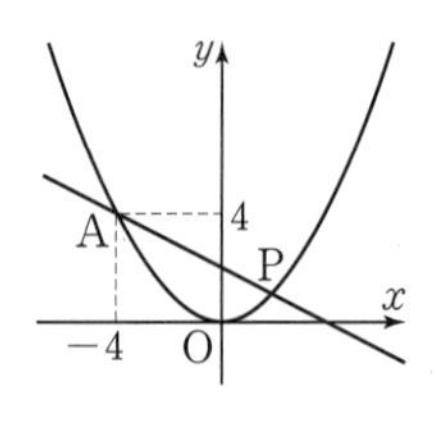

6 오른쪽 그림과 같이 두 이차함수 $y=ax^2$, $y=\frac{2}{3}x^2$의 그래프가 x축과 평행한 직선 l과 만나는 네 점을 각각 A, B, C, D라 하자. $\overline{AB}=\overline{BC}=\overline{CD}$일 때, 상수 a의 값은?

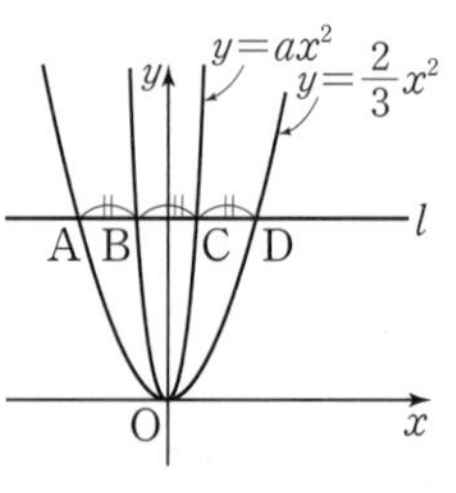

① $\frac{8}{3}$ ② 3 ③ $\frac{9}{2}$
④ $\frac{16}{3}$ ⑤ 6

7 오른쪽 그림에서 y좌표가 모두 4인 두 점 A, B는 이차함수 $y=x^2$의 그래프 위의 점이고, 점 D는 이차함수 $y=ax^2$의 그래프 위의 점이다. □ADCB는 넓이가 32인 평행사변형일 때, 상수 a의 값을 구하시오.

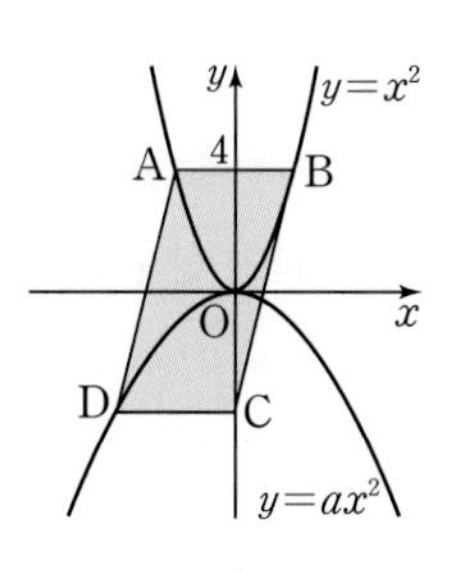

8 오른쪽 그림과 같이 두 이차함수 $y=\frac{1}{3}x^2$, $y=-x^2$의 그래프가 x축에 수직인 직선 l과 만나는 점을 각각 A, B라 하고, $\overline{AB}$의 중점을 M이라 하자. 이때 원점 O를 꼭짓점으로 하고, 점 M을 지나는 포물선을 그래프로 하는 이차함수의 식을 구하시오.

(단, 점 A는 제1사분면 위의 점이다.)

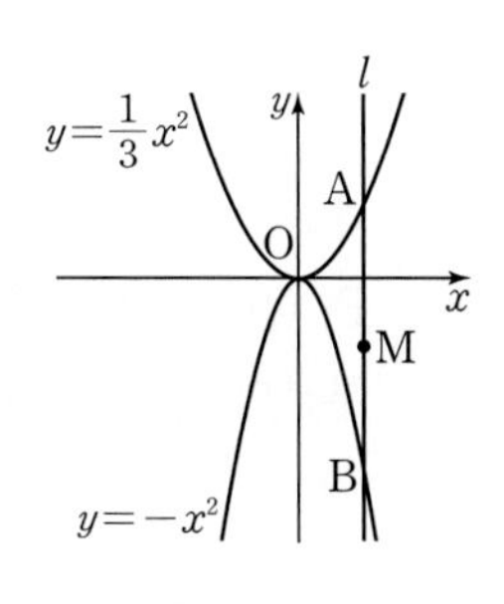

교과서 속 심화

9 오른쪽 그림에서 □ABCD는 각 변이 x축, y축과 평행한 정사각형이다. 이차함수 $y=\frac{1}{2}x^2$의 그래프가 두 점 A, C를 지나고 이차함수 $y=2x^2$의 그래프가 점 D를 지날 때, 점 B의 좌표를 구하시오.

(단, 네 점 A, B, C, D는 제1사분면 위의 점이다.)

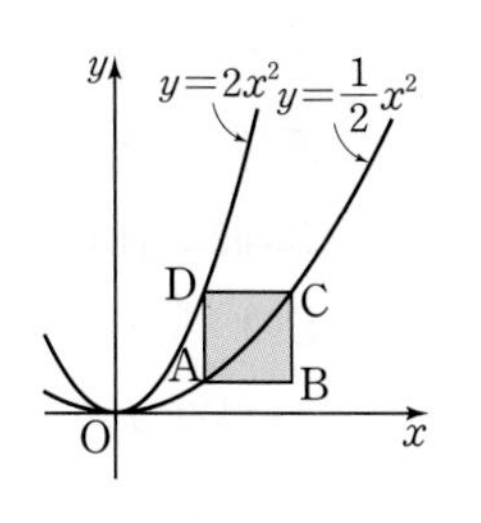

02 이차함수 $y=ax^2+q$와 $y=a(x-p)^2$의 그래프

10 이차함수 $y=ax^2+3$의 그래프와 직선 $y=7$의 두 교점을 각각 A, B라 하자. $\overline{AB}=4\sqrt{3}$일 때, 상수 a의 값을 구하시오.

중요

11 오른쪽 그림에서 두 점 B, D는 각각 이차함수 $y=\frac{5}{4}x^2+m$, $y=-x^2+n$의 그래프의 꼭짓점이다. 이 두 이차함수의 그래프가 x축 위의 두 점 A, C에서 만날 때, □ABCD의 넓이를 구하시오.

(단, m, n은 상수)

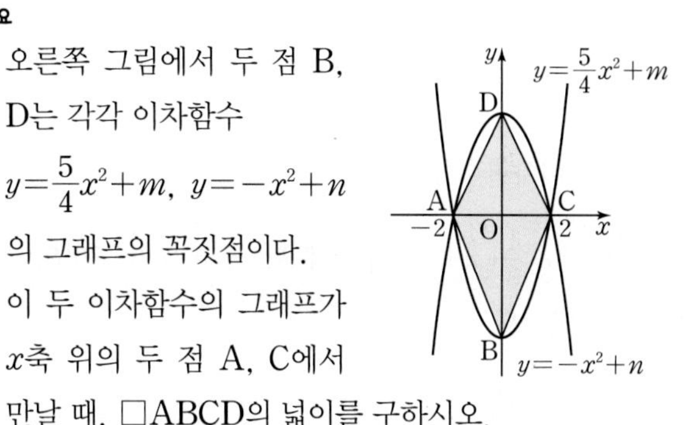

12 두 이차함수 $y=-\frac{1}{2}x^2+3$과 $y=a(x-p)^2$의 그래프가 서로의 꼭짓점을 지나고, 이차함수 $y=a(x-p)^2$의 그래프의 축이 y축의 오른쪽에 있다. 이때 상수 a, p에 대하여 ap의 값을 구하시오.

13 이차함수 $y=f(x)$의 그래프가 다음 조건을 모두 만족시킬 때, $f(1)+f(4)$의 값을 구하시오.

조건
(가) 꼭짓점이 x축 위에 있다.
(나) 이차함수 $y=3x^2$의 그래프와 폭이 같다.
(다) $x>3$일 때, x의 값이 증가하면 y의 값은 감소한다.
(라) $f(5)=-27$

중요
14 세 이차함수 $y=-\frac{1}{3}x^2+3$, $y=-\frac{1}{3}(x-3)^2$, $y=-\frac{1}{3}(x+3)^2$의 그래프로 둘러싸인 도형의 넓이를 구하시오.

03 이차함수 $y=a(x-p)^2+q$의 그래프

15 일차함수 $y=ax+b$의 그래프가 오른쪽 그림과 같을 때, 이차함수 $y=\frac{a}{2}(x-3)^2-ab$의 그래프의 꼭짓점을 A, y축과 만나는 점을 B라 하자. 이때 $\triangle$AOB의 넓이를 구하시오.
(단, 점 O는 원점, a, b는 상수)

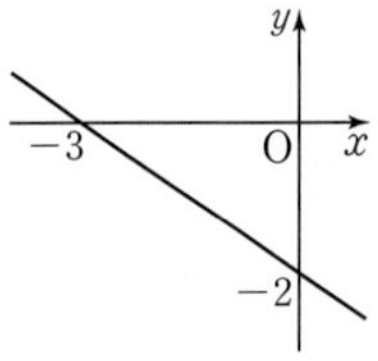

16 좌표평면 위의 두 점 A(2, 7), B(2, 2)에 대하여 이차함수 $y=a(x+1)^2-2$의 그래프가 $\overline{AB}$와 만나기 위한 상수 a의 값의 범위를 구하시오.

교과서 속 심화
17 오른쪽 그림과 같이 두 이차함수 $y=(x-1)^2-4$, $y=(x-5)^2-4$의 그래프의 꼭짓점을 각각 P, Q라 할 때, 색칠한 부분의 넓이를 구하시오.

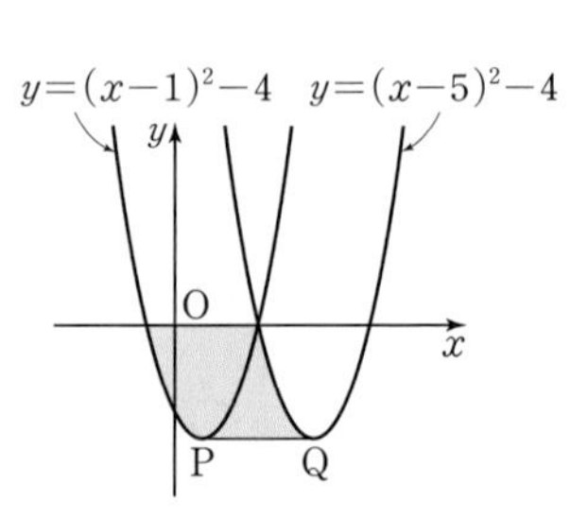

18 오른쪽 그림은 세 이차함수 $y=(x+4)^2$, $y=(x-2)^2$, $y=(x+4)^2+q$의 그래프를 나타낸 것이다. 세 그래프 위의 점 A, B, C에 대하여 $\overline{AB}$, $\overline{AC}$는 각각 x축, y축에 평행하고, $\triangle$ACB$=12$일 때, 상수 q의 값을 구하시오.

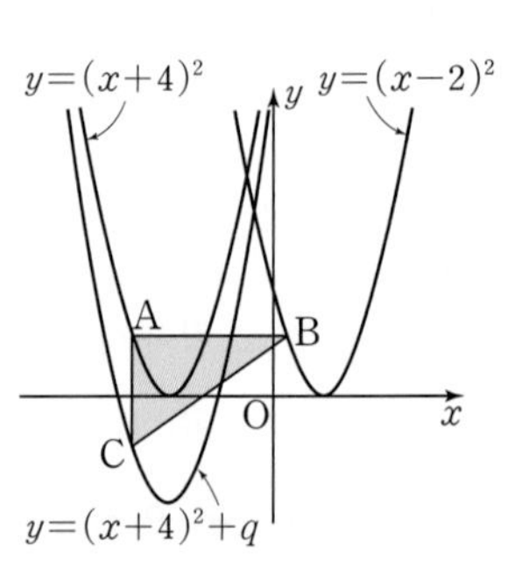

19 이차함수 $y=-\frac{1}{4}(x-2)^2+3$의 그래프를 y축에 대하여 대칭이동한 후, 그 그래프를 x축의 방향으로 -3만큼 평행이동한 그래프가 지나는 사분면은?

① 제1, 2사분면
② 제3, 4사분면
③ 제1, 2, 4사분면
④ 제2, 3, 4사분면
⑤ 모든 사분면을 지난다.

22 다음 조건을 모두 만족시키는 포물선을 그래프로 하는 이차함수의 식을 $y=a(x-p)^2+q$ 꼴로 나타내시오.
(단, a, p, q는 상수)

조건
(가) 그래프를 평행이동하면 이차함수 $y=\frac{1}{3}x^2-4$의 그래프와 포개어진다.
(나) $x<2$이면 x의 값이 증가할 때 y의 값은 감소하고, $x>2$이면 x의 값이 증가할 때 y의 값도 증가한다.
(다) 점 $(-1, 4)$를 지난다.

04 이차함수 $y=a(x-p)^2+q$의 식 구하기

20 오른쪽 그림은 지면으로부터 25 m의 높이에서 똑바로 위로 쏘아 올린 물체의 x초 후에 지면으로부터의 높이 y m를 그래프로 나타낸 것이다. 이 물체를 쏘아 올린 후 지면에 떨어질 때까지 걸리는 시간을 구하시오.

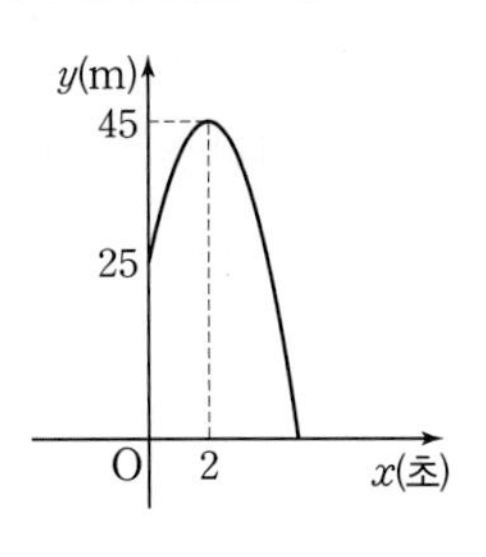

중요
21 점 $(1, 2)$를 지나는 이차함수 $y=(x-p)^2+q$의 그래프의 꼭짓점이 직선 $y=-2x$ 위에 있을 때, 상수 p, q에 대하여 $p+q$의 값은? (단, $p>0$)

① $6+3\sqrt{5}$ ② $3\sqrt{5}$ ③ $2+\sqrt{5}$
④ $6-3\sqrt{5}$ ⑤ $-2-\sqrt{5}$

23 이차함수 $y=a(x-p)^2+q$의 그래프는 점 $(-1, -7)$을 지나고, 이 그래프와 x축에 대칭인 그래프의 꼭짓점의 좌표는 $(-3, -1)$일 때, 상수 a, p, q에 대하여 apq의 값을 구하시오.

교과서 속 심화
24 다음 그림은 포물선 모양인 놀이 기구의 레일의 일부분이다. 지면 위의 O 지점에서 P 지점까지의 높이가 3 m이고 O 지점에서 6 m 떨어진 Q 지점에서 R 지점까지의 높이가 7 m일 때, Q 지점에서 3 m 떨어진 S 지점에서 T 지점까지의 높이를 구하시오.
(단, 점 P는 포물선의 꼭짓점이다.)

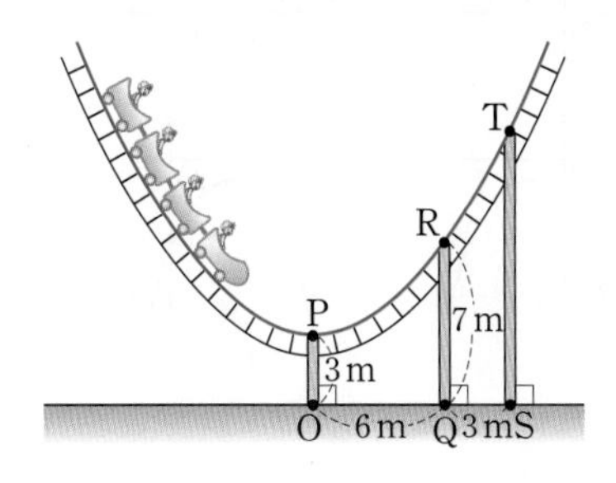

25 이차함수 $y=-4(x+2a-4)^2-5a+13$의 그래프의 축이 y축의 오른쪽에 있을 때, 이 이차함수의 그래프의 꼭짓점은 제몇 사분면 위에 있는지 구하시오.

(단, a는 상수)

중요

26 이차함수 $y=a(x-p)^2-q$의 그래프가 오른쪽 그림과 같을 때, 직선 $px+qy+a=0$이 지나지 않는 사분면은?

(단, a, p, q는 상수)

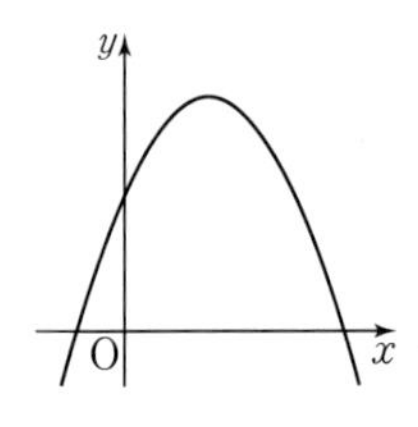

① 제1사분면 ② 제2사분면 ③ 제3사분면
④ 제4사분면 ⑤ 제1, 3사분면

27 상수 a, p, q에 대하여 $ap<0$, $aq>0$일 때, 다음 중 이차함수 $y=a(x-p)^2+q$의 그래프가 될 수 있는 것을 모두 고르면? (정답 2개)

①
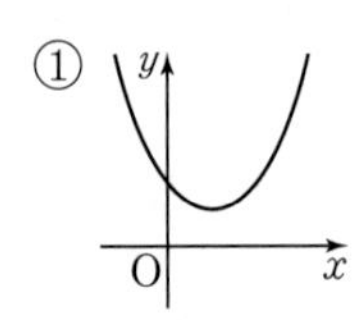

②
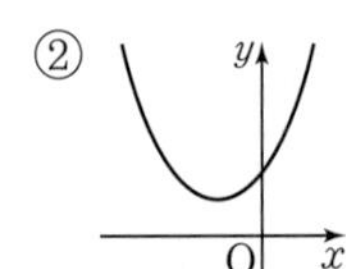

③
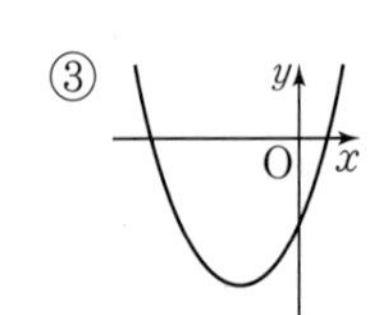

④
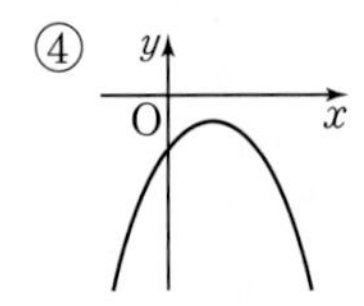

⑤
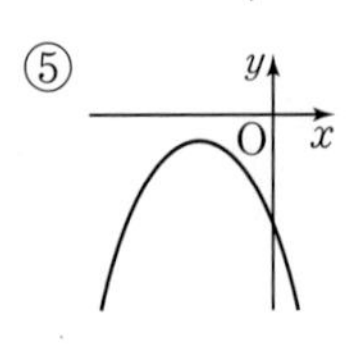

05 이차함수 $y=ax^2+bx+c$의 그래프

28 일차함수 $y=ax+b$의 그래프가 오른쪽 그림과 같을 때, 이차함수 $y=-bx^2+ax+4$의 그래프의 꼭짓점은 제몇 사분면 위의 점인가? (단, a, b는 상수)

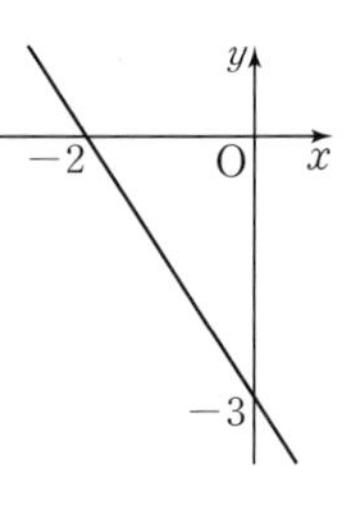

① 제1사분면 ② 제2사분면
③ 제3사분면 ④ 제4사분면
⑤ 어느 사분면에도 속하지 않는다.

29 이차함수 $y=2x^2-3x+4a$의 그래프가 점 $(a,\ a^2+6)$을 지나고 x축과 만나지 않을 때, 상수 a의 값은?

① -3 ② $-\frac{3}{5}$ ③ 0
④ 2 ⑤ $\frac{11}{3}$

교과서 속 심화

30 이차함수 $y=-x^2+4kx+k+3$의 그래프에서 $x>-6$이면 x의 값이 증가할 때 y의 값은 감소하고, $x<-6$이면 x의 값이 증가할 때 y의 값도 증가한다. 이 그래프의 꼭짓점의 좌표를 구하시오. (단, k는 상수)

31 이차함수 $y=2x^2-4x+1$의 그래프를 꼭짓점을 중심으로 $180°$ 회전시킨 후 y축의 방향으로 h만큼 평행이동하였더니 x축과 두 점 $(k,\ 0)$, $(3,\ 0)$에서 만났다. 이때 $h+k$의 값을 구하시오.

중요

32 오른쪽 그림은 이차함수 $y=-\frac{1}{2}x^2-2x+3$의 그래프와 이 그래프를 x축의 방향으로 평행이동한 이차함수 $y=-\frac{1}{2}x^2+bx+c$의 그래프를 나타낸 것이다. 색칠한 부분의 넓이가 30일 때, 상수 b, c에 대하여 $b-c$의 값은? (단, 두 점 P, Q는 각각 두 이차함수의 그래프의 꼭짓점이다.)

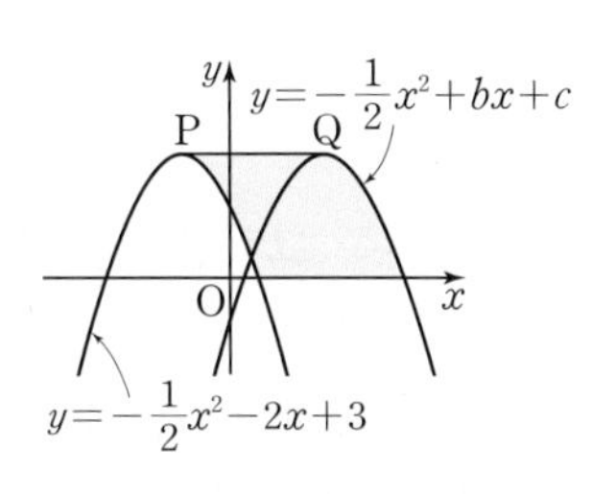

① -17　② -7　③ 1
④ 7　⑤ 17

33 이차함수 $y=-x^2-2x+1$의 그래프를 x축의 방향으로 m만큼, y축의 방향으로 n만큼 평행이동한 다음 다시 x축에 대하여 대칭이동하면 $y=ax^2-4x+3$의 그래프와 일치한다. 이때 a, m, n의 값을 각각 구하시오. (단, a는 상수)

34 두 이차함수 $y=x^2-4x+7$, $y=-x^2+4x-5$의 그래프가 직선 $y=p$에 대하여 서로 대칭일 때, 상수 p의 값을 구하시오.

교과서 속 심화

35 오른쪽 그림과 같이 직사각형 ABCD가 이차함수 $y=-\frac{1}{2}x^2+3x+8$의 그래프와 x축으로 둘러싸인 부분에 내접하고 있다. 직사각형 ABCD의 둘레의 길이가 29일 때, 점 B의 좌표를 구하시오.

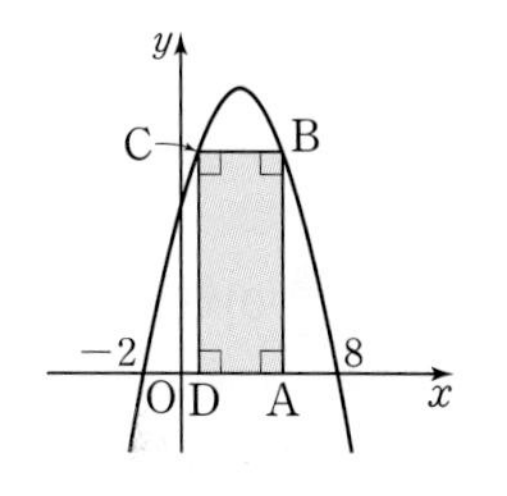

36 오른쪽 그림은 이차함수 $y=-x^2-2x+3$의 그래프이다. 이 그래프의 꼭짓점을 A, x축과 만나는 두 점을 각각 B, C, y축과 만나는 점을 D라 할 때, □ABCD의 넓이는?

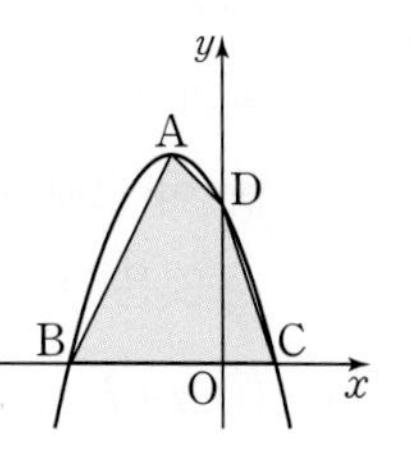

① 7　② 8　③ 9
④ 10　⑤ 11

37 오른쪽 그림과 같이 이차함수 $y=x^2-4x-12$의 그래프가 x축과 만나는 두 점을 각각 A, B라 하고 y축과 만나는 점을 C라 하자. △ACB의 넓이가 점 C를 지나는 직선 $y=ax+b$에 의해 이등분될 때, 상수 a, b에 대하여 $a+b$의 값을 구하시오.

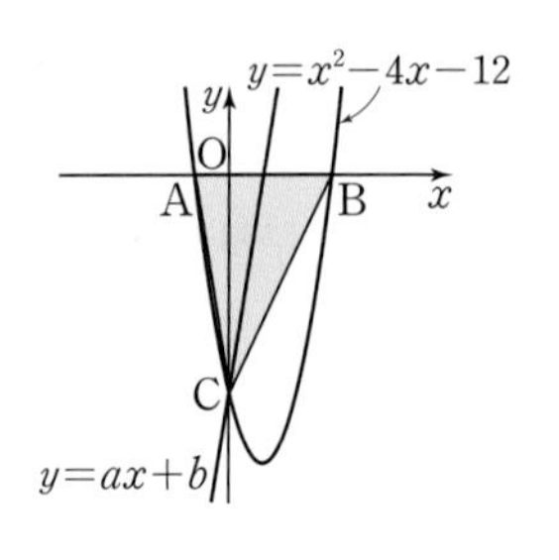

06 이차함수 $y=ax^2+bx+c$의 식 구하기

중요
38 이차함수 $y=ax^2+bx+c$의 그래프가 오른쪽 그림과 같을 때, 이차함수 $y=-bx^2+cx+a$의 그래프의 꼭짓점의 좌표를 구하시오. (단, a, b, c는 상수)

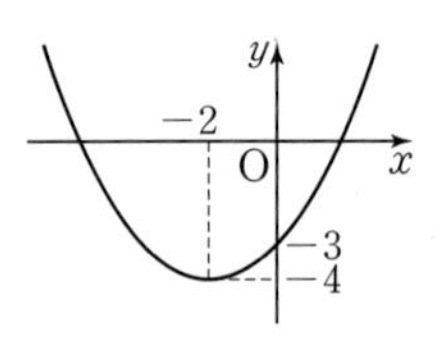

교과서 속 심화
39 이차함수 $y=ax^2+bx+c$의 그래프가 오른쪽 그림과 같을 때, 다음 중 이 그래프에 대한 설명으로 옳은 것은? (단, a, b, c는 상수)

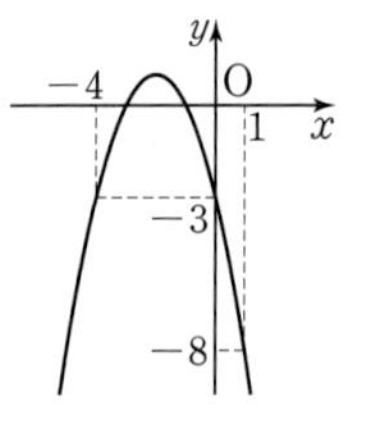

① $a+b+c=0$
② 점 $(6, -15)$를 지난다.
③ 축의 방정식은 $x=2$이다.
④ 평행이동하여 이차함수 $y=x^2$의 그래프와 포갤 수 있다.
⑤ 이차함수 $y=ax^2+bx+c$의 그래프와 x축에 대칭인 그래프의 식은 $y=(x+1)(x+3)$이다.

40 이차함수 $y=ax^2+bx+c$의 그래프가 x축과 두 점 $(-5, 0)$, $(3, 0)$에서 만나고, 꼭짓점이 직선 $y=-3x+1$ 위에 있을 때, 상수 a, b, c에 대하여 $\frac{ab}{c}$의 값을 구하시오.

41 오른쪽 그림과 같은 이차함수의 그래프가 y축과 만나는 점을 A, x축과 만나는 두 점을 각각 B, C라 하자. △ABC=48일 때, 이 이차함수의 식을 $y=ax^2+bx+c$ 꼴로 나타내시오. (단, a, b, c는 상수)

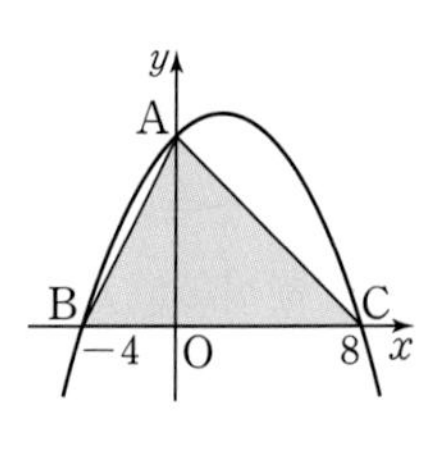

중요
42 오른쪽 그림과 같이 이차함수 $y=\frac{1}{3}x^2+ax+b$의 그래프의 꼭짓점의 x좌표가 -2이고, 이 그래프가 x축과 만나는 두 점 A, B 사이의 거리가 6일 때, 상수 a, b에 대하여 $a-b$의 값을 구하시오.

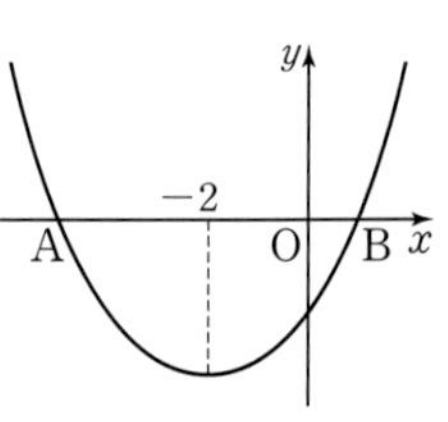

43 오른쪽 그림은 포탄을 발사하여 건물을 명중시키는 게임을 좌표평면 위에 그래프로 나타낸 것이다. A 지점에서 포탄을 발사하면 포물선 모양으로 P 지점까지 올라갔다가 건물의 꼭대기인 B 지점으로 내려온다고 한다.

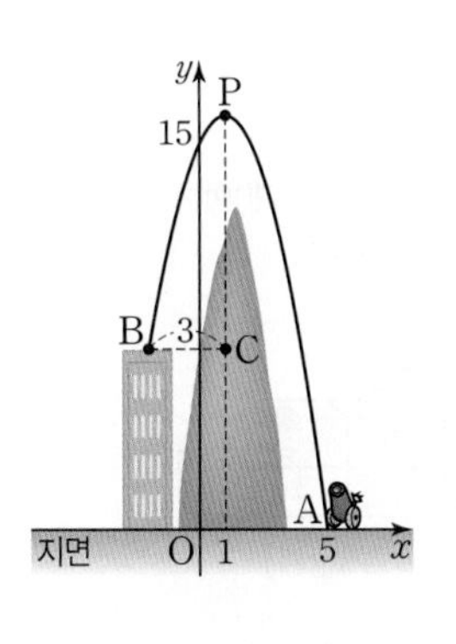

P 지점에서 지면에 수직으로 그은 직선과 B 지점에서 지면과 평행하게 그은 직선이 만나는 점 C에 대하여 $\overline{BC}=3$일 때, 건물의 높이를 구하시오.

44 이차함수 $y=ax^2+bx+c$의 그래프가 오른쪽 그림과 같을 때, 다음 중 이차함수 $y=cx^2+bx+a$의 그래프로 알맞은 것은?

(단, a, b, c는 상수)

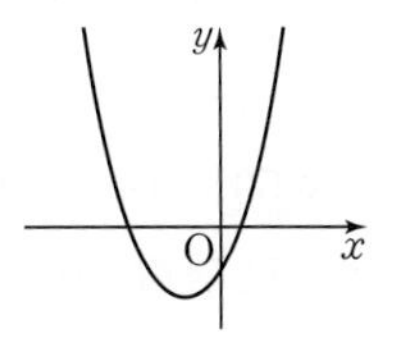

① 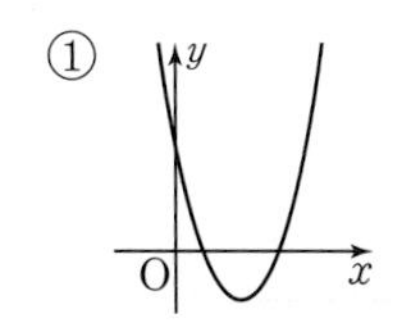
② 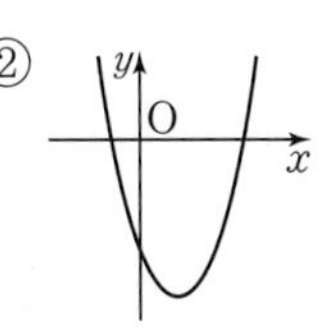
③ 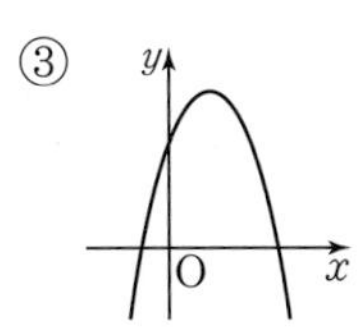
④ 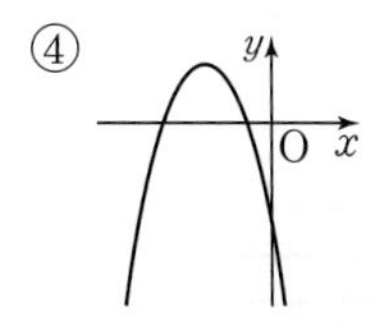
⑤ 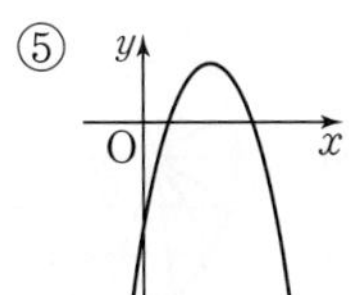

중요

45 이차함수 $y=ax^2+bx+c$의 그래프가 오른쪽 그림과 같을 때, 다음 보기 중 항상 옳은 것을 모두 고르시오.

(단, a, b, c는 상수)

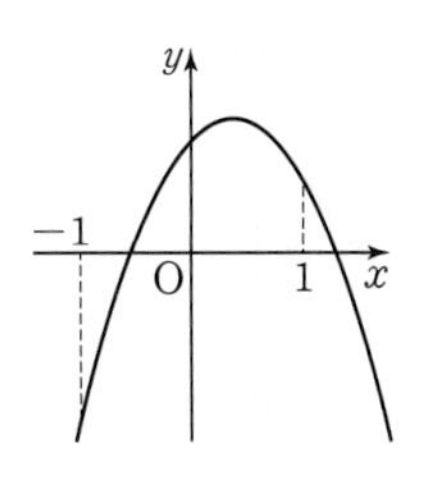

보기

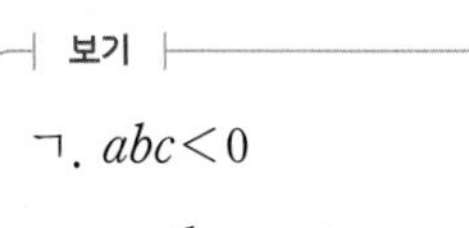

ㄱ. $abc<0$
ㄴ. $\dfrac{b}{2a}>0$
ㄷ. $a+b+c>0$
ㄹ. $a+2b+4c<0$
ㅁ. $b^2-4ac<0$

46 이차함수 $y=ax^2+bx+c$의 그래프가 다음 조건을 모두 만족시킬 때, 상수 a, b, c의 부호를 각각 구하시오.

조건

(가) 양수 p에 대하여 $x<p$일 때 x의 값이 증가하면 y의 값도 증가하고, $x>p$일 때 x의 값이 증가하면 y의 값은 감소한다.

(나) x축과 서로 다른 두 점에서 만나고, 두 점의 x좌표의 부호가 서로 다르다.

47 이차함수 $y=ax^2+bx+c$의 그래프가 모든 사분면을 지날 때, 다음 중 항상 옳은 것은? (단, a, b, c는 상수)

① $ab<0$ ② $bc<0$ ③ $ac<0$
④ $abc>0$ ⑤ $abc<0$

48 오른쪽 그림과 같이 밑변의 길이가 12이고 높이가 8인 삼각형 ABC에 직사각형 PQRS가 내접하고 있다. $\overline{SR}$의 길이를 x, 직사각형 PQRS의 넓이를 y라 할 때, 다음 물음에 답하시오.

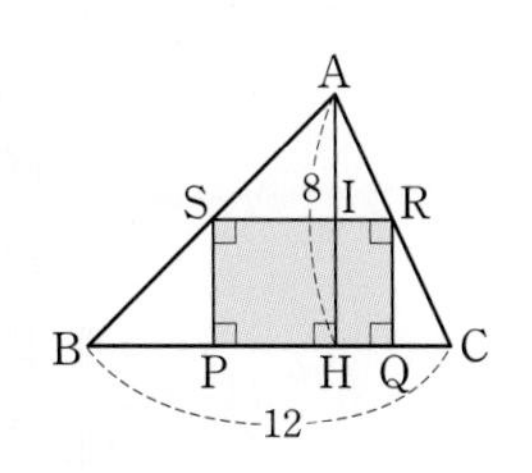

(1) y를 x에 대한 식으로 나타내시오.

(2) 직사각형 PQRS의 넓이가 24일 때, 직사각형 PQRS의 둘레의 길이를 구하시오.

창의 사고력 문제

49 다음 그림과 같은 규칙으로 블록을 쌓으려고 한다. [x단계]에서 사용한 블록의 개수를 y개라 할 때, 물음에 답하시오.

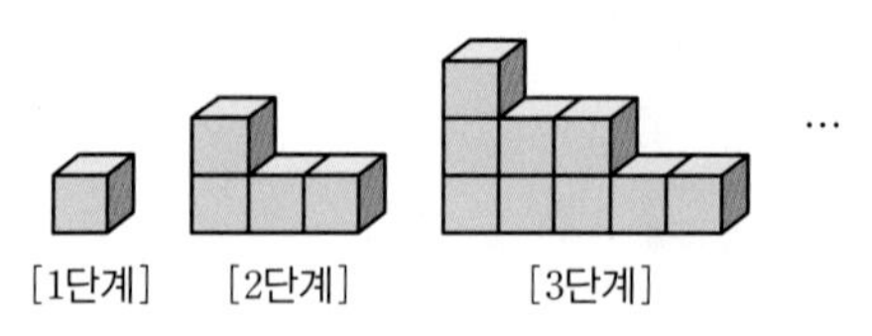

(1) y를 x에 대한 식으로 나타내시오.

(2) [9단계]에서 사용한 블록의 개수를 구하시오.

50 자동차를 운전하다가 브레이크를 밟는 순간부터 자동차가 완전히 멈출 때까지 움직인 거리를 제동 거리라고 한다. 제동 거리는 자동차의 속력의 제곱에 비례하는데, 빗길에서는 제동 거리가 맑은 날보다 30 % 길어진다고 한다. 맑은 날 시속 50 km로 달렸을 때의 제동 거리가 20 m인 자동차가 있다. 빗길에서 이 자동차로 시속 80 km로 달릴 때의 제동 거리를 구하시오.

51 오른쪽 그림과 같은 포물선 모양의 반사판에 빛을 비추면 반사판에 반사된 빛이 한 점에 모이게 되는데, 이 점을 포물선의 초점이라 한다. 위성 안테나인 파라볼라 안테나는 이 원리를 이용하여 먼 곳에서 날아오는 전파를 한 곳에 효율적으로 모이게 한다. 다음 그림은 포물선 모양인 어느 반사판을 좌표평면 위에 그래프로 나타낸 것이다. y축에 평행하게 들어온 빛이 x축에 평행하게 반사되어 초점 P에 모일 때, 초점 P의 좌표를 구하시오. (단, 초점은 포물선의 축 위에 존재한다.)

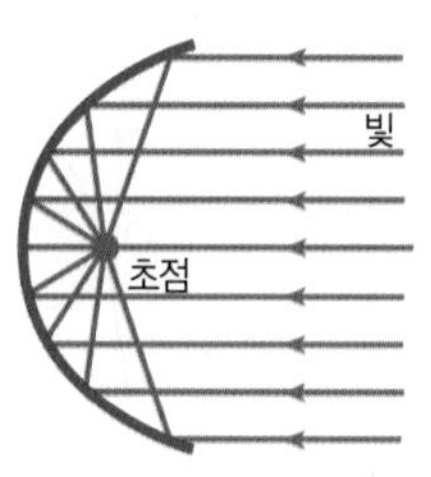

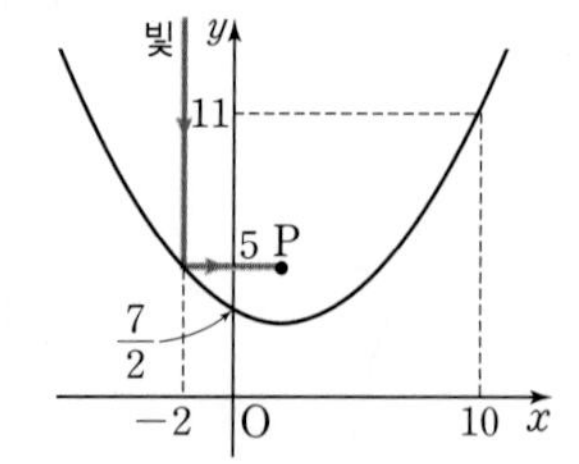

01

오른쪽 그림과 같이 이차함수 $y=\frac{2}{3}x^2$의 그래프 위에 두 점 A, B가 있다. 두 점 A, B의 x좌표가 각각 a, $a+4$이고 직선 AB의 기울기가 $\frac{4}{3}$일 때, △AOB의 넓이를 구하시오.

(단, 점 O는 원점)

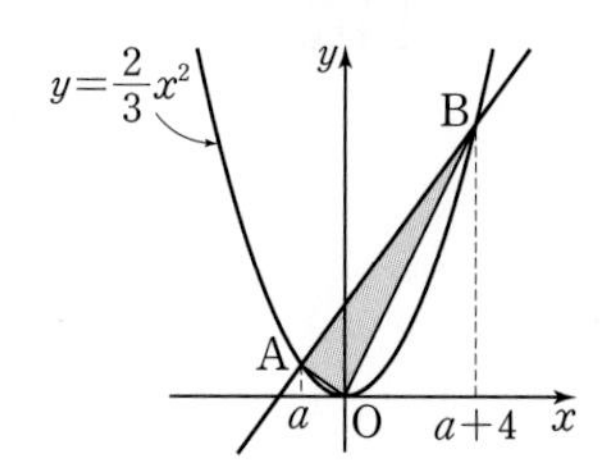

TOP
02

오른쪽 그림과 같이 직선 $y=-\frac{1}{2}x+b$가 y축, x축과 만나는 점을 각각 A, B라 하고, 이차함수 $y=x^2$의 그래프와 만나는 점을 P라 하자. $\overline{AP}:\overline{PB}=1:3$일 때, △AOP의 넓이를 구하시오.

(단, 점 O는 원점, b는 양수)

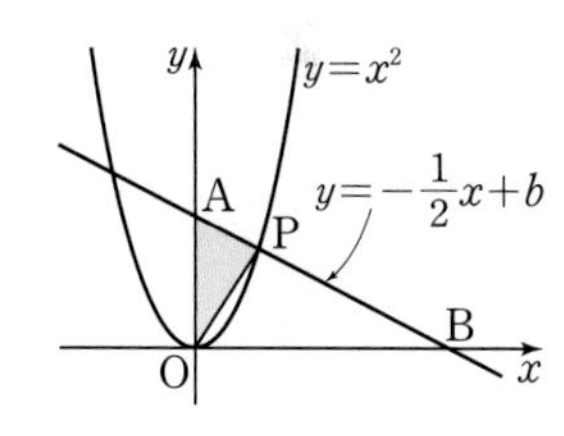

03

오른쪽 그림과 같이 이차함수 $y=\frac{1}{2}x^2$의 그래프에서 곡선의 일부분을 원점 O를 중심으로 시계 반대 방향으로 회전시켜 점 A가 x축 위의 점 A′에 오도록 하였다. 두 점 A, A′의 x좌표가 각각 2, $-2\sqrt{2}$일 때, 색칠한 부분의 넓이를 구하시오.

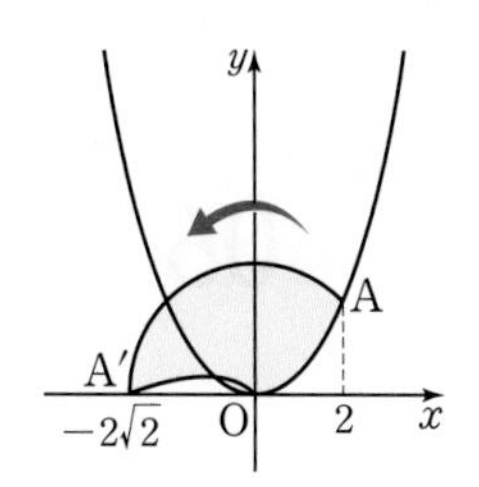

04

오른쪽 그림과 같이 두 이차함수 $y=\frac{1}{3}x^2$, $y=\frac{1}{3}x^2+2$의 그래프와 두 직선 $x=1$, $x=3$으로 둘러싸인 부분의 넓이를 구하시오.

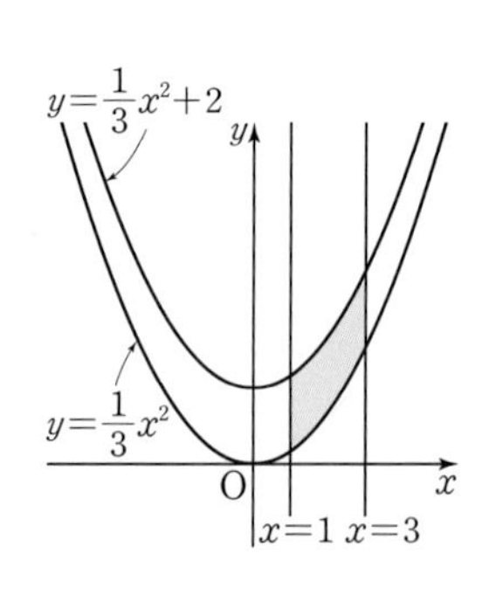

05

이차함수 $y=\frac{1}{2}(x+3)^2-1$의 그래프를 직선 $y=2$에 대하여 대칭이동한 그래프의 식을 구하시오.

06

이차함수 $y=x^2-6x+5$의 그래프를 y축의 방향으로 q만큼 평행이동하면 x축과 만나는 두 점 사이의 거리가 처음의 2배가 될 때, q의 값을 구하시오.

07

오른쪽 그림과 같이 이차함수 $y=-\frac{1}{4}x^2+ax+b$의 그래프와 x축의 두 교점을 각각 A, B, y축과의 교점을 C라 하자. 이 그래프의 꼭짓점의 y좌표가 9이고, $\triangle$CAO와 $\triangle$COB의 넓이의 비가 $1:2$일 때, 상수 a, b의 값을 각각 구하시오. (단, 점 O는 원점)

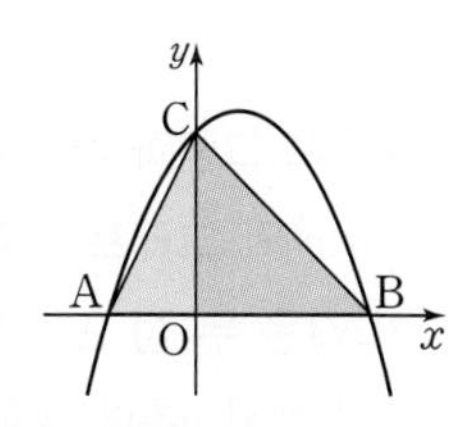

TOP
08

오른쪽 그림과 같이 이차함수 $y=2x^2-6x+k$의 그래프가 x축과 만나는 두 점을 각각 A, B라 하고 y축과 만나는 점을 C, 꼭짓점을 D라 하자. $\triangle ACB:\triangle ADB=16:25$일 때, 두 점 A, B의 좌표를 각각 구하시오.

(단, k는 상수)

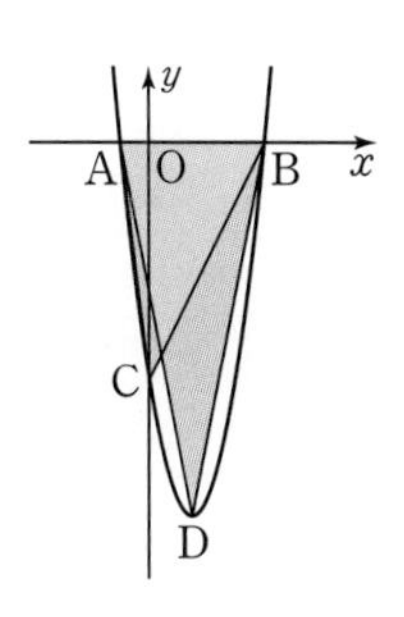

09

오른쪽 그림과 같이 이차항의 계수가 모두 1인 두 이차함수 $y=f(x)$와 $y=g(x)$의 그래프가 x축과 만나는 두 점의 x좌표는 각각 a, b와 b, c이다. 이때 이차방정식 $f(x)+g(x)=0$의 해를 a, b, c를 사용하여 나타내시오.

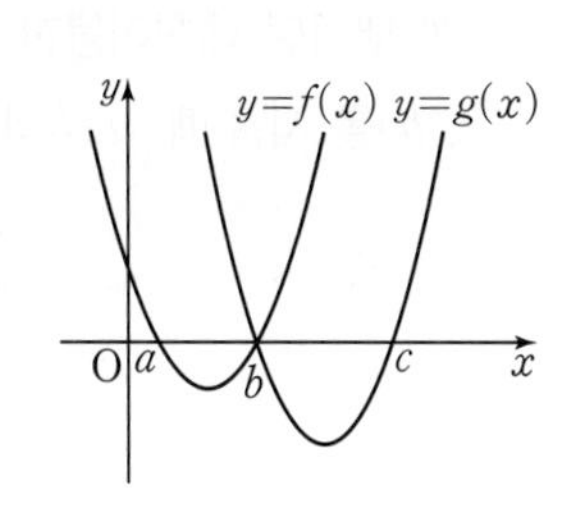

● 정답과 해설 53쪽

6 서술형 완성하기

모든 문제는 풀이 과정을 자세히 서술한 후 답을 쓰세요.

1 오른쪽 그림과 같이 이차함수 $y=x^2$의 그래프 위에 y좌표가 같은 두 점 A, B가 있다. 점 B에서 y축에 평행한 선분을 그어 이차함수 $y=-\frac{1}{2}x^2$의 그래프와 만나는 점을 C라 하면 $\overline{AB}:\overline{BC}=3:1$일 때, 점 A의 좌표를 구하시오.

(단, 점 B는 제1사분면 위의 점이다.)

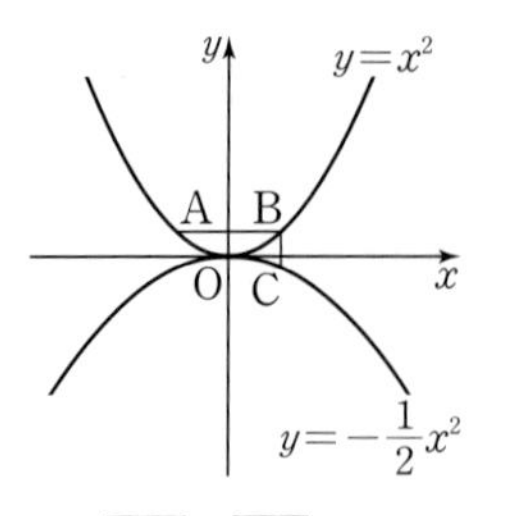

풀이 과정

답

2 이차함수 $y=-2(x-1)^2$의 그래프를 x축의 방향으로 a만큼, y축의 방향으로 4만큼 평행이동한 다음 다시 x축에 대하여 대칭이동한 그래프가 두 점 $(-1,\ 14)$, $(2,\ b)$를 지날 때, a, b의 값을 각각 구하시오.

(단, $a<0$)

풀이 과정

답

3 어느 공원의 분수대에서 뿜어 올리는 물줄기는 오른쪽 그림과 같이 포물선을 그리면서 공중으로 올라갔다가 아래로 떨어진다. 이 물줄기의 폭은 8 m이고 폭의 중점에서 물줄기의 높이는 6 m일 때, 폭의 중점에서 3 m 떨어진 지점에서의 물줄기의 높이를 구하시오.

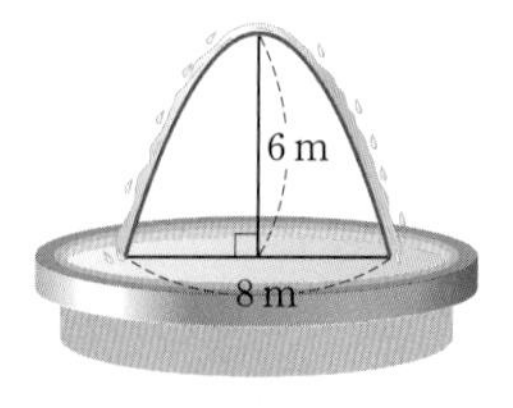

풀이 과정

답

4 축의 방정식이 $x=-1$이고 두 점 $(0,\ 1)$, $(2,\ -1)$을 지나는 이차함수의 그래프의 꼭짓점을 A라 하고, x축과의 두 교점을 각각 B, C라 할 때, $\triangle ABC$의 넓이를 구하시오.

풀이 과정

답

5 이차함수 $y=\frac{1}{2}x^2-kx+k+1$의 그래프가 모든 사분면을 지나고 꼭짓점이 직선 $3x-y=5$ 위에 있을 때, 상수 k의 값을 구하시오.

풀이 과정

답

6 이차함수 $y=abx^2+bcx+abc$의 그래프가 오른쪽 그림과 같을 때, 이차함수 $y=a(x+c)^2-b$의 그래프가 지나는 사분면을 모두 구하시오. (단, 풀이 과정에 상수 a, b, c의 부호를 모두 나타내시오.)

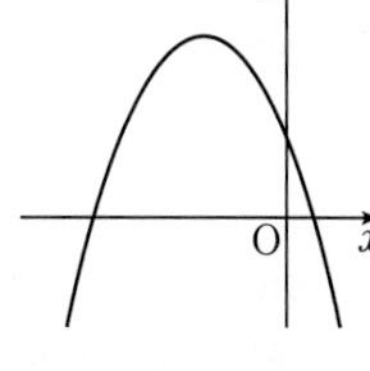

풀이 과정

답

7 오른쪽 그림과 같이 이차함수 $y=\frac{1}{2}x^2$의 그래프 위에 x좌표가 각각 -1, 2인 두 점 A, B가 있다. 이 이차함수의 그래프 위에 $\overline{AB}/\!/\overline{OP}$가 되도록 점 P를 잡을 때, 사다리꼴 AOPB의 넓이를 구하시오.
(단, 점 O는 원점이고 점 P는 제1사분면 위의 점이다.)

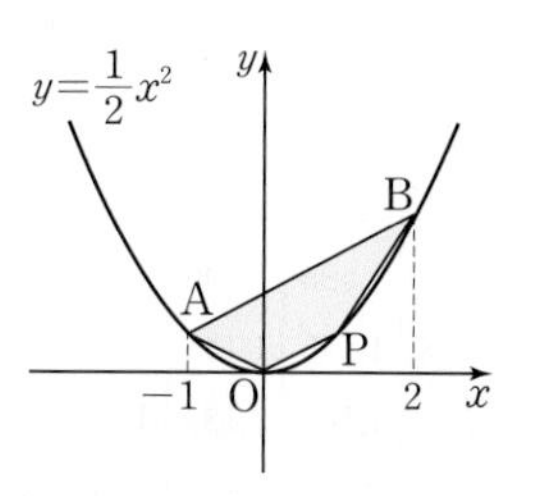

풀이 과정

답

8 오른쪽 그림에서 두 점 P, Q는 각각 이차함수 $y=f(x)$, $y=g(x)$의 그래프의 꼭짓점이다. 직선 $x=1$과 $y=f(x)$, $y=g(x)$의 그래프의 교점을 각각 A, B라 할 때, $\overline{AB}$의 길이를 구하시오.

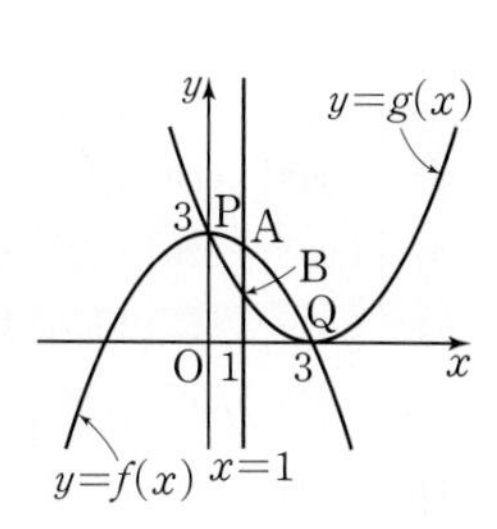

풀이 과정

답

제곱근표 (1), (2)

1.00부터 9.99까지의 수

제곱근표 (1)

수	0	1	2	3	4	5	6	7	8	9
1.0	1.000	1.005	1.010	1.015	1.020	1.025	1.030	1.034	1.039	1.044
1.1	1.049	1.054	1.058	1.063	1.068	1.072	1.077	1.082	1.086	1.091
1.2	1.095	1.100	1.105	1.109	1.114	1.118	1.122	1.127	1.131	1.136
1.3	1.140	1.145	1.149	1.153	1.158	1.162	1.166	1.170	1.175	1.179
1.4	1.183	1.187	1.192	1.196	1.200	1.204	1.208	1.212	1.217	1.221
1.5	1.225	1.229	1.233	1.237	1.241	1.245	1.249	1.253	1.257	1.261
1.6	1.265	1.269	1.273	1.277	1.281	1.285	1.288	1.292	1.296	1.300
1.7	1.304	1.308	1.311	1.315	1.319	1.323	1.327	1.330	1.334	1.338
1.8	1.342	1.345	1.349	1.353	1.356	1.360	1.364	1.367	1.371	1.375
1.9	1.378	1.382	1.386	1.389	1.393	1.396	1.400	1.404	1.407	1.411
2.0	1.414	1.418	1.421	1.425	1.428	1.432	1.435	1.439	1.442	1.446
2.1	1.449	1.453	1.456	1.459	1.463	1.466	1.470	1.473	1.476	1.480
2.2	1.483	1.487	1.490	1.493	1.497	1.500	1.503	1.507	1.510	1.513
2.3	1.517	1.520	1.523	1.526	1.530	1.533	1.536	1.539	1.543	1.546
2.4	1.549	1.552	1.556	1.559	1.562	1.565	1.568	1.572	1.575	1.578
2.5	1.581	1.584	1.587	1.591	1.594	1.597	1.600	1.603	1.606	1.609
2.6	1.612	1.616	1.619	1.622	1.625	1.628	1.631	1.634	1.637	1.640
2.7	1.643	1.646	1.649	1.652	1.655	1.658	1.661	1.664	1.667	1.670
2.8	1.673	1.676	1.679	1.682	1.685	1.688	1.691	1.694	1.697	1.700
2.9	1.703	1.706	1.709	1.712	1.715	1.718	1.720	1.723	1.726	1.729
3.0	1.732	1.735	1.738	1.741	1.744	1.746	1.749	1.752	1.755	1.758
3.1	1.761	1.764	1.766	1.769	1.772	1.775	1.778	1.780	1.783	1.786
3.2	1.789	1.792	1.794	1.797	1.800	1.803	1.806	1.808	1.811	1.814
3.3	1.817	1.819	1.822	1.825	1.828	1.830	1.833	1.836	1.838	1.841
3.4	1.844	1.847	1.849	1.852	1.855	1.857	1.860	1.863	1.865	1.868
3.5	1.871	1.873	1.876	1.879	1.881	1.884	1.887	1.889	1.892	1.895
3.6	1.897	1.900	1.903	1.905	1.908	1.910	1.913	1.916	1.918	1.921
3.7	1.924	1.926	1.929	1.931	1.934	1.936	1.939	1.942	1.944	1.947
3.8	1.949	1.952	1.954	1.957	1.960	1.962	1.965	1.967	1.970	1.972
3.9	1.975	1.977	1.980	1.982	1.985	1.987	1.990	1.992	1.995	1.997
4.0	2.000	2.002	2.005	2.007	2.010	2.012	2.015	2.017	2.020	2.022
4.1	2.025	2.027	2.030	2.032	2.035	2.037	2.040	2.042	2.045	2.047
4.2	2.049	2.052	2.054	2.057	2.059	2.062	2.064	2.066	2.069	2.071
4.3	2.074	2.076	2.078	2.081	2.083	2.086	2.088	2.090	2.093	2.095
4.4	2.098	2.100	2.102	2.105	2.107	2.110	2.112	2.114	2.117	2.119
4.5	2.121	2.124	2.126	2.128	2.131	2.133	2.135	2.138	2.140	2.142
4.6	2.145	2.147	2.149	2.152	2.154	2.156	2.159	2.161	2.163	2.166
4.7	2.168	2.170	2.173	2.175	2.177	2.179	2.182	2.184	2.186	2.189
4.8	2.191	2.193	2.195	2.198	2.200	2.202	2.205	2.207	2.209	2.211
4.9	2.214	2.216	2.218	2.220	2.223	2.225	2.227	2.229	2.232	2.234
5.0	2.236	2.238	2.241	2.243	2.245	2.247	2.249	2.252	2.254	2.256
5.1	2.258	2.261	2.263	2.265	2.267	2.269	2.272	2.274	2.276	2.278
5.2	2.280	2.283	2.285	2.287	2.289	2.291	2.293	2.296	2.298	2.300
5.3	2.302	2.304	2.307	2.309	2.311	2.313	2.315	2.317	2.319	2.322
5.4	2.324	2.326	2.328	2.330	2.332	2.335	2.337	2.339	2.341	2.343

제곱근표 (2)

수	0	1	2	3	4	5	6	7	8	9
5.5	2.345	2.347	2.349	2.352	2.354	2.356	2.358	2.360	2.362	2.364
5.6	2.366	2.369	2.371	2.373	2.375	2.377	2.379	2.381	2.383	2.385
5.7	2.387	2.390	2.392	2.394	2.396	2.398	2.400	2.402	2.404	2.406
5.8	2.408	2.410	2.412	2.415	2.417	2.419	2.421	2.423	2.425	2.427
5.9	2.429	2.431	2.433	2.435	2.437	2.439	2.441	2.443	2.445	2.447
6.0	2.449	2.452	2.454	2.456	2.458	2.460	2.462	2.464	2.466	2.468
6.1	2.470	2.472	2.474	2.476	2.478	2.480	2.482	2.484	2.486	2.488
6.2	2.490	2.492	2.494	2.496	2.498	2.500	2.502	2.504	2.506	2.508
6.3	2.510	2.512	2.514	2.516	2.518	2.520	2.522	2.524	2.526	2.528
6.4	2.530	2.532	2.534	2.536	2.538	2.540	2.542	2.544	2.546	2.548
6.5	2.550	2.551	2.553	2.555	2.557	2.559	2.561	2.563	2.565	2.567
6.6	2.569	2.571	2.573	2.575	2.577	2.579	2.581	2.583	2.585	2.587
6.7	2.588	2.590	2.592	2.594	2.596	2.598	2.600	2.602	2.604	2.606
6.8	2.608	2.610	2.612	2.613	2.615	2.617	2.619	2.621	2.623	2.625
6.9	2.627	2.629	2.631	2.632	2.634	2.636	2.638	2.640	2.642	2.644
7.0	2.646	2.648	2.650	2.651	2.653	2.655	2.657	2.659	2.661	2.663
7.1	2.665	2.666	2.668	2.670	2.672	2.674	2.676	2.678	2.680	2.681
7.2	2.683	2.685	2.687	2.689	2.691	2.693	2.694	2.696	2.698	2.700
7.3	2.702	2.704	2.706	2.707	2.709	2.711	2.713	2.715	2.717	2.718
7.4	2.720	2.722	2.724	2.726	2.728	2.729	2.731	2.733	2.735	2.737
7.5	2.739	2.740	2.742	2.744	2.746	2.748	2.750	2.751	2.753	2.755
7.6	2.757	2.759	2.760	2.762	2.764	2.766	2.768	2.769	2.771	2.773
7.7	2.775	2.777	2.778	2.780	2.782	2.784	2.786	2.787	2.789	2.791
7.8	2.793	2.795	2.796	2.798	2.800	2.802	2.804	2.805	2.807	2.809
7.9	2.811	2.812	2.814	2.816	2.818	2.820	2.821	2.823	2.825	2.827
8.0	2.828	2.830	2.832	2.834	2.835	2.837	2.839	2.841	2.843	2.844
8.1	2.846	2.848	2.850	2.851	2.853	2.855	2.857	2.858	2.860	2.862
8.2	2.864	2.865	2.867	2.869	2.871	2.872	2.874	2.876	2.877	2.879
8.3	2.881	2.883	2.884	2.886	2.888	2.890	2.891	2.893	2.895	2.897
8.4	2.898	2.900	2.902	2.903	2.905	2.907	2.909	2.910	2.912	2.914
8.5	2.915	2.917	2.919	2.921	2.922	2.924	2.926	2.927	2.929	2.931
8.6	2.933	2.934	2.936	2.938	2.939	2.941	2.943	2.944	2.946	2.948
8.7	2.950	2.951	2.953	2.955	2.956	2.958	2.960	2.961	2.963	2.965
8.8	2.966	2.968	2.970	2.972	2.973	2.975	2.977	2.978	2.980	2.982
8.9	2.983	2.985	2.987	2.988	2.990	2.992	2.993	2.995	2.997	2.998
9.0	3.000	3.002	3.003	3.005	3.007	3.008	3.010	3.012	3.013	3.015
9.1	3.017	3.018	3.020	3.022	3.023	3.025	3.027	3.028	3.030	3.032
9.2	3.033	3.035	3.036	3.038	3.040	3.041	3.043	3.045	3.046	3.048
9.3	3.050	3.051	3.053	3.055	3.056	3.058	3.059	3.061	3.063	3.064
9.4	3.066	3.068	3.069	3.071	3.072	3.074	3.076	3.077	3.079	3.081
9.5	3.082	3.084	3.085	3.087	3.089	3.090	3.092	3.094	3.095	3.097
9.6	3.098	3.100	3.102	3.103	3.105	3.106	3.108	3.110	3.111	3.113
9.7	3.114	3.116	3.118	3.119	3.121	3.122	3.124	3.126	3.127	3.129
9.8	3.130	3.132	3.134	3.135	3.137	3.138	3.140	3.142	3.143	3.145
9.9	3.146	3.148	3.150	3.151	3.153	3.154	3.156	3.158	3.159	3.161

제곱근표 (3), (4)

10.0부터 99.9까지의 수

제곱근표 (3)

수	0	1	2	3	4	5	6	7	8	9
10	3.162	3.178	3.194	3.209	3.225	3.240	3.256	3.271	3.286	3.302
11	3.317	3.332	3.347	3.362	3.376	3.391	3.406	3.421	3.435	3.450
12	3.464	3.479	3.493	3.507	3.521	3.536	3.550	3.564	3.578	3.592
13	3.606	3.619	3.633	3.647	3.661	3.674	3.688	3.701	3.715	3.728
14	3.742	3.755	3.768	3.782	3.795	3.808	3.821	3.834	3.847	3.860
15	3.873	3.886	3.899	3.912	3.924	3.937	3.950	3.962	3.975	3.987
16	4.000	4.012	4.025	4.037	4.050	4.062	4.074	4.087	4.099	4.111
17	4.123	4.135	4.147	4.159	4.171	4.183	4.195	4.207	4.219	4.231
18	4.243	4.254	4.266	4.278	4.290	4.301	4.313	4.324	4.336	4.347
19	4.359	4.370	4.382	4.393	4.405	4.416	4.427	4.438	4.450	4.461
20	4.472	4.483	4.494	4.506	4.517	4.528	4.539	4.550	4.561	4.572
21	4.583	4.593	4.604	4.615	4.626	4.637	4.648	4.658	4.669	4.680
22	4.690	4.701	4.712	4.722	4.733	4.743	4.754	4.764	4.775	4.785
23	4.796	4.806	4.817	4.827	4.837	4.848	4.858	4.868	4.879	4.889
24	4.899	4.909	4.919	4.930	4.940	4.950	4.960	4.970	4.980	4.990
25	5.000	5.010	5.020	5.030	5.040	5.050	5.060	5.070	5.079	5.089
26	5.099	5.109	5.119	5.128	5.138	5.148	5.158	5.167	5.177	5.187
27	5.196	5.206	5.215	5.225	5.235	5.244	5.254	5.263	5.273	5.282
28	5.292	5.301	5.310	5.320	5.329	5.339	5.348	5.357	5.367	5.376
29	5.385	5.394	5.404	5.413	5.422	5.431	5.441	5.450	5.459	5.468
30	5.477	5.486	5.495	5.505	5.514	5.523	5.532	5.541	5.550	5.559
31	5.568	5.577	5.586	5.595	5.604	5.612	5.621	5.630	5.639	5.648
32	5.657	5.666	5.675	5.683	5.692	5.701	5.710	5.718	5.727	5.736
33	5.745	5.753	5.762	5.771	5.779	5.788	5.797	5.805	5.814	5.822
34	5.831	5.840	5.848	5.857	5.865	5.874	5.882	5.891	5.899	5.908
35	5.916	5.925	5.933	5.941	5.950	5.958	5.967	5.975	5.983	5.992
36	6.000	6.008	6.017	6.025	6.033	6.042	6.050	6.058	6.066	6.075
37	6.083	6.091	6.099	6.107	6.116	6.124	6.132	6.140	6.148	6.156
38	6.164	6.173	6.181	6.189	6.197	6.205	6.213	6.221	6.229	6.237
39	6.245	6.253	6.261	6.269	6.277	6.285	6.293	6.301	6.309	6.317
40	6.325	6.332	6.340	6.348	6.356	6.364	6.372	6.380	6.387	6.395
41	6.403	6.411	6.419	6.427	6.434	6.442	6.450	6.458	6.465	6.473
42	6.481	6.488	6.496	6.504	6.512	6.519	6.527	6.535	6.542	6.550
43	6.557	6.565	6.573	6.580	6.588	6.595	6.603	6.611	6.618	6.626
44	6.633	6.641	6.648	6.656	6.663	6.671	6.678	6.686	6.693	6.701
45	6.708	6.716	6.723	6.731	6.738	6.745	6.753	6.760	6.768	6.775
46	6.782	6.790	6.797	6.804	6.812	6.819	6.826	6.834	6.841	6.848
47	6.856	6.863	6.870	6.877	6.885	6.892	6.899	6.907	6.914	6.921
48	6.928	6.935	6.943	6.950	6.957	6.964	6.971	6.979	6.986	6.993
49	7.000	7.007	7.014	7.021	7.029	7.036	7.043	7.050	7.057	7.064
50	7.071	7.078	7.085	7.092	7.099	7.106	7.113	7.120	7.127	7.134
51	7.141	7.148	7.155	7.162	7.169	7.176	7.183	7.190	7.197	7.204
52	7.211	7.218	7.225	7.232	7.239	7.246	7.253	7.259	7.266	7.273
53	7.280	7.287	7.294	7.301	7.308	7.314	7.321	7.328	7.335	7.342
54	7.348	7.355	7.362	7.369	7.376	7.382	7.389	7.396	7.403	7.409

제곱근표 (4)

수	0	1	2	3	4	5	6	7	8	9
55	7.416	7.423	7.430	7.436	7.443	7.450	7.457	7.463	7.470	7.477
56	7.483	7.490	7.497	7.503	7.510	7.517	7.523	7.530	7.537	7.543
57	7.550	7.556	7.563	7.570	7.576	7.583	7.589	7.596	7.603	7.609
58	7.616	7.622	7.629	7.635	7.642	7.649	7.655	7.662	7.668	7.675
59	7.681	7.688	7.694	7.701	7.707	7.714	7.720	7.727	7.733	7.740
60	7.746	7.752	7.759	7.765	7.772	7.778	7.785	7.791	7.797	7.804
61	7.810	7.817	7.823	7.829	7.836	7.842	7.849	7.855	7.861	7.868
62	7.874	7.880	7.887	7.893	7.899	7.906	7.912	7.918	7.925	7.931
63	7.937	7.944	7.950	7.956	7.962	7.969	7.975	7.981	7.987	7.994
64	8.000	8.006	8.012	8.019	8.025	8.031	8.037	8.044	8.050	8.056
65	8.062	8.068	8.075	8.081	8.087	8.093	8.099	8.106	8.112	8.118
66	8.124	8.130	8.136	8.142	8.149	8.155	8.161	8.167	8.173	8.179
67	8.185	8.191	8.198	8.204	8.210	8.216	8.222	8.228	8.234	8.240
68	8.246	8.252	8.258	8.264	8.270	8.276	8.283	8.289	8.295	8.301
69	8.307	8.313	8.319	8.325	8.331	8.337	8.343	8.349	8.355	8.361
70	8.367	8.373	8.379	8.385	8.390	8.396	8.402	8.408	8.414	8.420
71	8.426	8.432	8.438	8.444	8.450	8.456	8.462	8.468	8.473	8.479
72	8.485	8.491	8.497	8.503	8.509	8.515	8.521	8.526	8.532	8.538
73	8.544	8.550	8.556	8.562	8.567	8.573	8.579	8.585	8.591	8.597
74	8.602	8.608	8.614	8.620	8.626	8.631	8.637	8.643	8.649	8.654
75	8.660	8.666	8.672	8.678	8.683	8.689	8.695	8.701	8.706	8.712
76	8.718	8.724	8.729	8.735	8.741	8.746	8.752	8.758	8.764	8.769
77	8.775	8.781	8.786	8.792	8.798	8.803	8.809	8.815	8.820	8.826
78	8.832	8.837	8.843	8.849	8.854	8.860	8.866	8.871	8.877	8.883
79	8.888	8.894	8.899	8.905	8.911	8.916	8.922	8.927	8.933	8.939
80	8.944	8.950	8.955	8.961	8.967	8.972	8.978	8.983	8.989	8.994
81	9.000	9.006	9.011	9.017	9.022	9.028	9.033	9.039	9.044	9.050
82	9.055	9.061	9.066	9.072	9.077	9.083	9.088	9.094	9.099	9.105
83	9.110	9.116	9.121	9.127	9.132	9.138	9.143	9.149	9.154	9.160
84	9.165	9.171	9.176	9.182	9.187	9.192	9.198	9.203	9.209	9.214
85	9.220	9.225	9.230	9.236	9.241	9.247	9.252	9.257	9.263	9.268
86	9.274	9.279	9.284	9.290	9.295	9.301	9.306	9.311	9.317	9.322
87	9.327	9.333	9.338	9.343	9.349	9.354	9.359	9.365	9.370	9.375
88	9.381	9.386	9.391	9.397	9.402	9.407	9.413	9.418	9.423	9.429
89	9.434	9.439	9.445	9.450	9.455	9.460	9.466	9.471	9.476	9.482
90	9.487	9.492	9.497	9.503	9.508	9.513	9.518	9.524	9.529	9.534
91	9.539	9.545	9.550	9.555	9.560	9.566	9.571	9.576	9.581	9.586
92	9.592	9.597	9.602	9.607	9.612	9.618	9.623	9.628	9.633	9.638
93	9.644	9.649	9.654	9.659	9.664	9.670	9.675	9.680	9.685	9.690
94	9.695	9.701	9.706	9.711	9.716	9.721	9.726	9.731	9.737	9.742
95	9.747	9.752	9.757	9.762	9.767	9.772	9.778	9.783	9.788	9.793
96	9.798	9.803	9.808	9.813	9.818	9.823	9.829	9.834	9.839	9.844
97	9.849	9.854	9.859	9.864	9.869	9.874	9.879	9.884	9.889	9.894
98	9.899	9.905	9.910	9.915	9.920	9.925	9.930	9.935	9.940	9.945
99	9.950	9.955	9.960	9.965	9.970	9.975	9.980	9.985	9.990	9.995

MEMO

개념+유형

최고수준 TOP

정답과 해설

중등 수학

3-1

15개정 교육과정

책 속의 가접 별책 (특허 제 0557442호)

'정답과 해설'은 본책에서 쉽게 분리할 수 있도록 제작되었으므로
유통 과정에서 분리될 수 있으나 파본이 아닌 정상제품입니다.

ABOVE IMAGINATION

우리는 남다른 상상과 혁신으로
교육 문화의 새로운 전형을 만들어
모든 이의 행복한 경험과 성장에 기여한다

정답과 해설

1. 제곱근과 실수

P. 8~10 개념+대표문제 확인하기

1 8	2 $-\frac{7}{3}$	3 $-a+2b$	4 6
5 21개	6 ㄴ, ㅁ, ㅂ	7 ㄴ, ㅁ	8 ③
9 43개	10 ②, ⑤	11 $P(-\sqrt{5})$, $Q(1+\sqrt{10})$	
12 ㄷ, ㄹ	13 ⑤	14 $b<a<c$	15 14

1 $(-5)^2=25$의 양의 제곱근은 5이므로 $a=5$
$\sqrt{81}=9$의 음의 제곱근은 -3이므로 $b=-3$
제곱근 36은 $\sqrt{36}=6$이므로 $c=6$
$\therefore a+b+c=5+(-3)+6=8$

2 $\sqrt{\left(-\frac{2}{3}\right)^2}-\sqrt{1.44}\div\left(-\sqrt{\frac{6}{25}}\right)^2+\sqrt{2^6}\times(\sqrt{0.5^2})^2$
$=\sqrt{\left(-\frac{2}{3}\right)^2}-\sqrt{1.2^2}\div\left(-\sqrt{\frac{6}{25}}\right)^2+\sqrt{(2^3)^2}\times(\sqrt{0.5^2})^2$
$=\frac{2}{3}-1.2\div\frac{6}{25}+2^3\times0.5^2$
$=\frac{2}{3}-1.2\times\frac{25}{6}+8\times0.25$
$=\frac{2}{3}-5+2=-\frac{7}{3}$

3 $ab<0$이므로 a, b의 부호는 서로 다르고, $a<b$이므로 $a<0$, $b>0$이다.
이때 $2a<0$, $-3b<0$이고 $a-b<0$이므로
$\sqrt{4a^2}+\sqrt{(-3b)^2}-\sqrt{(a-b)^2}$
$=\sqrt{(2a)^2}+\sqrt{(-3b)^2}-\sqrt{(a-b)^2}$
$=-2a+\{-(-3b)\}-\{-(a-b)\}$
$=-2a+3b+a-b$
$=-a+2b$

4 $\sqrt{\frac{600}{n}}=\sqrt{\frac{2^3\times3\times5^2}{n}}$이 자연수가 되려면 n은 600의 약수이면서 $2\times3\times$(자연수)^2 꼴이어야 한다.
따라서 자연수 n의 값은
2×3, $2^3\times3$, $2\times3\times5^2$, $2^3\times3\times5^2$이다. … ㉠
$\sqrt{24n}=\sqrt{2^3\times3\times n}$이 자연수가 되려면
$n=2\times3\times$(자연수)^2 꼴이어야 한다. … ㉡
따라서 ㉠, ㉡에서 구하는 가장 작은 자연수 n의 값은
$2\times3=6$

5 $5<\sqrt{\frac{a}{2}}<6$에서 각 변을 제곱하면
$5^2<\left(\sqrt{\frac{a}{2}}\right)^2<6^2$, $25<\frac{a}{2}<36$ $\quad\therefore 50<a<72$
따라서 주어진 부등식을 만족시키는 자연수 a의 개수는
$72-50-1=21$(개)

참고 부등식을 만족시키는 정수 x의 개수 구하기
m, $n(m>n)$이 정수일 때
(1) $n<x<m$인 정수 x의 개수 ⇨ $(m-n-1)$개
(2) $n\le x\le m$인 정수 x의 개수 ⇨ $(m-n+1)$개
(3) $n<x\le m$(또는 $n\le x<m$)인 정수 x의 개수
⇨ $(m-n)$개

6 ㄱ. $0.\dot{3}\dot{4}=\frac{34}{99}$이므로 유리수
ㄴ. $\sqrt{0.\dot{4}}=\sqrt{\frac{2}{5}}$이므로 무리수
ㄷ. $3-\sqrt{9}=3-3=0$이므로 유리수
ㄹ. $\sqrt{1.\dot{7}}=\sqrt{\frac{17-1}{9}}=\sqrt{\frac{16}{9}}=\sqrt{\left(\frac{4}{3}\right)^2}=\frac{4}{3}$이므로 유리수
ㅁ. $\pi-1=3.141592\cdots-1=2.141592\cdots$이므로 순환소수가 아닌 무한소수, 즉 무리수
ㅂ. $0.1121231234\cdots$는 순환소수가 아닌 무한소수, 즉 무리수
따라서 순환소수가 아닌 무한소수, 즉 무리수는 ㄴ, ㅁ, ㅂ이다.

7 ㄱ. 무한소수 중에서 순환소수는 유리수이다.
ㄴ. 모든 유한소수는 분수 $\frac{a}{b}$(a, b는 정수, $b\neq0$) 꼴로 나타낼 수 있으므로 유리수이다.
ㄷ. 0은 정수이므로 유리수이다.
ㄹ. 양의 유리수 4에 대하여 $\sqrt{4}=2$는 유리수이다.
ㅁ. 유리수가 아닌 수는 무리수이므로 유리수이면서 동시에 무리수인 수는 없다.
따라서 옳은 것은 ㄴ, ㅁ이다.

8 $a=-\sqrt{3}$일 때
① $a^2=(-\sqrt{3})^2=3$
② $(-a)^2=\{-(-\sqrt{3})\}^2=(\sqrt{3})^2=3$
③ $\sqrt{a^2}=\sqrt{(-\sqrt{3})^2}=\sqrt{3}$
④ $-\sqrt{3a^2}=-\sqrt{3\times(-\sqrt{3})^2}=-\sqrt{3^2}=-3$
⑤ $1-a^2=1-(-\sqrt{3})^2=1-3=-2$
따라서 유리수가 아닌 것은 ③이다.

9 $\sqrt{x}$가 유리수인 경우는 x가 (유리수)^2 꼴일 때이다.
이때 x는 50 이하의 자연수이므로 1, 4, 9, 16, 25, 36, 49의 7개이다.
따라서 $\sqrt{x}$가 무리수가 되도록 하는 자연수 x의 개수는
$50-7=43$(개)

10 ① $a=1$, $b=\sqrt{2}$이면
$1+(\sqrt{2})^2=1+2=3$이므로 유리수이다.
② $a-b=$(유리수)$-$(무리수)$=$(무리수)에서
$\frac{(\text{무리수})}{(\text{0이 아닌 유리수})}$이므로 무리수이다.
③ $a=1$, $b=\sqrt{2}$이면
$1-(\sqrt{2})^2=1-2=-1$이므로 유리수이다.
④ $a=0$, $b=\sqrt{2}$이면
$0\times\sqrt{2}=0$이므로 유리수이다.
⑤ $\frac{(\text{0이 아닌 유리수})}{(\text{무리수})}$이므로 무리수이다.
따라서 항상 무리수인 것은 ②, ⑤이다.

개념 더하기 다시 보기

다음 식의 계산 결과는 항상 무리수이다.
① (유리수)±(무리수) 또는 (무리수)±(유리수)
② (0이 아닌 유리수)×(무리수)
③ $\frac{(\text{0이 아닌 유리수})}{(\text{무리수})}$
④ $\frac{(\text{무리수})}{(\text{0이 아닌 유리수})}$

11 $\overline{AP}=\overline{AB}=\sqrt{1^2+2^2}=\sqrt{5}$이므로
점 P에 대응하는 수는 $-\sqrt{5}$ $\therefore$ P$(-\sqrt{5})$
$\overline{CQ}=\overline{CD}=\sqrt{3^2+1^2}=\sqrt{10}$이므로
점 Q에 대응하는 수는 $1+\sqrt{10}$ $\therefore$ Q$(1+\sqrt{10})$

12 ㄱ. 2에 가장 가까운 무리수는 알 수 없다.
ㄴ. 3과 5 사이에는 무수히 많은 유리수가 있다.
따라서 옳은 것은 ㄷ, ㄹ이다.

13 ① $(6+\sqrt{3})-8=-2+\sqrt{3}=-\sqrt{4}+\sqrt{3}<0$
$\therefore 6+\sqrt{3}<8$
② $(2-\sqrt{6})-(-1)=3-\sqrt{6}=\sqrt{9}-\sqrt{6}>0$
$\therefore 2-\sqrt{6}>-1$
③ $(\sqrt{7}-2)-(\sqrt{11}-2)=\sqrt{7}-\sqrt{11}<0$
$\therefore \sqrt{7}-2<\sqrt{11}-2$
④ $\sqrt{10}>3$이므로 양변에서 $\sqrt{5}$를 빼면
$\sqrt{10}-\sqrt{5}>3-\sqrt{5}$
⑤ $3<\sqrt{13}$에서 $-3>-\sqrt{13}$이므로 양변에 $\sqrt{10}$을 더하면
$\sqrt{10}-3>\sqrt{10}-\sqrt{13}$
따라서 옳지 않은 것은 ⑤이다.

14 $a-c=(8-\sqrt{6})-(8-\sqrt{5})=-\sqrt{6}+\sqrt{5}<0$
$\therefore a<c$ ⋯ ㉠
$a-b=(8-\sqrt{6})-(2+\sqrt{7})=6-\sqrt{6}-\sqrt{7}$
이때 $2<\sqrt{6}<3$, $2<\sqrt{7}<3$, 즉 $4<\sqrt{6}+\sqrt{7}<6$이므로
$a-b=6-(\sqrt{6}+\sqrt{7})>0$
$\therefore a>b$ ⋯ ㉡
따라서 ㉠, ㉡에서 $b<a<c$이다.

15 $3<\sqrt{15}<4$이므로
$-4<-\sqrt{15}<-3$, $-2<2-\sqrt{15}<-1$ ⋯ ㉠
$2<\sqrt{7}<3$이므로 $5<\sqrt{7}+3<6$ ⋯ ㉡
따라서 ㉠, ㉡에서 두 수 사이에 있는 정수는 -1, 0, 1, 2, 3, 4, 5이므로 구하는 합은 14이다.

P. 11~15 내신 5% 따라잡기

1 ②	**2** 2, $-\frac{4}{3}$	**3** 29	**4** 2배
5 $\sqrt{10}$cm **6** ③	**7** $2x-y$	**8** ③	**9** 0
10 7 **11** $\frac{1}{9}$	**12** 160	**13** 19	
14 a^2, a, $\sqrt{a}$, $\sqrt{\frac{1}{a}}$, $\frac{1}{a}$		**15** ⑤	
16 14, 15, 16	**17** $\frac{7}{15}$, $\frac{8}{15}$		**18** 19개
19 6개 **20** 367개	**21** ④	**22** $6+\sqrt{5}$	
23 $3+24\pi$	**24** 178	**25** $3+\sqrt{11}$	
26 9cm^2 **27** C$(\sqrt{5}, 0)$		**28** 27	

1 ㄱ. $x^2=a$일 때, x를 a의 제곱근이라 한다.
ㄴ. 3의 두 제곱근은 $\sqrt{3}$과 $-\sqrt{3}$이고, 그 절댓값은 $\sqrt{3}$으로 같다.
ㄷ. $\sqrt{0.0625}=\sqrt{0.25^2}=0.25$의 양의 제곱근은
$\sqrt{0.25}=\sqrt{0.5^2}=0.5$이다.
ㄹ. 49의 양의 제곱근은 7이고, 제곱근 7은 $\sqrt{7}$이다.
ㅁ. (제곱근 $(-1.\dot{7})^2$)$=\sqrt{(-1.\dot{7})^2}=1.\dot{7}=\frac{16}{9}$이므로
$\frac{16}{9}$의 제곱근은 $\pm\sqrt{\frac{16}{9}}=\pm\sqrt{\left(\frac{4}{3}\right)^2}=\pm\frac{4}{3}$이다.
따라서 옳은 것은 ㄴ, ㄷ의 2개이다.

2 $\sqrt{(3a-1)^2}=5$에서
(i) $3a-1\geq0$일 때
$3a-1=5$, $3a=6$ $\therefore a=2$
(ii) $3a-1<0$일 때
$-(3a-1)=5$, $-3a=4$ $\therefore a=-\frac{4}{3}$
따라서 (i), (ii)에 의해 a의 값은 2, $-\frac{4}{3}$이다.

3 $1.0\dot{5}\times\frac{a}{b}=(2.\dot{1})^2$에서 $\frac{95}{90}\times\frac{a}{b}=\left(\frac{19}{9}\right)^2$
$\therefore \frac{a}{b}=\frac{19^2}{9^2}\times\frac{18}{19}=\frac{38}{9}$
따라서 $a=38$, $b=9$이므로
$a-b=38-9=29$

4 원 O′의 반지름의 길이를 x라 하면
(원 O의 넓이)$=\pi r^2$, (원 O′의 넓이)$=\pi x^2$이므로
$\pi x^2=4\pi r^2$, $x^2=4r^2$
이때 $r>0$, $x>0$이므로 $x=2r$
따라서 원 O′의 반지름의 길이는 원 O의 반지름의 길이의 2배이다.

5 처음 정사각형의 넓이는 $(\sqrt{160})^2=160(\text{cm}^2)$이고, 정사각형을 한 번 접으면 그 넓이는 이전 단계 정사각형의 넓이의 $\frac{1}{2}$이 되므로 [1단계]~[4단계]에서 생기는 정사각형의 넓이는 각각 다음과 같다.
[1단계] $160\times\frac{1}{2}=80(\text{cm}^2)$, [2단계] $80\times\frac{1}{2}=40(\text{cm}^2)$
[3단계] $40\times\frac{1}{2}=20(\text{cm}^2)$, [4단계] $20\times\frac{1}{2}=10(\text{cm}^2)$
따라서 [4단계]에서 생기는 정사각형의 한 변의 길이는 $\sqrt{10}$ cm이다.

6 오른쪽 그림과 같이 $\overline{OQ}$를 그으면
$\overline{OQ}=\overline{OA}=10$ cm
$\overline{PB}=\overline{OB}-\overline{OP}=10-7=3(\text{cm})$
$\triangle$OPQ에서
$\overline{PQ}=\sqrt{10^2-7^2}=\sqrt{51}(\text{cm})$
또 $\triangle$BQP에서
$\overline{BQ}=\sqrt{3^2+(\sqrt{51})^2}=\sqrt{60}(\text{cm})$

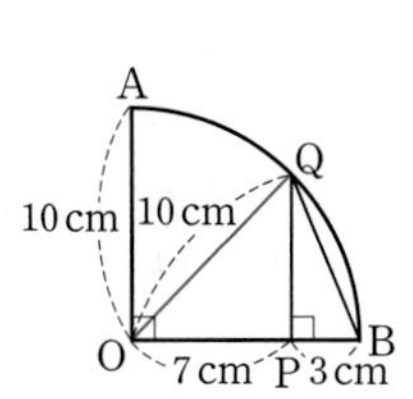

참고 **제곱근을 이용하여 직각삼각형의 한 변의 길이 구하기**
오른쪽 직각삼각형 ABC에서 피타고라스 정리에 의해 $c^2=a^2+b^2$이므로
⇨ $c=\sqrt{a^2+b^2}$ ($\because c>0$)
$a=\sqrt{c^2-b^2}$ ($\because a>0$)
$b=\sqrt{c^2-a^2}$ ($\because b>0$)

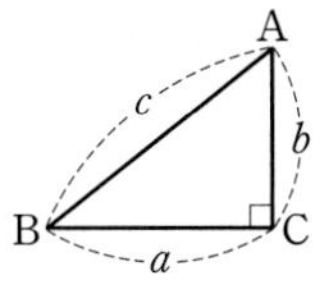

7 $xy<0$이므로 x, y의 부호는 서로 다르고
$x+y<0$, $|x|>|y|$이므로 $x<0$, $y>0$
$\therefore \sqrt{9x^2}-\sqrt{(2y)^2}+\sqrt{(-y)^2}-|5x|$
$=\sqrt{(3x)^2}-\sqrt{(2y)^2}+\sqrt{(-y)^2}-|5x|$
$=-3x-2y+\{-(-y)\}-(-5x)$
$=-3x-2y+y+5x$
$=2x-y$

8 (가) $b<c<a$에서 $c-b>0$, $b-a<0$
(나) $c(b-a)<0$에서 $b-a<0$이므로 $c>0$
이때 (가)에서 $c<a$이므로 $a>0$
(다) $ac+b=0$에서 $b=-ac<0$ ($\because a>0, c>0$)
$\therefore \sqrt{(c-b)^2}-\sqrt{4b^2}-\sqrt{(-a)^2}+\sqrt{(b-a)^2}$
$=\sqrt{(c-b)^2}-\sqrt{(2b)^2}-\sqrt{(-a)^2}+\sqrt{(b-a)^2}$
$=c-b-(-2b)-\{-(-a)\}+\{-(b-a)\}$
$=c-b+2b-a-b+a=c$

9 $-1<x<0$에서 $\frac{1}{x}<-1$이므로 $\frac{1}{x}<-1<x<0$
따라서 $x+\frac{1}{x}<0$, $x-\frac{1}{x}>0$이므로
$\sqrt{4x^2}-\sqrt{\left(x+\frac{1}{x}\right)^2}+\sqrt{\left(x-\frac{1}{x}\right)^2}$
$=\sqrt{(2x)^2}-\sqrt{\left(x+\frac{1}{x}\right)^2}+\sqrt{\left(x-\frac{1}{x}\right)^2}$
$=-2x-\left\{-\left(x+\frac{1}{x}\right)\right\}+\left(x-\frac{1}{x}\right)$
$=-2x+x+\frac{1}{x}+x-\frac{1}{x}=0$

10 $1\times2\times3\times\cdots\times8\times9\times10$
$=1\times2\times3\times2^2\times5\times(2\times3)\times7\times2^3\times3^2\times(2\times5)$
$=2^8\times3^4\times5^2\times7=(2^4\times3^2\times5)^2\times7$
따라서 $\sqrt{\frac{(2^4\times3^2\times5)^2\times7}{n}}$이 자연수가 되도록 하는 가장 작은 자연수 n의 값은 7이다.

11 모든 경우의 수는 $6\times6=36$
$\sqrt{180ab}=\sqrt{2^2\times3^2\times5\times ab}$가 자연수가 되려면
$ab=5\times$(자연수)^2 꼴이어야 하고, a, b는 주사위의 눈의 수이므로 $1\le ab\le36$ $\quad\therefore ab=5\times1^2, 5\times2^2$
(i) $ab=5\times1^2$일 때, a, b의 순서쌍 (a, b)는
(1, 5), (5, 1)의 2가지
(ii) $ab=5\times2^2$일 때, a, b의 순서쌍 (a, b)는
(5, 4), (4, 5)의 2가지
따라서 (i), (ii)에 의해 $\sqrt{180ab}$가 자연수가 되는 경우의 수는 $2+2=4$이므로 구하는 확률은 $\frac{4}{36}=\frac{1}{9}$

12 $v=\sqrt{2\times9.8\times h}=\sqrt{\frac{2\times7^2\times h}{5}}$가 자연수가 되려면
$h=2\times5\times$(자연수)^2 꼴이어야 한다.
따라서 자연수 h는
$2\times5\times1^2=10$, $2\times5\times2^2=40$, $2\times5\times3^2=90$,
$2\times5\times4^2=160$, $\cdots$
이므로 세 자리의 자연수 h의 값 중 가장 작은 수는 160이다.

13 $\sqrt{200+a}-\sqrt{150-b}$의 값이 가능한 한 작은 정수가 되려면 $\sqrt{200+a}$는 가장 작은 정수이고, $\sqrt{150-b}$는 가장 큰 정수이어야 한다.
이때 a는 자연수이므로 $\sqrt{200+a}$가 가장 작은 정수가 되려면 $200+a$의 값이 200보다 큰 (자연수)^2 꼴인 수 중에서 가장 작은 수이어야 한다.
즉, $200+a=225(=15^2)$ $\quad\therefore a=25$
또 b는 자연수이므로 $\sqrt{150-b}$가 가장 큰 정수가 되려면 $150-b$의 값이 150보다 작은 (자연수)^2 꼴인 수 중에서 가장 큰 수이어야 한다.
즉, $150-b=144(=12^2)$ $\quad\therefore b=6$
$\therefore a-b=25-6=19$

14 $0<a<1$이므로 $a^2<a$

즉, $a^2<a<1$이므로 $a<\sqrt{a}<1$, $1<\frac{1}{a}<\frac{1}{a^2}$

이때 $1<\frac{1}{a}<\frac{1}{a^2}$에서 $1<\sqrt{\frac{1}{a}}<\frac{1}{a}$

$\therefore a^2<a<\sqrt{a}<\sqrt{\frac{1}{a}}<\frac{1}{a}$

따라서 작은 것부터 차례로 나열하면

a^2, a, $\sqrt{a}$, $\sqrt{\frac{1}{a}}$, $\frac{1}{a}$

다른 풀이

$0<a<1$이므로 $a=\frac{1}{9}$이라 하면

$\sqrt{a}=\sqrt{\frac{1}{9}}=\frac{1}{3}$, $\frac{1}{a}=9$, $\sqrt{\frac{1}{a}}=\sqrt{9}=3$, $a^2=\left(\frac{1}{9}\right)^2=\frac{1}{81}$이므로

$a^2<a<\sqrt{a}<\sqrt{\frac{1}{a}}<\frac{1}{a}$

15 $a+b=5+(\sqrt{37}-1)=4+\sqrt{37}>0$

$a-b=5-(\sqrt{37}-1)=6-\sqrt{37}=\sqrt{36}-\sqrt{37}<0$

$\therefore \sqrt{(a+b)^2}-\sqrt{(a-b)^2}=a+b-\{-(a-b)\}$

$=a+b+a-b=2a$

$=2\times5=10$

16 x가 자연수이므로 주어진 식에서

$\sqrt{(x-1)^2}<\sqrt{230}<\sqrt{(x+2)^2}$

$x-1<\sqrt{230}<x+2$

이때 $\sqrt{15^2}<\sqrt{230}<\sqrt{16^2}$이므로

$15<\sqrt{230}<16$

즉, $x-1\leq15$에서

$x=1, 2, \cdots, \underline{14, 15, 16}$ … ㉠

$x+2\geq16$에서

$x=\underline{14, 15, 16}, 17, \cdots$ … ㉡

따라서 ㉠, ㉡에서 주어진 부등식을 만족시키는 자연수 x의 값은 14, 15, 16이다.

17 $\frac{\sqrt{5}}{5}$와 $\frac{\sqrt{3}}{3}$ 사이에 있는 수 중 분모가 15인 기약분수를

$\frac{x}{15}$(x는 자연수)라 하면

$\frac{\sqrt{5}}{5}<\frac{x}{15}<\frac{\sqrt{3}}{3}$이므로 $\left(\frac{\sqrt{5}}{5}\right)^2<\left(\frac{x}{15}\right)^2<\left(\frac{\sqrt{3}}{3}\right)^2$

$\frac{1}{5}<\frac{x^2}{225}<\frac{1}{3}$, $45<x^2<75$

따라서 이 식을 만족시키는 자연수 x는 7, 8이므로 구하는 기약분수는 $\frac{7}{15}$, $\frac{8}{15}$이다.

18 $f(x)=9$, 즉 $\sqrt{x}$ 이하의 자연수가 9개인 경우는

$9\leq\sqrt{x}<10$이므로 $81\leq x<100$

따라서 자연수 x의 개수는 $100-81=19$(개)

19 $\sqrt{0.\dot{a}}=\sqrt{\frac{a}{9}}=\sqrt{\frac{a}{3^2}}$가 유리수인 경우는 a가 $(유리수)^2$ 꼴일 때이다.

이때 a는 한 자리의 자연수이므로 $1^2=1$, $2^2=4$, $3^2=9$의 3개이다.

따라서 $\sqrt{0.\dot{a}}$가 무리수가 되도록 하는 한 자리의 자연수 a의 개수는 $9-3=6$(개)

20 (ⅰ) $\sqrt{3n}$이 유리수인 경우는

$n=3k^2$(k는 유리수)일 때이므로

$3k^2\leq400$, 즉 $k^2\leq\frac{400}{3}=133.333\cdots$

이때 k가 될 수 있는 자연수는 1, 2, 3, …, 11이므로

400 이하의 자연수 n은

3×1^2, 3×2^2, 3×3^2, …, 3×11^2의 11개

(ⅱ) $\sqrt{5n}$이 유리수인 경우는

$n=5p^2$(p는 유리수)일 때이므로

$5p^2\leq400$, 즉 $p^2\leq80$

이때 p가 될 수 있는 자연수는 1, 2, 3, …, 8이므로

400 이하의 자연수 n은

5×1^2, 5×2^2, 5×3^2, …, 5×8^2의 8개

(ⅲ) $\sqrt{18n}=\sqrt{2\times3^2\times n}$이 유리수인 경우는

$n=2q^2$(q는 유리수)일 때이므로

$2q^2\leq400$, 즉 $q^2\leq200$

이때 q가 될 수 있는 자연수는 1, 2, 3, …, 14이므로

400 이하의 자연수 n은

2×1^2, 2×2^2, 2×3^2, …, 2×14^2의 14개

따라서 (ⅰ)~(ⅲ)에 의해 $\sqrt{3n}$, $\sqrt{5n}$, $\sqrt{18n}$이 모두 무리수가 되도록 하는 400 이하의 자연수 n의 개수는

$400-(11+8+14)=367$(개)

21 $\overline{AP}=\overline{AC}=\sqrt{1^2+1^2}=\sqrt{2}$이므로 $p=a+\sqrt{2}$

ㄱ. $a=p-\sqrt{2}$에서 p가 유리수이면 (유리수)$-\sqrt{2}$=(무리수)이므로 a는 무리수이고, (무리수)+1=(무리수)이므로 b도 무리수이다.

ㄴ. $p=\sqrt{5}+\sqrt{2}$이면 $a=\sqrt{5}$, $b=1+\sqrt{5}$

즉, p가 무리수일 때 a, b도 무리수인 경우도 있다.

ㄷ. b가 유리수이면 (유리수)-1=(유리수)이므로 a는 유리수이고, (유리수)$+\sqrt{2}$=(무리수)이므로 p는 무리수이다.

따라서 옳은 것은 ㄱ, ㄷ이다.

22 $\overline{AC}=\sqrt{2^2+1^2}=\sqrt{5}$

이때 △ABC는 다음 그림과 같이 이동한다.

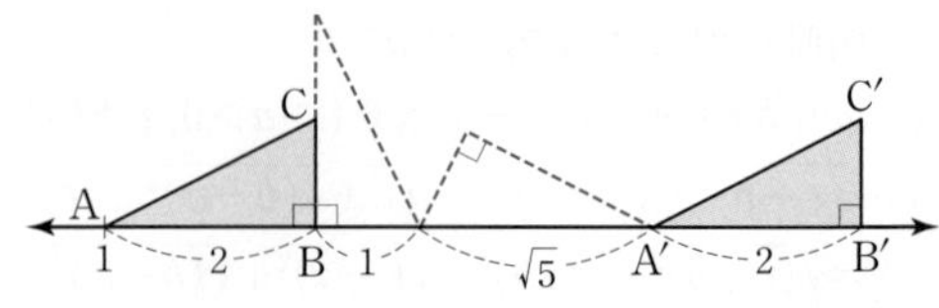

따라서 점 B′에 대응하는 수는

$1+2+1+\sqrt{5}+2=6+\sqrt{5}$

23 원의 반지름의 길이를 r라 하면

$\pi r^2=16\pi$, $r^2=16$

이때 $r>0$이므로 $r=4$

$\therefore$ (원의 둘레의 길이)$=2\pi\times4=8\pi$

따라서 점 A에 대응하는 수가 3이므로 원을 세 바퀴 굴렸을 때, 점 P에 대응하는 수는

$3+3\times8\pi=3+24\pi$

24 $\langle 1, 2\rangle=2=2\times1$

$\langle 2, 3\rangle=4=2\times2$

$\langle 3, 4\rangle=6=2\times3$

$\vdots$

즉, $\langle n, n+1\rangle=2\times n$이므로

$\langle 89, 90\rangle=2\times89=178$

다른 풀이

$89=\sqrt{89^2}=\sqrt{7921}$, $90=\sqrt{90^2}=\sqrt{8100}$이므로

$\langle 89, 90\rangle=8100-7921-1=178$

25 $-2-\sqrt{11}$은 음수이고 $3+\sqrt{11}$, 7, $\sqrt{5}+\sqrt{11}$은 양수이다.

$(3+\sqrt{11})-7=\sqrt{11}-4=\sqrt{11}-\sqrt{16}<0$

$\therefore 3+\sqrt{11}<7$

$3>\sqrt{5}$이므로 양변에 $\sqrt{11}$을 더하면

$3+\sqrt{11}>\sqrt{5}+\sqrt{11}$

따라서 크기가 큰 것부터 차례로 나열하면

7, $3+\sqrt{11}$, $\sqrt{5}+\sqrt{11}$, $-2-\sqrt{11}$

이므로 두 번째에 오는 수는 $3+\sqrt{11}$이다.

26 **길잡이** 피타고라스 정리를 이용하여 정사각형들의 넓이 사이의 관계를 생각해 본다.

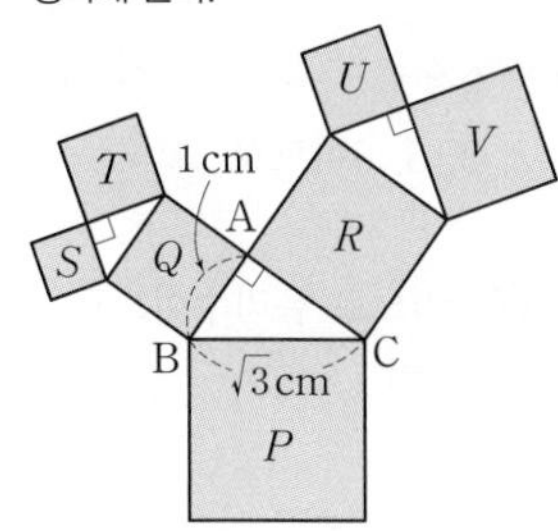

위의 그림과 같이 정사각형의 넓이를 각각 $P\text{cm}^2$, $Q\text{cm}^2$, $R\text{cm}^2$, $S\text{cm}^2$, $T\text{cm}^2$, $U\text{cm}^2$, $V\text{cm}^2$라 하자.

세 변의 길이가 각각 a, b, c(c는 빗변의 길이)인 직각삼각형에서 $a^2+b^2=c^2$이 성립하므로

$Q+R=P$, $S+T=Q$, $U+V=R$

$\therefore$ (색칠한 부분의 넓이)$=P+\underbrace{Q+R}_{P}+\underbrace{S+T}_{Q}+\underbrace{U+V}_{R}$

$=P+P+\underbrace{Q+R}_{P}$

$=3P=3\times(\sqrt{3})^2$

$=9(\text{cm}^2)$

27 **길잡이** 서로 닮은 두 직각삼각형을 찾아 닮음의 성질을 이용한다.

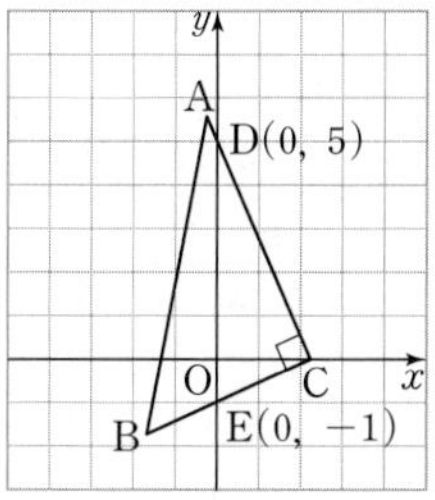

오른쪽 그림과 같이 $\overline{AC}$가 y축과 만나는 점을 D, $\overline{BC}$가 y축과 만나는 점을 E라 하면

$\overline{OD}=5$, $\overline{OE}=1$

이때 $\triangle DOC$와 $\triangle COE$에서

$\angle DOC=\angle COE=90^\circ$,

$\angle OCD=90^\circ-\angle OCE$

$=\angle OEC$

이므로 $\triangle DOC \backsim \triangle COE$ (AA 닮음)

즉, $\overline{OC}:\overline{OE}=\overline{DO}:\overline{CO}$에서

$\overline{CO}^2=\overline{OD}\times\overline{OE}=5\times1=5$

이때 $\overline{CO}>0$이므로 $\overline{CO}=\sqrt{5}$

따라서 점 C의 좌표는 $C(\sqrt{5}, 0)$이다.

28 **길잡이** 두 밭의 각 변의 길이가 자연수가 되도록 하는 n의 값을 구한다.

배추밭의 한 변의 길이는 $\sqrt{24n}$이고 $\sqrt{24n}=\sqrt{2^3\times3\times n}$이 자연수이므로 $n=2\times3\times(\text{자연수})^2=6\times(\text{자연수})^2$

$\therefore n=\underline{6}, 24, 54, 96, \cdots$ $\cdots$ ㉠

또 상추밭의 한 변의 길이는 $\sqrt{87-n}$이고 $\sqrt{87-n}$이 자연수이므로 $87-n$은 87보다 작은 (자연수)^2 꼴인 수이다.

$87-n=1, 4, 9, 16, 25, 36, 49, 64, 81$

$\therefore n=86, 83, 78, 71, 62, 51, 38, 23, \underline{6}$ $\cdots$ ㉡

즉, ㉠, ㉡에서 $n=6$

따라서

(배추밭의 한 변의 길이)$=\sqrt{2^3\times3\times6}=\sqrt{2^4\times3^2}=12$,

(상추밭의 한 변의 길이)$=\sqrt{87-6}=\sqrt{81}=9$

이므로 오른쪽 그림에서

(고추밭의 넓이)$=9\times(12-9)$

$=27$

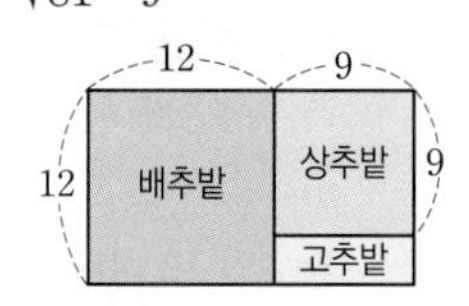

P. 16~17 내신 1% 뛰어넘기

01 27	**02** 0	**03** 168	**04** 9개	**05** 625
06 20	**07** $\frac{7}{9}$	**08** 9		

01 **길잡이** 근호 안의 수의 규칙을 찾는다.

$\sqrt{\underbrace{1+3}_{2개}}=\sqrt{4}=\sqrt{2^2}=2$

$\sqrt{\underbrace{1+3+5}_{3개}}=\sqrt{9}=\sqrt{3^2}=3$

$\sqrt{\underbrace{1+3+5+7}_{4개}}=\sqrt{16}=\sqrt{4^2}=4$

$\sqrt{\underbrace{1+3+5+7+9}_{5개}}=\sqrt{25}=\sqrt{5^2}=5$

$\vdots$

$\sqrt{\underbrace{1+3+5+7+9+\cdots+51+53}_{27개}}=\sqrt{27^2}=27$

02 길잡이 $\sqrt{A^2}=|A|=\begin{cases} A\ (A\ge 0) \\ -A\ (A<0) \end{cases}$임을 이용하여 주어진 식을 간단히 한다.

$1<a<b$에서 $a-1>0$, $b-1>0$, $a-b<0$이므로

$$\frac{b}{b-1}-\frac{a}{a-1}=\frac{b(a-1)-a(b-1)}{(b-1)(a-1)}=\frac{a-b}{(b-1)(a-1)}<0$$

또 $\frac{1}{1-a}=-\frac{1}{a-1}<0$, $\frac{1}{b-1}>0$이므로

$$(\text{주어진 식})=-\left(\frac{b}{b-1}-\frac{a}{a-1}\right)-\left(-\frac{1}{1-a}\right)+\frac{1}{b-1}$$
$$=\frac{a}{a-1}-\frac{b}{b-1}+\frac{1}{1-a}+\frac{1}{b-1}$$
$$=\left(\frac{a}{a-1}-\frac{1}{a-1}\right)-\left(\frac{b}{b-1}-\frac{1}{b-1}\right)$$
$$=\frac{a-1}{a-1}-\frac{b-1}{b-1}$$
$$=1-1=0$$

03 길잡이 연속하는 세 짝수 a, b, c를 한 문자를 사용하여 나타낸 후 $\sqrt{a+b+c}$가 자연수가 되기 위한 조건을 생각해 본다.

연속하는 세 짝수 a, b, c를

$a=m-2$, $b=m$, $c=m+2$ (m은 2보다 큰 짝수)라 하면

$a+b+c=(m-2)+m+(m+2)=3m<400$ ⋯ ㉠

$\sqrt{a+b+c}=\sqrt{3m}$이 자연수가 되어야 하므로

$m=3k^2$ (k는 자연수) 꼴이어야 한다.

이때 ㉠에서 $3m=3\times 3k^2=9k^2<400$

$\therefore k^2<\frac{400}{9}=44.444\cdots$

즉, k^2의 값이 될 수 있는 수는 1, 4, 9, 16, 25, 36이고,

$m=3k^2$이므로 m의 값은 3, 12, 27, 48, 75, 108 중에서 짝수인 12, 48, 108이다.

이때 $b=m$이므로 $b=12$, 48, 108

따라서 모든 b의 값의 합은

$12+48+108=168$

04 길잡이 $\sqrt{7a}+\sqrt{b}=11$을 만족시키는 a, b의 값을 먼저 찾는다.

$\sqrt{7a}+\sqrt{b}=11$에서 $\sqrt{7a}$와 $\sqrt{b}$는 모두 자연수이어야 하므로 $7a$와 b는 모두 (자연수)^2 꼴이고, $7a$는 $11^2=121$보다 작은 (자연수)^2 꼴인 수이어야 하므로 $a=7$

$\sqrt{7\times 7}+\sqrt{b}=11$에서 $\sqrt{b}=11-7=4$ $\quad\therefore b=16$

따라서 $a=7$, $b=16$이므로

$\sqrt{2a^2-b}=\sqrt{2\times 7^2-16}=\sqrt{82}$

이때 $\sqrt{81}<\sqrt{82}<\sqrt{100}$, 즉 $9<\sqrt{82}<10$이므로

$\sqrt{82}$보다 작은 자연수의 개수는 9개이다.

05 길잡이 $\sqrt{(A-B)^2}$에서 $A\ge B$이면 $A-B$이고, $A<B$이면 $-(A-B)$임을 이용한다.

$\sqrt{25^2}<\sqrt{629}<\sqrt{26^2}$이므로 $25<x<26$

$\therefore \sqrt{(x-1)^2}+\sqrt{(x-2)^2}+\sqrt{(x-3)^2}+\cdots+\sqrt{(x-49)^2}+\sqrt{(x-50)^2}$
$=(x-1)+(x-2)+(x-3)+\cdots+(x-25)-(x-26)-(x-27)-(x-28)-\cdots-(x-50)$
$=-1-2-3-\cdots-25+26+27+28+\cdots+50$
$=(-1+26)+(-2+27)+\cdots+(-25+50)$
$=\underbrace{25+25+\cdots+25}_{25\text{개}}=25\times 25=625$

06 길잡이 $f(x)=1$, 2, 3, ⋯을 만족시키는 자연수 x의 개수를 각각 구해 본다.

$\sqrt{1}=1$, $\sqrt{4}=2$, $\sqrt{9}=3$, $\sqrt{16}=4$, $\sqrt{25}=5$, ⋯이고

$f(x)$는 $\sqrt{x}$ 이하의 자연수의 개수이므로

$f(1)=f(2)=f(3)=1$,

$f(4)=f(5)=\cdots=f(8)=2$,

$f(9)=f(10)=\cdots=f(15)=3$,

$f(16)=f(17)=\cdots=f(24)=4$

이때 $f(1)+f(2)+\cdots+f(15)=1\times 3+2\times 5+3\times 7=34$

이고 $x=16$, 17, ⋯, 24일 때, $f(x)=4$이므로

$f(1)+f(2)+\cdots+f(15)+f(16)+\cdots+f(20)$

$=34+4\times 5=54$

↳ $54-34=20$이므로 $f(x)=4$인 $f(x)$가 5개 더 필요하다.

따라서 주어진 식이 성립하도록 하는 자연수 n의 값은 20이다.

07 길잡이 $\sqrt{a}-\sqrt{b}=$(무리수)인 경우를 각각 따져 본다.

모든 경우의 수는 $6\times 6=36$

(i) $\sqrt{a}$가 무리수이고, $\sqrt{b}$가 유리수인 경우

$a=2$, 3, 5, 6이고 $b=1$, 4이므로

$4\times 2=8$(가지)

(ii) $\sqrt{a}$가 유리수이고, $\sqrt{b}$가 무리수인 경우

$a=1$, 4이고 $b=2$, 3, 5, 6이므로

$2\times 4=8$(가지)

(iii) $\sqrt{a}$, $\sqrt{b}$가 모두 무리수인 경우

$a=2$, 3, 5, 6이고 $b=2$, 3, 5, 6이므로

$4\times 4=16$(가지)

그런데 $a=b$이면 $\sqrt{a}-\sqrt{b}=0$으로 유리수이므로

$a=b$인 4가지 경우를 제외하면

$16-4=12$(가지)

따라서 (i)~(iii)에 의해 $\sqrt{a}-\sqrt{b}$가 무리수인 경우의 수는

$8+8+12=28$이므로 구하는 확률은

$\frac{28}{36}=\frac{7}{9}$

다른 풀이

모든 경우의 수는 $6\times 6=36$

(i) $\sqrt{a}-\sqrt{b}=0$인 경우, a, b의 순서쌍 (a, b)는

$(1, 1)$, $(2, 2)$, ⋯, $(6, 6)$의 6가지

(ii) $\sqrt{a}$, $\sqrt{b}$가 모두 유리수인 경우, a, b의 순서쌍 (a, b)는

$(1, 1)$, $(1, 4)$, $(4, 1)$, $(4, 4)$

이때 $a=b$인 경우를 제외하면 2가지

따라서 (ⅰ), (ⅱ)에 의해 $\sqrt{a}-\sqrt{b}$가 유리수인 경우의 수는 $6+2=8$이므로 구하는 확률은

$1-\frac{8}{36}=1-\frac{2}{9}=\frac{7}{9}$

08 길잡이 먼저 $a+\sqrt{10}$과 $b-\sqrt{10}$을 수직선 위에 나타낸다.

$3<\sqrt{10}<4$이므로 $a+\sqrt{10}$과 $b-\sqrt{10}$을 빗변의 길이가 $\sqrt{10}$인 직각삼각형을 이용하여 수직선 위에 나타내면 다음 그림과 같다.

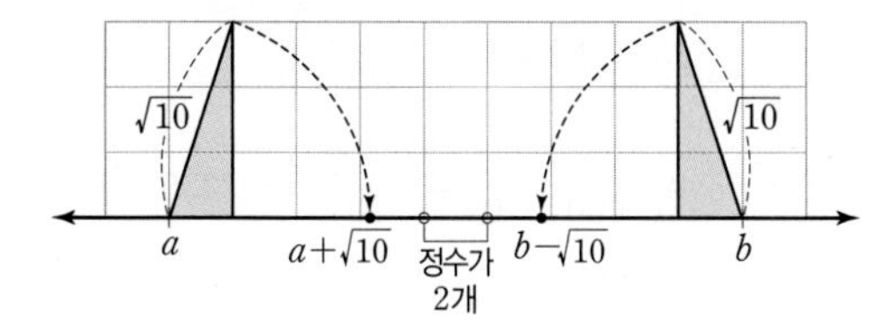

위의 그림에서 a와 $a+\sqrt{10}$ 사이에 있는 정수는 3개,
$a+\sqrt{10}$과 $b-\sqrt{10}$ 사이에 있는 정수는 2개,
$b-\sqrt{10}$과 b 사이에 있는 정수는 3개이므로
두 정수 a, b 사이에 있는 정수는 모두
$3+2+3=8$(개)
따라서 $b-a-1=8$이므로
$b-a=9$

다른 풀이

$3<\sqrt{10}<4$이므로 $a+3<a+\sqrt{10}<a+4$
또 $-4<-\sqrt{10}<-3$이므로 $b-4<b-\sqrt{10}<b-3$
$\therefore a+\sqrt{10}<a+4\leq n\leq b-4<b-\sqrt{10}$
이 식을 만족시키는 정수 n이 2개이므로
$b-4-(a+4)+1=2 \qquad \therefore b-a=9$

2. 근호를 포함한 식의 계산

P. 20~22 개념+대표 문제 확인하기

1 3　**2** ④　**3** ②　**4** ④　**5** $\frac{1}{6}$

6 $\frac{5\sqrt{30}}{3}$　**7** 424　**8** 200.5, 0.02049　**9** ③

10 ④　**11** ④　**12** 2.6122　**13** $\frac{5}{6}$

14 $\frac{7\sqrt{6}}{12}+2\sqrt{5}$　**15** $\frac{5\sqrt{21}}{3}-3\sqrt{7}$

16 $-10+\sqrt{5}$　**17** ③　**18** $-\frac{1}{2}$, $-\frac{9}{2}$

19 $\frac{3\sqrt{3}-2}{3}$

1 $\sqrt{2}\times\sqrt{5}\times2\sqrt{3}\times\sqrt{2a}=\sqrt{2}\times\sqrt{5}\times\sqrt{12}\times\sqrt{2a}$
$=\sqrt{2\times5\times12\times2a}=\sqrt{240a}$
이고 $12\sqrt{5}=\sqrt{720}$이므로
$240a=720$　$\therefore a=3$

2 ① $-a>0$이므로
$\sqrt{(-a)^2b}=\sqrt{(-a)^2}\times\sqrt{b}=(-a)\times\sqrt{b}=-a\sqrt{b}$
② $ab<0$이므로 $\sqrt{a^2b^2}=\sqrt{(ab)^2}=-ab$
③ $a^2b>0$이므로 $-\sqrt{a^4b^2}=-\sqrt{(a^2b)^2}=-a^2b$
④ $\sqrt{\frac{b}{a^2}}=\frac{\sqrt{b}}{\sqrt{a^2}}=\frac{\sqrt{b}}{-a}=-\frac{\sqrt{b}}{a}$
⑤ $\frac{a}{b}<0$이므로 $-\sqrt{\frac{a^2}{b^2}}=-\sqrt{\left(\frac{a}{b}\right)^2}=-\left(-\frac{a}{b}\right)=\frac{a}{b}$
따라서 옳은 것은 ④이다.

3 $\sqrt{0.008}=\sqrt{\frac{80}{10000}}=\frac{\sqrt{80}}{\sqrt{100^2}}=\frac{\sqrt{4^2\times5}}{100}=\frac{4\sqrt{5}}{100}=\frac{1}{25}\sqrt{5}$
$\therefore k=\frac{1}{25}$

4 $\sqrt{108}=\sqrt{2^2\times3^3}=\sqrt{2^2}\times\sqrt{3^3}=(\sqrt{2})^2\times(\sqrt{3})^3=a^2b^3$

5 $\frac{2\sqrt{2}}{\sqrt{5}}=\frac{2\sqrt{2}\times\sqrt{5}}{\sqrt{5}\times\sqrt{5}}=\frac{2\sqrt{10}}{5}$이므로 $a=\frac{2}{5}$
$\frac{5}{\sqrt{48}}=\frac{5}{4\sqrt{3}}=\frac{5\times\sqrt{3}}{4\sqrt{3}\times\sqrt{3}}=\frac{5\sqrt{3}}{12}$이므로 $b=\frac{5}{12}$
$\therefore ab=\frac{2}{5}\times\frac{5}{12}=\frac{1}{6}$

6 (직사각형의 넓이)$=5\sqrt{2}\times3\sqrt{5}=15\sqrt{10}$
(삼각형의 넓이)$=\frac{1}{2}\times6\sqrt{3}\times x=3\sqrt{3}x$
이때 두 도형의 넓이가 같으므로 $15\sqrt{10}=3\sqrt{3}x$
$\therefore x=\frac{15\sqrt{10}}{3\sqrt{3}}=\frac{5\sqrt{10}}{\sqrt{3}}=\frac{5\sqrt{30}}{3}$

7 $\sqrt{16.5}=4.062$이므로 $a=4.062$
$\sqrt{17.8}=4.219$이므로 $b=17.8$
$\therefore 100a+b=406.2+17.8=424$

8 $\sqrt{40200}=\sqrt{4.02\times10000}=100\sqrt{4.02}$
$=100\times2.005=200.5$
$\sqrt{0.00042}=\sqrt{\frac{4.2}{10000}}=\frac{\sqrt{4.2}}{100}=\frac{2.049}{100}=0.02049$

9 ① $\frac{1}{\sqrt{5}}=\frac{\sqrt{5}}{5}=\frac{2.236}{5}=0.4472$
② $\sqrt{0.05}=\sqrt{\frac{5}{100}}=\frac{\sqrt{5}}{10}=\frac{2.236}{10}=0.2236$
③ $\sqrt{0.5}=\sqrt{\frac{50}{100}}=\frac{\sqrt{50}}{10}$이므로 $\sqrt{50}$의 값이 주어져야 한다.
④ $\sqrt{125}=\sqrt{5^2\times5}=5\sqrt{5}=5\times2.236=11.18$
⑤ $\sqrt{500}=\sqrt{10^2\times5}=10\sqrt{5}=10\times2.236=22.36$
따라서 그 값을 소수로 나타낼 수 없는 것은 ③이다.

10 ① $\sqrt{7000}=\sqrt{70\times100}=10\sqrt{70}=10\times8.367=83.67$
② $\sqrt{700}=\sqrt{7\times100}=10\sqrt{7}=10\times2.646=26.46$
③ $\sqrt{28}=2\sqrt{7}=2\times2.646=5.292$
④ $\sqrt{0.007}=\sqrt{\frac{70}{10000}}=\frac{\sqrt{70}}{100}=\frac{8.367}{100}=0.08367$
⑤ $\sqrt{0.0028}=\sqrt{\frac{28}{10000}}=\frac{2\sqrt{7}}{100}=\frac{\sqrt{7}}{50}=\frac{2.646}{50}=0.05292$
따라서 옳지 않은 것은 ④이다.

11 $\sqrt{7.77}=2.787$이므로 양변에 100을 곱하면
$100\sqrt{7.77}=278.7$, $\sqrt{100^2\times7.77}=278.7$
따라서 $\sqrt{a}=\sqrt{100^2\times7.77}$이므로 $a=77700$

12 $\frac{\sqrt{18}}{6}+\sqrt{3.63}=\frac{3\sqrt{2}}{6}+\sqrt{\frac{121\times3}{100}}=\frac{\sqrt{2}}{2}+\frac{11\sqrt{3}}{10}$
$=\frac{5\sqrt{2}+11\sqrt{3}}{10}=\frac{5\times1.414+11\times1.732}{10}$
$=\frac{26.122}{10}=2.6122$

13 $\frac{\sqrt{80}}{3}-a\sqrt{5}+\frac{\sqrt{45}}{2}=\frac{4\sqrt{5}}{3}-a\sqrt{5}+\frac{3\sqrt{5}}{2}$
$=\left(\frac{4}{3}-a+\frac{3}{2}\right)\sqrt{5}$
이므로 $\frac{4}{3}-a+\frac{3}{2}=2$, $17-6a=12$　$\therefore a=\frac{5}{6}$

14 $A=\sqrt{2}\left(\frac{1}{\sqrt{3}}-\frac{5}{\sqrt{10}}\right)=\frac{\sqrt{2}}{\sqrt{3}}-\frac{5}{\sqrt{5}}=\frac{\sqrt{6}}{3}-\sqrt{5}$
$B=\sqrt{3}\left(\frac{1}{\sqrt{2^3}}+\sqrt{15}\right)=\frac{\sqrt{3}}{2\sqrt{2}}+3\sqrt{5}=\frac{\sqrt{6}}{4}+3\sqrt{5}$
$\therefore A+B=\frac{\sqrt{6}}{3}-\sqrt{5}+\frac{\sqrt{6}}{4}+3\sqrt{5}=\frac{7\sqrt{6}}{12}+2\sqrt{5}$

15 $\frac{2\sqrt{7}+\sqrt{21}}{\sqrt{3}}-\sqrt{7}\left(4-\frac{6}{\sqrt{12}}\right)$
$=\frac{(2\sqrt{7}+\sqrt{21})\times\sqrt{3}}{\sqrt{3}\times\sqrt{3}}-4\sqrt{7}+\frac{6\sqrt{7}}{2\sqrt{3}}$
$=\frac{2\sqrt{21}+3\sqrt{7}}{3}-4\sqrt{7}+\frac{3\sqrt{7}}{\sqrt{3}}$
$=\frac{2\sqrt{21}}{3}+\sqrt{7}-4\sqrt{7}+\sqrt{21}$
$=\frac{5\sqrt{21}}{3}-3\sqrt{7}$

16 정사각형 PQRS의 넓이가 5이므로 한 변의 길이는 $\sqrt{5}$이다.
$\overline{RA}=\overline{RQ}=\sqrt{5}$, $\overline{RB}=\overline{RS}=\sqrt{5}$이므로
$a=-2-\sqrt{5}$, $b=-2+\sqrt{5}$
$\therefore 2a+3b=2\times(-2-\sqrt{5})+3\times(-2+\sqrt{5})$
$=-4-2\sqrt{5}-6+3\sqrt{5}$
$=-10+\sqrt{5}$

17 ① $(2+\sqrt{11})-6=\sqrt{11}-4=\sqrt{11}-\sqrt{16}<0$
$\therefore 2+\sqrt{11}<6$
② $(\sqrt{24}+1)-\sqrt{54}=2\sqrt{6}+1-3\sqrt{6}=1-\sqrt{6}<0$
$\therefore \sqrt{24}+1<\sqrt{54}$
③ $(2+\sqrt{5})-(\sqrt{45}-1)=2+\sqrt{5}-3\sqrt{5}+1$
$=3-2\sqrt{5}=\sqrt{9}-\sqrt{20}<0$
$\therefore 2+\sqrt{5}<\sqrt{45}-1$
④ $(5-\sqrt{63})-(3-2\sqrt{7})=5-3\sqrt{7}-3+2\sqrt{7}$
$=2-\sqrt{7}=\sqrt{4}-\sqrt{7}<0$
$\therefore 5-\sqrt{63}<3-2\sqrt{7}$
⑤ $\left(\frac{2}{\sqrt{3}}-1\right)-\left(\frac{\sqrt{3}}{\sqrt{2}}-1\right)=\frac{2}{\sqrt{3}}-\frac{\sqrt{3}}{\sqrt{2}}$
$=\sqrt{\frac{4}{3}}-\sqrt{\frac{3}{2}}=\sqrt{\frac{8}{6}}-\sqrt{\frac{9}{6}}<0$
$\therefore \frac{2}{\sqrt{3}}-1<\frac{\sqrt{3}}{\sqrt{2}}-1$
따라서 옳은 것은 ③이다.

18 $\sqrt{2}\left(\sqrt{3}+\frac{a}{\sqrt{2}}\right)-2(2-a\sqrt{6})=\sqrt{6}+a-4+2a\sqrt{6}$
$=a-4+(2a+1)\sqrt{6}$ $\cdots$ ㉠
이 식이 유리수가 되려면
$2a+1=0$ $\therefore a=-\frac{1}{2}$
$a=-\frac{1}{2}$을 ㉠의 식에 대입하면
$-\frac{1}{2}-4+(-1+1)\sqrt{6}=-\frac{9}{2}$

19 $1<\sqrt{3}<2$에서 $-2<-\sqrt{3}<-1$이므로
$2<4-\sqrt{3}<3$ $\therefore a=2$
$b=(4-\sqrt{3})-2=2-\sqrt{3}$
$\therefore \frac{a}{\sqrt{3}}-\frac{b}{3}=\frac{2}{\sqrt{3}}-\frac{2-\sqrt{3}}{3}=\frac{2\sqrt{3}}{3}-\frac{2-\sqrt{3}}{3}=\frac{3\sqrt{3}-2}{3}$

P. 23~27 내신 5% 따라잡기

1 $\frac{1}{2}$	2 6	3 73	4 ③	5 $\frac{\sqrt{14}}{2}$배
6 $\frac{4\sqrt{6}}{15}$	7 ②	8 10, 20	9 $24\sqrt{2}\,cm^2$	
10 ③	11 7.875	12 11.4126		13 4
14 $8\sqrt{2}$	15 ①	16 $\frac{503}{40}$	17 ③	
18 $8-\sqrt{13}-\sqrt{5}$		19 $\frac{2}{5}$	20 ⑤	21 $8+3\sqrt{3}$
22 $8-5\sqrt{2}$		23 $38+6\sqrt{70}$		24 $\frac{52\sqrt{2}}{9}\pi$
25 ⑤	26 $\sqrt{5}\pi$	27 30	28 $20+8\sqrt{2}$	
29 $70\sqrt{2}$				

1 $\sqrt{2}\times\sqrt{7}\times\sqrt{a}\times\sqrt{2a}\times\sqrt{28}=\sqrt{2\times7\times a\times2a\times28}$
$=\sqrt{2^4\times7^2\times a^2}=\sqrt{(2^2\times7\times a)^2}$
$=\sqrt{(28a)^2}=28a$ ($\because a>0$)
따라서 $28a=14$이므로 $a=\frac{1}{2}$

2 $\sqrt{252}=\sqrt{6^2\times7}=6\sqrt{7}$이므로 $a=6$
$\sqrt{2700}=\sqrt{30^2\times3}=30\sqrt{3}$이므로 $b=30$
$\sqrt{ab}=\sqrt{6\times30}=\sqrt{180}=\sqrt{6^2\times5}=6\sqrt{5}$ $\therefore c=6$

3 $2\sqrt{30+a}=8\sqrt{5}$에서
$2\sqrt{30+a}=\sqrt{2^2\times(30+a)}=\sqrt{120+4a}$이고
$8\sqrt{5}=\sqrt{320}$이므로
$120+4a=320$, $4a=200$ $\therefore a=50$
$\sqrt{25-b}=4\sqrt{3}$에서 $4\sqrt{3}=\sqrt{48}$이므로
$25-b=48$ $\therefore b=-23$
$\therefore a-b=50-(-23)=73$

4 $\sqrt{0.025}=\sqrt{\frac{250}{10000}}=\frac{5\sqrt{10}}{100}=\frac{\sqrt{10}}{20}=\frac{1}{20}b$
$\sqrt{1200}=\sqrt{400\times3}=20\sqrt{3}=20a$
$\therefore \sqrt{0.025}+\sqrt{1200}=\frac{1}{20}b+20a=20a+\frac{1}{20}b$

5 지구의 질량을 m kg, 반지름의 길이를 r km라 하면
지구에서 탈출 속력은 $\sqrt{\frac{2Gm}{r}}$ km/s이고
천왕성의 질량은 $14m$ kg, 반지름의 길이는 $4r$ km이므로
천왕성에서 탈출 속력은 $\sqrt{\frac{2G\times14m}{4r}}=\sqrt{\frac{7Gm}{r}}$(km/s)
따라서 천왕성에서 탈출 속력은 지구에서 탈출 속력의
$\sqrt{\frac{7Gm}{r}}\div\sqrt{\frac{2Gm}{r}}=\sqrt{\frac{7Gm}{r}\times\frac{r}{2Gm}}$
$=\frac{\sqrt{7}}{\sqrt{2}}=\frac{\sqrt{14}}{2}$(배)

6 $\dfrac{5a+3b}{3a-b}=2$에서 $5a+3b=6a-2b$ $\qquad \therefore a=5b$

주어진 식에 $a=5b$를 대입하면

$\dfrac{\sqrt{32b^2}}{\sqrt{3a^2}}=\sqrt{\dfrac{32b^2}{3\times25b^2}}=\dfrac{4\sqrt{2}}{5\sqrt{3}}=\dfrac{4\sqrt{6}}{15}$

7 (가) $=\sqrt{6}\times\dfrac{\sqrt{5}}{\sqrt{12}}\div\dfrac{\sqrt{20}}{\sqrt{3}}=\sqrt{6}\times\dfrac{\sqrt{5}}{\sqrt{12}}\times\dfrac{\sqrt{3}}{\sqrt{20}}$

$=\dfrac{\sqrt{3}}{2\sqrt{2}}=\dfrac{\sqrt{6}}{4}$

8 넓이가 5π인 원의 반지름의 길이를 r라 하면

$\pi r^2=5\pi$, $r^2=5$

이때 $r>0$이므로 $r=\sqrt{5}$

즉, 내접하는 정사각형의 대각선의 길이는 $2\times\sqrt{5}=2\sqrt{5}$이므로

(내접하는 정사각형의 넓이)$=\dfrac{1}{2}\times2\sqrt{5}\times2\sqrt{5}=10$

또 외접하는 정사각형의 한 변의 길이는 $2\sqrt{5}$이므로

(외접하는 정사각형의 넓이)$=2\sqrt{5}\times2\sqrt{5}=20$

9 정육면체의 한 모서리의 길이를 a cm라 하면

$\triangle$EFG에서 $\overline{EG}=\sqrt{a^2+a^2}=\sqrt{2a^2}=\sqrt{2}a$(cm)

$\triangle$AEG는 $\angle$AEG$=90°$인 직각삼각형이므로

$\overline{AG}=\sqrt{a^2+(\sqrt{2}a)^2}=\sqrt{3a^2}=\sqrt{3}a$(cm)

즉, $\sqrt{3}a=12$이므로 $a=\dfrac{12}{\sqrt{3}}=4\sqrt{3}$

$\overline{EG}=\sqrt{2}a=\sqrt{2}\times4\sqrt{3}=4\sqrt{6}$(cm)이므로

$\triangle AEG=\dfrac{1}{2}\times4\sqrt{6}\times4\sqrt{3}=24\sqrt{2}$(cm^2)

10 오른쪽 그림과 같은 정삼각형 ABC의 점 A에서 $\overline{BC}$에 내린 수선의 발을 H라 하고 $\overline{AC}=x$ cm라 하면

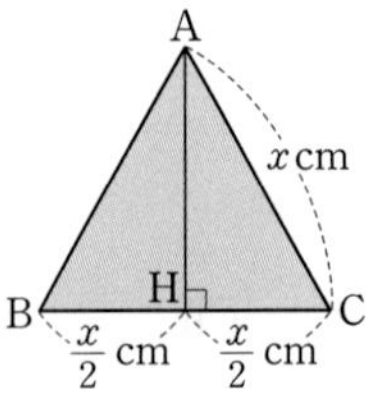

A
x cm
B
H
C
$\frac{x}{2}$ cm
$\frac{x}{2}$ cm

$\triangle$AHC에서

$\overline{AH}=\sqrt{x^2-\left(\dfrac{x}{2}\right)^2}=\dfrac{\sqrt{3}}{2}x$(cm)

이므로

$\triangle ABC=\dfrac{1}{2}\times x\times\dfrac{\sqrt{3}}{2}x=\dfrac{\sqrt{3}}{4}x^2$(cm^2)

즉, $\dfrac{\sqrt{3}}{4}x^2=4\sqrt{3}$이므로 $x^2=4\sqrt{3}\times\dfrac{4}{\sqrt{3}}=16$

이때 $x>0$이므로 $x=4$

따라서 구하는 둘레의 길이는 $3\times4=12$(cm)

11 $\sqrt{62.01}=\sqrt{9\times6.89}=3\sqrt{6.89}=3\times2.625=7.875$

12 $\sqrt{136}=\sqrt{100\times1.36}=10\sqrt{1.36}=10\times1.166=11.66$

$\sqrt{0.0612}=\sqrt{\dfrac{4\times1.53}{100}}=\sqrt{\dfrac{1.53}{25}}=\dfrac{\sqrt{1.53}}{5}=\dfrac{1.237}{5}=0.2474$

$\therefore x=\sqrt{136}-\sqrt{0.0612}=11.66-0.2474=11.4126$

13 주어진 표에서 $234^2=54756$이므로

$(2.34\times100)^2=54756$,

$2.34^2\times100^2=54756$,

$2.34^2=\dfrac{54756}{100^2}$ $\qquad \therefore 2.34^2=5.4756$

따라서 오른쪽과 같은 표를 얻을 수 있다.

$\frac{a}{100}$	$\frac{a^2}{10000}$
2.34	5.4756
2.35	5.5225
2.36	5.5696
2.37	5.6169
2.38	5.6644

이때 $5.4756<5.5<5.5225$이므로

$2.34<\sqrt{5.5}<2.35$

따라서 $\sqrt{5.5}$를 소수로 나타내었을 때, 소수점 아래 둘째 자리의 숫자는 4이다.

14 $a>0$, $b>0$일 때, $a=\sqrt{a^2}$, $b=\sqrt{b^2}$이므로

$a\sqrt{\dfrac{3b}{a}}+b\sqrt{\dfrac{a}{3b}}=\sqrt{a^2}\sqrt{\dfrac{3b}{a}}+\sqrt{b^2}\sqrt{\dfrac{a}{3b}}$

$=\sqrt{a^2\times\dfrac{3b}{a}}+\sqrt{b^2\times\dfrac{a}{3b}}$

$=\sqrt{3ab}+\sqrt{\dfrac{ab}{3}}$

$=\sqrt{3\times24}+\sqrt{\dfrac{24}{3}}$

$=\sqrt{72}+\sqrt{8}=6\sqrt{2}+2\sqrt{2}$

$=8\sqrt{2}$

15 $x+y=\sqrt{6}+1+\sqrt{6}-1=2\sqrt{6}$

$x-y=\sqrt{6}+1-(\sqrt{6}-1)=2$

$\therefore \dfrac{1}{x+y}-\dfrac{1}{x-y}=\dfrac{1}{2\sqrt{6}}-\dfrac{1}{2}=\dfrac{\sqrt{6}}{12}-\dfrac{6}{12}=\dfrac{\sqrt{6}-6}{12}$

16 (주어진 식)$=\left(2\sqrt{5}-\dfrac{6\sqrt{3}}{\sqrt{15}}\right)^2+\left(\dfrac{18}{2\sqrt{6}}-3\sqrt{6}+\dfrac{\sqrt{3}}{2\sqrt{2}}\right)^2$

$=\left(2\sqrt{5}-\dfrac{6\sqrt{5}}{5}\right)^2+\left(\dfrac{3\sqrt{6}}{2}-3\sqrt{6}+\dfrac{\sqrt{6}}{4}\right)^2$

$=\left(\dfrac{4\sqrt{5}}{5}\right)^2+\left(-\dfrac{5\sqrt{6}}{4}\right)^2$

$=\dfrac{16}{5}+\dfrac{75}{8}=\dfrac{503}{40}$

17 $(1+2\sqrt{2})a-(-1+\sqrt{2})b=a+2\sqrt{2}a+b-\sqrt{2}b$

$=a+b+(2a-b)\sqrt{2}$

$=5+7\sqrt{2}$

이때 a, b는 유리수이므로 $a+b=5$, $2a-b=7$

두 식을 연립하여 풀면 $a=4$, $b=1$

$\therefore a-b=4-1=3$

18 $\overline{AP}=\overline{AB}=\sqrt{1^2+2^2}=\sqrt{5}$이므로

점 P에 대응하는 수는 $-6+\sqrt{5}$이다.

$\overline{EQ}=\overline{EH}=\sqrt{3^2+2^2}=\sqrt{13}$이므로

점 Q에 대응하는 수는 $2-\sqrt{13}$이다.

따라서 두 점 P, Q 사이의 거리는

$(2-\sqrt{13})-(-6+\sqrt{5})=8-\sqrt{13}-\sqrt{5}$

19 $f(2)+f(3)+\cdots+f(49)$

$=\left(\frac{1}{\sqrt{2}}-\frac{1}{\sqrt{3}}\right)+\left(\frac{1}{\sqrt{3}}-\frac{1}{\sqrt{4}}\right)+\left(\frac{1}{\sqrt{4}}-\frac{1}{\sqrt{5}}\right)$

$+\cdots+\left(\frac{1}{\sqrt{49}}-\frac{1}{\sqrt{50}}\right)$

$=\frac{1}{\sqrt{2}}-\frac{1}{\sqrt{50}}=\frac{\sqrt{2}}{2}-\frac{1}{5\sqrt{2}}=\frac{5\sqrt{2}}{10}-\frac{\sqrt{2}}{10}=\frac{4\sqrt{2}}{10}=\frac{2\sqrt{2}}{5}$

따라서 $a\sqrt{2}=\frac{2\sqrt{2}}{5}$이므로 $a=\frac{2}{5}$

20 $3\sqrt{2}-4=\sqrt{18}-\sqrt{16}>0$이고,

$5-4\sqrt{2}=\sqrt{25}-\sqrt{32}<0$이므로

$\sqrt{(3\sqrt{2}-4)^2}-\sqrt{(5-4\sqrt{2})^2}+\sqrt{(-2)^2}$

$=(3\sqrt{2}-4)-\{-(5-4\sqrt{2})\}+2$

$=3\sqrt{2}-4+5-4\sqrt{2}+2$

$=3-\sqrt{2}$

따라서 $a=3$, $b=-1$이므로 $a+b=3+(-1)=2$

21 $A-B=(\sqrt{75}-2)-\sqrt{48}=5\sqrt{3}-2-4\sqrt{3}$

$=\sqrt{3}-2=\sqrt{3}-\sqrt{4}<0$

$\therefore A<B$

$A-C=(\sqrt{75}-2)-(8-\sqrt{3})=5\sqrt{3}-2-8+\sqrt{3}$

$=6\sqrt{3}-10=\sqrt{108}-\sqrt{100}>0$

$\therefore A>C$

따라서 $C<A<B$이므로 $M=\sqrt{48}$, $m=8-\sqrt{3}$이다.

$\therefore M+m=\sqrt{48}+(8-\sqrt{3})$

$=4\sqrt{3}+8-\sqrt{3}$

$=8+3\sqrt{3}$

22 $2\sqrt{2}=\sqrt{8}$이고, $2<\sqrt{8}<3$이므로 $a=2\sqrt{2}-2$

$3\sqrt{2}=\sqrt{18}$이고, $4<\sqrt{18}<5$에서 $-5<-\sqrt{18}<-4$이므로

$5<10-\sqrt{18}<6$

$\therefore b=(10-3\sqrt{2})-5=5-3\sqrt{2}$

$a-1=(2\sqrt{2}-2)-1=2\sqrt{2}-3=\sqrt{8}-\sqrt{9}<0$이고,

$b=5-3\sqrt{2}=\sqrt{25}-\sqrt{18}>0$이므로

$\sqrt{(a-1)^2}+\sqrt{b^2}=-(a-1)+b$

$=-(2\sqrt{2}-3)+(5-3\sqrt{2})$

$=-2\sqrt{2}+3+5-3\sqrt{2}=8-5\sqrt{2}$

23 직육면체의 높이를 h라 하면 직육면체의 부피가

$14\sqrt{5}+5\sqrt{14}$이므로

$\sqrt{14}\times\sqrt{5}\times h=14\sqrt{5}+5\sqrt{14}$

$\therefore h=\frac{14\sqrt{5}+5\sqrt{14}}{\sqrt{14}\times\sqrt{5}}=\sqrt{14}+\sqrt{5}$

$\therefore$ (직육면체의 겉넓이)

$=2\times\{\sqrt{14}\times\sqrt{5}+\sqrt{14}\times(\sqrt{14}+\sqrt{5})+\sqrt{5}\times(\sqrt{14}+\sqrt{5})\}$

$=2\times(\sqrt{70}+14+\sqrt{70}+\sqrt{70}+5)$

$=2\times(19+3\sqrt{70})=38+6\sqrt{70}$

24 (처음 원뿔의 부피)$=\frac{1}{3}\times\pi\times(\sqrt{6})^2\times\sqrt{18}$

$=\frac{1}{3}\pi\times6\times3\sqrt{2}=6\sqrt{2}\pi$

처음 원뿔과 잘라 낸 원뿔의 닮음비는 3 : 1이므로 부피의 비는 27 : 1이다. 즉, 잘라 낸 원뿔의 부피는

$6\sqrt{2}\pi\times\frac{1}{27}=\frac{2\sqrt{2}}{9}\pi$

따라서 구하는 원뿔대의 부피는

$6\sqrt{2}\pi-\frac{2\sqrt{2}}{9}\pi=\frac{52\sqrt{2}}{9}\pi$

25 한 변의 길이가 8 cm인 정사각형 안에 그린 세 정사각형의 넓이는 각각

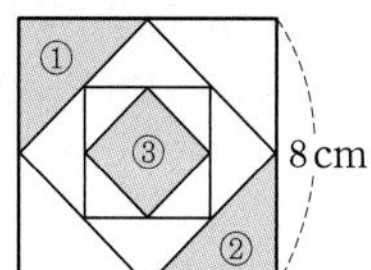

$64\times\frac{1}{2}=32(\text{cm}^2)$,

$32\times\frac{1}{2}=16(\text{cm}^2)$, $16\times\frac{1}{2}=8(\text{cm}^2)$

이므로 세 정사각형의 한 변의 길이는 각각

$4\sqrt{2}$ cm, 4 cm, $2\sqrt{2}$ cm이다.

따라서 직각삼각형 ①, ②의 둘레의 길이는 각각

$4+4+4\sqrt{2}=8+4\sqrt{2}(\text{cm})$이고,

정사각형 ③의 둘레의 길이는 $4\times2\sqrt{2}=8\sqrt{2}(\text{cm})$이므로

색칠한 부분의 둘레의 길이의 합은

$2\times(8+4\sqrt{2})+8\sqrt{2}=16+8\sqrt{2}+8\sqrt{2}$

$=16+16\sqrt{2}(\text{cm})$

26 사분원 A의 반지름의 길이는 2

사분원 B의 반지름의 길이는

$(1+\sqrt{5})-2=\sqrt{5}-1$

사분원 C의 반지름의 길이는

$2-(\sqrt{5}-1)=3-\sqrt{5}$

사분원 D의 반지름의 길이는

$(\sqrt{5}-1)-(3-\sqrt{5})=2\sqrt{5}-4$

따라서 사분원 A, B, C, D의 호의 길이의 합은

$\frac{1}{4}\times2\pi\times2+\frac{1}{4}\times2\pi\times(\sqrt{5}-1)+\frac{1}{4}\times2\pi\times(3-\sqrt{5})$

$+\frac{1}{4}\times2\pi\times(2\sqrt{5}-4)$

$=\frac{1}{4}\times2\pi\times\{2+(\sqrt{5}-1)+(3-\sqrt{5})+(2\sqrt{5}-4)\}$

$=\frac{1}{4}\times2\pi\times2\sqrt{5}=\sqrt{5}\pi$

27 길잡이 먼저 솔이의 자의 눈금 7에서부터 63까지의 거리를 구해 본다.

솔이의 자의 눈금 7에서부터 63까지의 거리와 민이의 자의 눈금 0에서부터 A까지의 거리가 같으므로 민이의 자의 눈금 0에서부터 A까지의 거리를 x라 하면

$\sqrt{63}-\sqrt{7}=x$, $3\sqrt{7}-\sqrt{7}=x$ $\therefore x=2\sqrt{7}$

이때 $A=x^2+2$이므로 이 식에 $x=2\sqrt{7}$을 대입하면

$A=(2\sqrt{7})^2+2=28+2=30$

28 길잡이 7개의 조각의 각 변의 길이를 구한 후 주어진 도형의 둘레의 길이를 구해 본다.

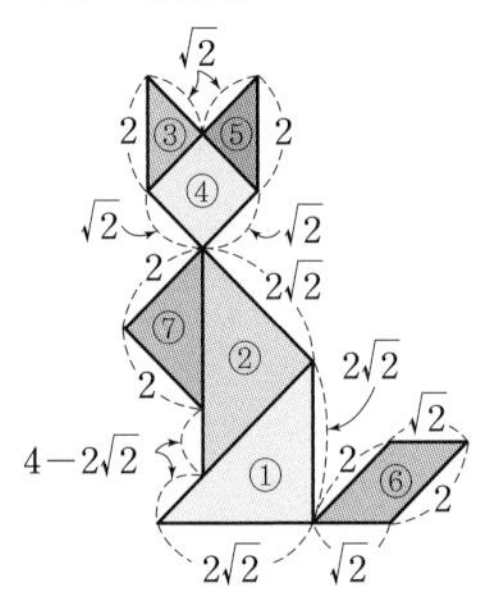

(고양이 모양의 도형의 둘레의 길이)

$=2+\sqrt{2}+2+2+(4-2\sqrt{2})+(4-2\sqrt{2})+2\sqrt{2}+\sqrt{2}+2$
$\quad+\sqrt{2}+2+2\sqrt{2}+2\sqrt{2}+\sqrt{2}+2+\sqrt{2}+\sqrt{2}$
$=20+8\sqrt{2}$

29 길잡이 정사각형 A_7까지 그린 도형의 둘레의 길이는 정사각형 A_1, A_2, A_3, $\cdots$, A_7의 둘레의 길이의 합에서 겹치는 부분인 6개의 정사각형의 둘레의 길이의 합을 뺀 것과 같다.

정사각형 A_1의 한 변의 길이는 $\sqrt{1^2+1^2}=\sqrt{2}$이므로

정사각형 A_1, A_2, A_3, $\cdots$, A_7의 한 변의 길이는 각각 $\sqrt{2}$, $2\sqrt{2}$, $3\sqrt{2}$, $4\sqrt{2}$, $5\sqrt{2}$, $6\sqrt{2}$, $7\sqrt{2}$이다.

이때 두 정사각형의 겹치는 부분인 정사각형의 한 변의 길이는 두 정사각형 중 작은 정사각형의 한 변의 길이의 $\frac{1}{2}$이다.

따라서 정사각형 A_7까지 그렸을 때, 겹치는 부분인 6개의 정사각형의 한 변의 길이를 차례로 구하면

$\frac{1}{2}\times\sqrt{2}=\frac{\sqrt{2}}{2}$, $\frac{1}{2}\times2\sqrt{2}=\sqrt{2}$, $\frac{1}{2}\times3\sqrt{2}=\frac{3\sqrt{2}}{2}$,

$\frac{1}{2}\times4\sqrt{2}=2\sqrt{2}$, $\frac{1}{2}\times5\sqrt{2}=\frac{5\sqrt{2}}{2}$, $\frac{1}{2}\times6\sqrt{2}=3\sqrt{2}$

즉, $\frac{\sqrt{2}}{2}$, $\sqrt{2}$, $\frac{3\sqrt{2}}{2}$, $2\sqrt{2}$, $\frac{5\sqrt{2}}{2}$, $3\sqrt{2}$이다.

$\therefore$ (구하는 도형의 둘레의 길이)

$=$(정사각형 A_1, A_2, A_3, $\cdots$, A_7의 둘레의 길이의 합)
$\quad-$(겹치는 부분인 6개의 정사각형의 둘레의 길이의 합)

$=4\times(\sqrt{2}+2\sqrt{2}+3\sqrt{2}+4\sqrt{2}+5\sqrt{2}+6\sqrt{2}+7\sqrt{2})$
$\quad-4\times\left(\frac{\sqrt{2}}{2}+\sqrt{2}+\frac{3\sqrt{2}}{2}+2\sqrt{2}+\frac{5\sqrt{2}}{2}+3\sqrt{2}\right)$

$=4\times28\sqrt{2}-4\times\frac{21\sqrt{2}}{2}$

$=112\sqrt{2}-42\sqrt{2}=70\sqrt{2}$

P. 28~29 내신 1% 뛰어넘기

01 4	**02** ④	**03** 다섯 자리	**04** ②
05 (6, 54), (24, 24), (54, 6)		**06** -1	
07 $\frac{42+21\sqrt{3}}{4}$	**08** $(2+\sqrt{2})\pi$		

01 길잡이 $a>0$, $b>0$일 때, $\frac{\sqrt{a}}{\sqrt{b}}=\sqrt{\frac{a}{b}}$임을 이용한다.

$\frac{\sqrt{6^8+4^9}}{\sqrt{18^4+4^7}}=\sqrt{\frac{6^8+4^9}{18^4+4^7}}=\sqrt{\frac{(2\times3)^8+(2^2)^9}{(2\times3^2)^4+(2^2)^7}}$

$=\sqrt{\frac{2^8\times3^8+2^{18}}{2^4\times3^8+2^{14}}}=\sqrt{\frac{2^8\times(3^8+2^{10})}{2^4\times(3^8+2^{10})}}$

$=\sqrt{2^4}=4$

02 길잡이 $\sqrt{0.3}=\sqrt{\frac{3}{10}}$을 변형한 후 a, b를 사용하여 나타내고, $\sqrt{0.5}=\sqrt{\frac{5}{10}}$를 변형한 후 c, d를 사용하여 나타낸다.

$\sqrt{0.3}=\sqrt{\frac{3}{10}}=\sqrt{\frac{3^2}{30}}=\frac{3}{\sqrt{30}}=\frac{a^2}{b}$

$\sqrt{0.5}=\sqrt{\frac{5}{10}}=\sqrt{\frac{5^2}{50}}=\frac{5}{\sqrt{50}}=\frac{c^2}{d}$

$\therefore \sqrt{0.3}+\sqrt{0.5}=\frac{a^2}{b}+\frac{c^2}{d}$

03 길잡이 근호 안의 수 $1\times2\times3\times\cdots\times10$을 소인수분해한다.

$1\times2\times3\times\cdots\times10=2^8\times3^4\times5^2\times7$
$=(2^4\times3^2\times5)^2\times7$
$=720^2\times7$

$\therefore 25\sqrt{1\times2\times3\times\cdots\times10}=25\sqrt{720^2\times7}$
$=25\times720\times\sqrt{7}$
$=18000\sqrt{7}$

이때 $2<\sqrt{7}<3$이므로

$36000<18000\sqrt{7}<54000$

따라서 정수 부분은 다섯 자리의 수이다.

04 길잡이 $12-\sqrt{5}$의 소수 부분 a를 구한 후, $\sqrt{5}$를 a를 사용하여 나타낸다.

$2<\sqrt{5}<3$에서 $-3<-\sqrt{5}<-2$이므로

$9<12-\sqrt{5}<10$

즉, $12-\sqrt{5}$의 정수 부분은 9이므로

$a=12-\sqrt{5}-9=3-\sqrt{5}$ $\cdots$ ㉠

$4\sqrt{5}=\sqrt{80}$이고 $8<\sqrt{80}<9$에서 $4\sqrt{5}$의 정수 부분은 8이므로

$4\sqrt{5}$의 소수 부분은 $4\sqrt{5}-8$

㉠에서 $\sqrt{5}=3-a$이므로

$4\sqrt{5}-8=4(3-a)-8=4-4a$

05 길잡이 제곱근의 덧셈과 뺄셈은 근호 안의 수가 같은 수끼리 계산할 수 있음을 이용한다.

$\sqrt{96}=\sqrt{4^2\times6}=4\sqrt{6}$이므로

$\sqrt{x}+\sqrt{y}=4\sqrt{6}$ $\cdots$ ㉠

$4\sqrt{6}$은 무리수이고 x, y는 자연수이므로 ㉠을 만족시키는 x, y는 $x=6\times k^2$, $y=6\times l^2$(k, l은 자연수) 꼴이어야 한다.

㉠에서 $\sqrt{6\times k^2}+\sqrt{6\times l^2}=4\sqrt{6}$이므로

$k\sqrt{6}+l\sqrt{6}=4\sqrt{6}$ $\quad\therefore k+l=4$

$k+l=4$를 만족시키는 두 자연수 k, l의 값은

$k=1$, $l=3$ 또는 $k=2$, $l=2$ 또는 $k=3$, $l=1$

(i) $k=1$, $l=3$일 때

$x=6\times1^2=6$, $y=6\times3^2=54$

(ii) $k=2$, $l=2$일 때

$x=6\times2^2=24$, $y=6\times2^2=24$

(iii) $k=3$, $l=1$일 때

$x=6\times3^2=54$, $y=6\times1^2=6$

따라서 (i)~(iii)에 의해 구하는 순서쌍 (x, y)는

$(6, 54)$, $(24, 24)$, $(54, 6)$이다.

06

길잡이 먼저 부등식의 해를 구해 본다.

$\sqrt{6}(\sqrt{3}-\sqrt{2})x-\sqrt{3}>3\sqrt{2}x-1$에서

$3\sqrt{2}x-2\sqrt{3}x-3\sqrt{2}x>-1+\sqrt{3}$

$-2\sqrt{3}x>-1+\sqrt{3}$

$\therefore x<\dfrac{-1+\sqrt{3}}{-2\sqrt{3}}=\dfrac{(-1+\sqrt{3})\times\sqrt{3}}{-2\sqrt{3}\times\sqrt{3}}=\dfrac{\sqrt{3}-3}{6}$

이때 $1<\sqrt{3}<2$이므로 $-\dfrac{1}{3}<\dfrac{\sqrt{3}-3}{6}<-\dfrac{1}{6}$

따라서 $x<\dfrac{\sqrt{3}-3}{6}$에서 $\dfrac{\sqrt{3}-3}{6}$이 -1과 0 사이에 있는 수이므로 x의 값 중 가장 큰 정수는 -1이다.

07

길잡이 서로 닮은 두 평면도형의 닮음비가 $m : n$일 때, 넓이의 비는 $m^2 : n^2$임을 이용한다.

정육각형과 각 변의 중점을 연결하여 그린 정육각형은 서로 닮음이고, 두 정육각형의 넓이의 비가 4 : 3으로 일정하므로 닮음비는 $\sqrt{4} : \sqrt{3}=2 : \sqrt{3}$

즉, 두 정육각형의 한 변의 길이의 비는 $2 : \sqrt{3}\left(=1 : \dfrac{\sqrt{3}}{2}\right)$이므로 정육각형의 각 변의 중점을 연결하여 그린 정육각형의 둘레의 길이는 이전 정육각형의 둘레의 길이의 $\dfrac{\sqrt{3}}{2}$배이다.

$\therefore$ (색칠한 부분의 둘레의 길이의 합)

$=$(4개의 정육각형의 둘레의 길이의 합)

$=6+\left(6\times\dfrac{\sqrt{3}}{2}\right)+\left(6\times\dfrac{\sqrt{3}}{2}\times\dfrac{\sqrt{3}}{2}\right)+\left(6\times\dfrac{\sqrt{3}}{2}\times\dfrac{\sqrt{3}}{2}\times\dfrac{\sqrt{3}}{2}\right)$

$=6+3\sqrt{3}+\dfrac{9}{2}+\dfrac{9\sqrt{3}}{4}$

$=\dfrac{42+21\sqrt{3}}{4}$

08

길잡이 점 B가 움직인 자리를 그려 본다.

점 B가 움직인 자리는 다음 그림과 같다.

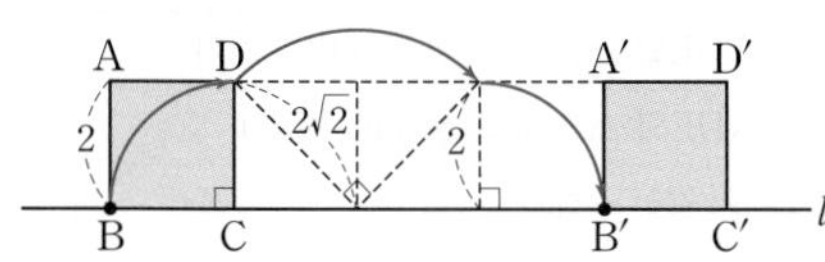

한 변의 길이가 2인 정사각형의 대각선의 길이는 $\sqrt{2^2+2^2}=2\sqrt{2}$이므로

(점 B가 움직인 거리)

$=\dfrac{1}{4}\times2\pi\times2+\dfrac{1}{4}\times2\pi\times2\sqrt{2}+\dfrac{1}{4}\times2\pi\times2$

$=\pi+\sqrt{2}\pi+\pi=(2+\sqrt{2})\pi$

P. 30~31 **1~2 서술형 완성하기**

[과정은 풀이 참조]

1 a^2+bc **2** $\dfrac{1}{6}$ **3** 3 **4** $-\dfrac{1}{3}$

5 $3\sqrt{14}$ cm, $36\sqrt{14}$ cm^3 **6** $28\sqrt{5}$ cm

7 9개 **8** $7\sqrt{3}$ cm

1

$a<0$, $c<0$이므로 $-ac<0$

$\therefore \sqrt{(-ac)^2}=-(-ac)=ac$ … (i)

$a<c$에서 $c-a>0$이고, $b<0$이므로

$b(c-a)<0$

$\therefore \sqrt{b^2(c-a)^2}=\sqrt{\{b(c-a)\}^2}=-b(c-a)$ … (ii)

$b<c$에서 $c-b>0$이고, $-a>0$이므로

$c-b-a=(c-b)+(-a)>0$

$\therefore \sqrt{(c-b-a)^2}=c-b-a$ … (iii)

$\therefore \sqrt{(-ac)^2}-\sqrt{b^2(c-a)^2}-a\sqrt{(c-b-a)^2}$

$=ac-\{-b(c-a)\}-a(c-b-a)$

$=ac+bc-ab-ac+ab+a^2$

$=a^2+bc$ … (iv)

채점 기준	비율
(i) $\sqrt{(-ac)^2}=ac$임을 알기	30 %
(ii) $\sqrt{b^2(c-a)^2}=-b(c-a)$임을 알기	30 %
(iii) $\sqrt{(c-b-a)^2}=c-b-a$임을 알기	30 %
(iv) 주어진 식을 간단히 하기	10 %

2

서로 다른 두 개의 주사위를 동시에 던져서 나오는 모든 경우의 수는

$6\times6=36$ … (i)

$\sqrt{72-2ab}$가 정수가 되려면 $72-2ab$가 0 또는 72보다 작은 (자연수)^2 꼴인 수이어야 한다.

즉, $72-2ab=0, 1, 4, 9, 16, 25, 36, 49, 64$이므로

$ab=36, \dfrac{71}{2}, 34, \dfrac{63}{2}, 28, \dfrac{47}{2}, 18, \dfrac{23}{2}, 4$

이때 a, b는 $1\le a\le6$, $1\le b\le6$인 자연수이므로

$ab=36, 18, 4$ … (ii)

따라서 이를 만족시키는 순서쌍 (a, b)는

$(6, 6)$, $(3, 6)$, $(6, 3)$, $(1, 4)$, $(2, 2)$, $(4, 1)$의 6가지이므로 구하는 확률은 $\dfrac{6}{36}=\dfrac{1}{6}$이다. … (iii)

채점 기준	비율
(i) 모든 경우의 수 구하기	30 %
(ii) $\sqrt{72-2ab}$가 정수가 되는 조건을 찾아 ab의 값 구하기	40 %
(iii) 확률 구하기	30 %

3

$\sqrt{169}<\sqrt{173}<\sqrt{196}$, 즉 $13<\sqrt{173}<14$이므로

$\sqrt{173}$ 이하의 홀수는 1, 3, 5, 7, 9, 11, 13의 7개이다.

$\therefore f(173)=7$ … (i)

$\sqrt{64}<\sqrt{73}<\sqrt{81}$, 즉 $8<\sqrt{73}<9$이므로

$\sqrt{73}$ 이하의 홀수는 1, 3, 5, 7의 4개이다.

$\therefore f(73)=4$ … (ii)

$\therefore f(173)-f(73)=7-4=3$ … (iii)

채점 기준	비율
(i) $f(173)$의 값 구하기	40 %
(ii) $f(73)$의 값 구하기	40 %
(iii) $f(173)-f(73)$의 값 구하기	20 %

4 $5=\sqrt{25}$와 $7=\sqrt{49}$ 사이에 있는 무리수 중 자연수 n에 대하여 $\sqrt{n}$ 꼴로 나타낼 수 있는 가장 큰 수는 $\sqrt{48}$이다.

$6<\sqrt{48}<7$이므로

$p=6$, $q=\sqrt{48}-6=4\sqrt{3}-6$ … (i)

$\therefore \frac{q}{p}=\frac{4\sqrt{3}-6}{6}=\frac{2}{3}\sqrt{3}-1$

따라서 $a=\frac{2}{3}$, $b=-1$이므로 … (ii)

$a+b=\frac{2}{3}+(-1)=-\frac{1}{3}$ … (iii)

채점 기준	비율
(i) p, q의 값 구하기	40 %
(ii) a, b의 값 구하기	40 %
(iii) $a+b$의 값 구하기	20 %

5 △BCD에서

$\overline{BD}=\sqrt{6^2+6^2}=6\sqrt{2}$(cm)이므로

$\overline{DH}=\frac{1}{2}\overline{BD}=\frac{1}{2}\times 6\sqrt{2}=3\sqrt{2}$(cm) … (i)

△OHD에서

$\overline{OH}=\sqrt{12^2-(3\sqrt{2})^2}=3\sqrt{14}$(cm)

따라서 정사각뿔의 높이는 $3\sqrt{14}$ cm이므로 … (ii)

정사각뿔의 부피는

$\frac{1}{3}\times 6\times 6\times 3\sqrt{14}=36\sqrt{14}$(cm^3) … (iii)

채점 기준	비율
(i) $\overline{DH}$의 길이 구하기	30 %
(ii) 정사각뿔의 높이 구하기	30 %
(iii) 정사각뿔의 부피 구하기	40 %

6 넓이가 각각 5 cm^2, 125 cm^2, 45 cm^{2}인 정사각형 모양의 색종이의 한 변의 길이는 각각

$\sqrt{5}$ cm, $\sqrt{125}=5\sqrt{5}$(cm), $\sqrt{45}=3\sqrt{5}$(cm) … (i)

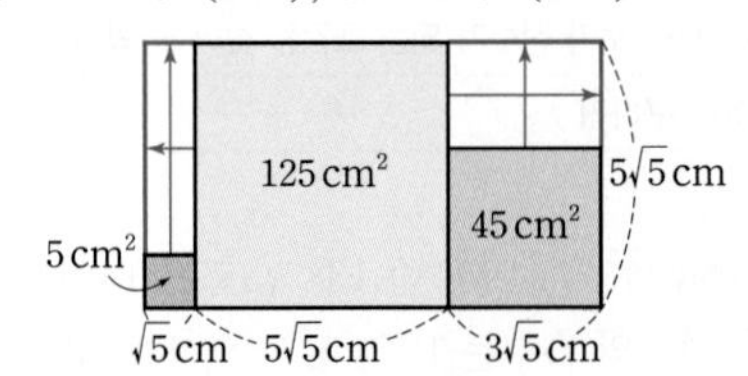

따라서 색종이로 이루어진 도형의 둘레의 길이는 가로의 길이가 $(\sqrt{5}+5\sqrt{5}+3\sqrt{5})$ cm, 세로의 길이가 $5\sqrt{5}$ cm인 직사각형의 둘레의 길이와 같으므로

(도형의 둘레의 길이)

$=2\times\{(\sqrt{5}+5\sqrt{5}+3\sqrt{5})+5\sqrt{5}\}$ … (ii)

$=2\times 14\sqrt{5}$

$=28\sqrt{5}$(cm) … (iii)

채점 기준	비율
(i) 정사각형 모양의 색종이의 한 변의 길이 구하기	30 %
(ii) 도형의 둘레의 길이를 구하는 식 세우기	40 %
(iii) 도형의 둘레의 길이 구하기	30 %

7 $\sqrt{3n}$이 2의 배수가 되어야 하므로 $\sqrt{3n}=2k$(k는 자연수)라 하고 양변을 제곱하면

$3n=4k^2 \quad \therefore n=\frac{4k^2}{3}$

이때 n이 자연수이므로 k는 3의 배수이어야 한다.

$k=3m$(m은 자연수)이라 하면

$n=\frac{4k^2}{3}=\frac{4\times(3m)^2}{3}=12m^2$ … (i)

n은 1000 이하의 자연수이므로

$1\le n\le 1000$에서 $1\le 12m^2\le 1000$

$\frac{1}{12}\le m^2\le\frac{1000}{12}=83.3\cdots$

$\therefore m=1, 2, 3, \cdots, 9$

따라서 n은 12×1^2, 12×2^2, 12×3^2, $\cdots$, 12×9^2의 9개이다. … (ii)

채점 기준	비율
(i) $\sqrt{3n}$이 2의 배수가 되기 위한 조건 구하기	50 %
(ii) n의 개수 구하기	50 %

8 △ADE와 △ABC에서

$\overline{BC}\,/\!/\,\overline{DE}$이므로 ∠ADE=∠ABC(동위각), ∠A는 공통

∴ △ADE∽△ABC(AA 닮음)

이때 □DBCE : △ABC=3 : 7이므로

△ADE : △ABC=4 : 7 … (i)

즉, △ADE와 △ABC의 닮음비는 $\sqrt{4}:\sqrt{7}=2:\sqrt{7}$이다. … (ii)

이때 $\overline{BC}=x$ cm라 하면 $2:\sqrt{7}=2\sqrt{21}:x$에서

$2x=14\sqrt{3} \quad \therefore x=7\sqrt{3}$

따라서 $\overline{BC}$의 길이는 $7\sqrt{3}$ cm이다. … (iii)

채점 기준	비율
(i) △ADE와 △ABC의 넓이의 비 구하기	30 %
(ii) △ADE와 △ABC의 닮음비 구하기	40 %
(iii) $\overline{BC}$의 길이 구하기	30 %

3. 다항식의 곱셈

P. 34~36 개념+대표 문제 확인하기

1 $a=3$, $b=-2$ 2 ③, ⑤ 3 ⑤ 4 7
5 ③ 6 $(8a^2-18a+9)\,\mathrm{m}^2$ 7 ⑤ 8 2499.51
9 $12+\sqrt{6}$ 10 10 11 ⑤ 12 $4+3\sqrt{5}$
13 $9x^2-16y^2+8y-1$
14 $x^4+16x^3+86x^2+176x+105$ 15 (1) 18 (2) 320
16 (1) 6 (2) 34 17 ① 18 1

1 x^3항이 나오는 부분만 전개하면
$x^2\times ax+x\times 2x^2=ax^3+2x^3=(a+2)x^3$
$a+2=5 \quad \therefore a=3$
x^2항이 나오는 부분만 전개하면
$x^2\times b+x\times ax+(-4)\times 2x^2=bx^2+ax^2-8x^2$
$=(b+a-8)x^2$
$b+a-8=-7 \quad \therefore b=-a+1=-3+1=-2$

2 ① $(3a-2)^2=9a^2-12a+4$
② $(-2x-y)^2=4x^2+4xy+y^2$
④ $(x+3)(x-2)=x^2+x-6$
따라서 바르게 전개한 것은 ③, ⑤이다.

3 $(-x+2a)^2+(2x-3)(x-1)$
$=x^2-4ax+4a^2+2x^2-5x+3$
$=3x^2+(-4a-5)x+4a^2+3$
x^2의 계수는 3, x의 계수는 $-4a-5$이므로
$3=-4a-5 \quad \therefore a=-2$
따라서 상수항은 $4a^2+3=4\times(-2)^2+3=19$

4 $(x-1)(x+1)(x^2+1)(x^4+1)$
$=(x^2-1)(x^2+1)(x^4+1)$
$=(x^4-1)(x^4+1)$
$=x^8-1$
따라서 $a=8$, $b=-1$이므로
$a+b=8+(-1)=7$

5 (색칠한 부분의 넓이)
$=(2x+5)(2x+3)-(x-1)(x+2)$
$=4x^2+16x+15-(x^2+x-2)$
$=3x^2+15x+17$

6 길을 제외한 정원의 넓이는 오른쪽 그림의 색칠한 부분의 넓이와 같으므로
$(4a-3)(2a-3)$
$=8a^2-18a+9(\mathrm{m}^2)$

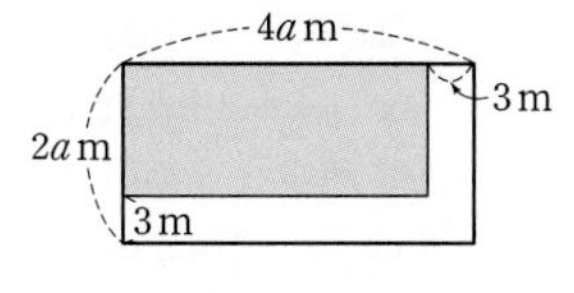

7 ① $304^2=(300+4)^2$에서 $a=300$, $b=4$로 놓으면
$(a+b)^2=a^2+2ab+b^2$
② $299^2=(300-1)^2$에서 $a=300$, $b=1$로 놓으면
$(a-b)^2=a^2-2ab+b^2$
③ $201\times199=(200+1)(200-1)$에서 $a=200$, $b=1$로 놓으면 $(a+b)(a-b)=a^2-b^2$
④ $201\times202=(200+1)(200+2)$에서 $x=200$, $a=1$, $b=2$로 놓으면 $(x+a)(x+b)=x^2+(a+b)x+ab$
⑤ $48\times52=(50-2)(50+2)$에서 $a=50$, $b=-2$로 놓으면 $(a+b)(a-b)=a^2-b^2$
따라서 적당하지 않은 것은 ⑤이다.

8 $49.3\times50.7=(50-0.7)(50+0.7)=50^2-0.7^2$
$=2500-0.49=2499.51$

9 $(2+\sqrt{6})^2-(\sqrt{2}+\sqrt{12})(\sqrt{8}-\sqrt{3})$
$=(4+4\sqrt{6}+6)-(\sqrt{2}+2\sqrt{3})(2\sqrt{2}-\sqrt{3})$
$=4+4\sqrt{6}+6-(4+3\sqrt{6}-6)$
$=10+4\sqrt{6}-3\sqrt{6}+2$
$=12+\sqrt{6}$

10 $x+y=\dfrac{\sqrt{3}+\sqrt{2}}{\sqrt{3}-\sqrt{2}}+\dfrac{\sqrt{3}-\sqrt{2}}{\sqrt{3}+\sqrt{2}}=\dfrac{(\sqrt{3}+\sqrt{2})^2+(\sqrt{3}-\sqrt{2})^2}{(\sqrt{3}-\sqrt{2})(\sqrt{3}+\sqrt{2})}$
$=\dfrac{3+2\sqrt{6}+2+3-2\sqrt{6}+2}{3-2}=10$

11 $-\dfrac{2}{5\sqrt{2}+7}=-\dfrac{2(5\sqrt{2}-7)}{(5\sqrt{2}+7)(5\sqrt{2}-7)}$
$=\dfrac{-2(5\sqrt{2}-7)}{50-49}=14-10\sqrt{2}$
따라서 $a=14$, $b=-10$이므로
$a-b=14-(-10)=24$

12 $\dfrac{4}{3-\sqrt{5}}=\dfrac{4(3+\sqrt{5})}{(3-\sqrt{5})(3+\sqrt{5})}=\dfrac{4(3+\sqrt{5})}{9-5}=3+\sqrt{5}$
$2<\sqrt{5}<3$에서 $5<3+\sqrt{5}<6$
따라서 $a=5$, $b=(3+\sqrt{5})-5=\sqrt{5}-2$이므로
$\sqrt{a}+\dfrac{2}{b}=\sqrt{5}+\dfrac{2}{\sqrt{5}-2}=\sqrt{5}+\dfrac{2(\sqrt{5}+2)}{(\sqrt{5}-2)(\sqrt{5}+2)}$
$=\sqrt{5}+\dfrac{2(\sqrt{5}+2)}{5-4}=\sqrt{5}+2\sqrt{5}+4$
$=4+3\sqrt{5}$

13 $4y-1=A$로 놓으면
$(3x+4y-1)(3x-4y+1)$
$=\{3x+(4y-1)\}\{3x-(4y-1)\}$
$=(3x+A)(3x-A)=9x^2-A^2$
$=9x^2-(4y-1)^2=9x^2-(16y^2-8y+1)$
$=9x^2-16y^2+8y-1$

14 $(x+1)(x+3)(x+5)(x+7)$
$=\{(x+1)(x+7)\}\{(x+3)(x+5)\}$
$=(x^2+8x+7)(x^2+8x+15)$
$x^2+8x=A$로 놓으면
$(A+7)(A+15)=A^2+22A+105$
$=(x^2+8x)^2+22(x^2+8x)+105$
$=x^4+16x^3+64x^2+22x^2+176x+105$
$=x^4+16x^3+86x^2+176x+105$

15 (1) $x^2+y^2=(x-y)^2+2xy=4^2+2\times1=18$
(2) $(x^2-y^2)^2=(x^2+y^2)^2-4x^2y^2=(x^2+y^2)^2-4(xy)^2$
$=18^2-4\times1^2=324-4=320$

16 (1) $x^2+\frac{1}{x^2}=\left(x-\frac{1}{x}\right)^2+2=2^2+2=6$
(2) $x^4+\frac{1}{x^4}=\left(x^2+\frac{1}{x^2}\right)^2-2=6^2-2=34$

17 $x^2-4x+1=0$에서 $x\neq0$이므로 양변을 x로 나누면
$x-4+\frac{1}{x}=0$　　$\therefore x+\frac{1}{x}=4$
그런데 $\left(x-\frac{1}{x}\right)^2=\left(x+\frac{1}{x}\right)^2-4=4^2-4=12$이므로
$x-\frac{1}{x}=\pm\sqrt{12}=\pm2\sqrt{3}$

18 $x=\frac{2-\sqrt{3}}{2+\sqrt{3}}=\frac{(2-\sqrt{3})^2}{(2+\sqrt{3})(2-\sqrt{3})}$
$=\frac{4-4\sqrt{3}+3}{4-3}=7-4\sqrt{3}$
즉, $x-7=-4\sqrt{3}$이므로 양변을 제곱하면
$(x-7)^2=(-4\sqrt{3})^2$, $x^2-14x+49=48$
따라서 $x^2-14x=-1$이므로
$x^2-14x+2=-1+2=1$

P. 37~41 내신 5% 따라잡기

1 ④　**2** 6　**3** a^8-2a^4+1　**4** ②
5 0　**6** ②　**7** $45a^2+6ab-24b^2$
8 $-2x^2+7xy-6y^2$　**9** $\pi b^2+\pi ab$
10 (1) 831 (2) 2　**11** ④　**12** 37　**13** ②
14 $\frac{16}{13}$　**15** $(48+96\sqrt{2})\text{cm}^3$　**16** 1
17 $(21-7\sqrt{6})\text{cm}$　**18** 4　**19** ⑤
20 $x=-20$, $y=-7$　**21** 2　**22** ①　**23** ⑤
24 ④　**25** ⑤　**26** 1　**27** $18+\sqrt{6}$
28 ②　**29** 4개　**30** $100a^4-196a^2-25a^2b^2+49b^2$
31 (1) ㈎ $a+1$, ㈏ bc, ㈐ $a+1$, ㈑ c　(2) 5616

1 $(3x^2-x+2)=(3x^2-x+2)(3x^2-x+2)$에서
x^3항이 나오는 부분만 전개하면
$3x^2\times(-x)+(-x)\times3x^2=-6x^3$
x^2항이 나오는 부분만 전개하면
$3x^2\times2+(-x)\times(-x)+2\times3x^2=13x^2$
따라서 x^3의 계수는 -6, x^2의 계수는 13이므로
$-6+13=7$

2 $(2x-3)^2(ax^2+bx-c)=(4x^2-12x+9)(ax^2+bx-c)$
에서 x^2항이 나오는 부분만 전개하면
$4x^2\times(-c)+(-12x)\times bx+9\times ax^2=(9a-12b-4c)x^2$
x항이 나오는 부분만 전개하면
$-12x\times(-c)+9\times bx=(9b+12c)x$
상수항이 나오는 부분만 전개하면
$9\times(-c)=-9c$
상수항이 45이므로 $-9c=45$에서 $c=-5$
x의 계수는 12이므로 $9b+12c=12$에서
$9b-60=12$, $9b=72$　　$\therefore b=8$
x^2의 계수는 -49이므로 $9a-12b-4c=-49$에서
$9a-96+20=-49$, $9a=27$　　$\therefore a=3$
$\therefore a+b+c=3+8+(-5)=6$

3 $(a-1)^2(a+1)^2(a^2+1)^2=\{(a-1)(a+1)(a^2+1)\}^2$
$=\{(a^2-1)(a^2+1)\}^2$
$=(a^4-1)^2$
$=a^8-2a^4+1$

4 $(x+a)(x+b)=x^2+(a+b)x+ab=x^2+cx-36$에서
$ab=-36$이므로 이 식을 만족시키는 정수 a, b의 순서쌍
(a, b)는
$(-36, 1)$, $(-18, 2)$, $(-12, 3)$, $(-9, 4)$, $(-6, 6)$,
$(-4, 9)$, $(-3, 12)$, $(-2, 18)$, $(-1, 36)$, $(1, -36)$,
$(2, -18)$, $(3, -12)$, $(4, -9)$, $(6, -6)$, $(9, -4)$,
$(12, -3)$, $(18, -2)$, $(36, -1)$이다.
이때 $a+b=c$이므로 c의 값이 될 수 있는 수는
-35, -16, -9, -5, 0, 5, 9, 16, 35
따라서 c의 값이 될 수 없는 것은 ②이다.

5 $(2x+a)(x-1)+(x-a)(-a-x)$
$=(2x+a)(x-1)-(x-a)(x+a)$
$=2x^2+(-2+a)x-a-(x^2-a^2)$
$=x^2+(-2+a)x+a^2-a$
x의 계수가 음수이므로 $-2+a<0$　　$\therefore a<2$
이때 a는 자연수이므로 $a=1$
따라서 상수항은 $a^2-a=1^2-1=0$

6 진호가 전개한 식은

$(x+3)(x+A)=x^2+(3+A)x+3A$

$\qquad\qquad\qquad\quad =x^2-8x+B$

이므로 $3+A=-8$, $3A=B$

$\therefore A=-11,\ B=-33$

수지가 전개한 식은

$(Cx-3)(x+1)=Cx^2+(C-3)x-3$

$\qquad\qquad\qquad\quad =Cx^2-5x-3$

이므로 $C-3=-5 \qquad \therefore C=-2$

$\therefore A+B+C=-11+(-33)+(-2)=-46$

7 직사각형 모양의 바닥 전체의 넓이는

$(15a+12b)(9a-6b)=135a^2+18ab-72b^2$

이때 타일을 붙이지 않은 부분의 넓이는 바닥 전체의 넓이의 $\frac{5}{15}=\frac{1}{3}$이므로

$(135a^2+18ab-72b^2)\times\frac{1}{3}=45a^2+6ab-24b^2$

다른 풀이

타일 한 개의 가로, 세로의 길이는 각각

$(15a+12b)\div5=3a+\frac{12}{5}b$, $(9a-6b)\div3=3a-2b$

타일 한 개의 넓이는

$\left(3a+\frac{12}{5}b\right)(3a-2b)=9a^2+\frac{6}{5}ab-\frac{24}{5}b^2$

타일을 붙이지 않은 부분의 넓이는 타일 5개의 넓이와 같으므로

$\left(9a^2+\frac{6}{5}ab-\frac{24}{5}b^2\right)\times5=45a^2+6ab-24b^2$

8 직사각형 A의 세로의 길이는

$y-(x-y)=-x+2y$

가로의 길이는

$(x-y)-(-x+2y)=2x-3y$

따라서 직사각형 A의 넓이는

$(2x-3y)(-x+2y)=-2x^2+7xy-6y^2$

9 원 O의 반지름의 길이는

$\frac{2a+2b}{2}=a+b$이므로

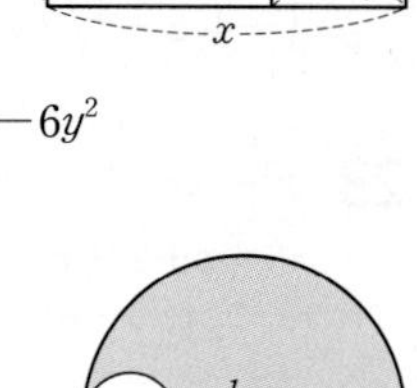

(색칠한 부분의 넓이)

$=\frac{1}{2}\pi(a+b)^2-\frac{1}{2}\pi a^2+\frac{1}{2}\pi b^2$

$=\frac{1}{2}\pi a^2+\pi ab+\frac{1}{2}\pi b^2-\frac{1}{2}\pi a^2+\frac{1}{2}\pi b^2$

$=\pi b^2+\pi ab$

10 (1) $415=x$로 놓으면

$415\times417-414\times416$

$=x(x+2)-(x-1)(x+1)$

$=x^2+2x-(x^2-1)=2x+1$

$=2\times415+1=831$

(2) $2020=x$로 놓으면

$\frac{4040}{2021\times2024-2022^2}=\frac{2x}{(x+1)(x+4)-(x+2)^2}$

$\qquad\qquad\qquad\quad =\frac{2x}{x^2+5x+4-(x^2+4x+4)}$

$\qquad\qquad\qquad\quad =\frac{2x}{x}=2$

11 $6(9+3)(9^2+3^2)(9^4+3^4)(9^8+3^8)+3^{16}$

$=(9-3)(9+3)(9^2+3^2)(9^4+3^4)(9^8+3^8)+3^{16}$

$=(9^2-3^2)(9^2+3^2)(9^4+3^4)(9^8+3^8)+3^{16}$

$=(9^4-3^4)(9^4+3^4)(9^8+3^8)+3^{16}$

$=(9^8-3^8)(9^8+3^8)+3^{16}$

$=(9^{16}-3^{16})+3^{16}=9^{16}$

$=(3^2)^{16}=3^{32}$

$\therefore x=32$

12 $f(1)f(2)f(4)f(8)f(16)$

$=(5+1)(5^2+1)(5^4+1)(5^8+1)(5^{16}+1)$

$=\frac{1}{5-1}\times(5-1)(5+1)(5^2+1)(5^4+1)(5^8+1)(5^{16}+1)$

$=\frac{1}{4}(5^2-1)(5^2+1)(5^4+1)(5^8+1)(5^{16}+1)$

$=\frac{1}{4}(5^4-1)(5^4+1)(5^8+1)(5^{16}+1)$

$=\frac{1}{4}(5^8-1)(5^8+1)(5^{16}+1)$

$=\frac{1}{4}(5^{16}-1)(5^{16}+1)$

$=\frac{1}{4}(5^{32}-1)=\frac{5^{32}-1}{4}$

따라서 $a=5$, $b=32$이므로

$a+b=5+32=37$

13 $(7-5\sqrt{2})^{11}(7+5\sqrt{2})^{11}=\{(7-5\sqrt{2})(7+5\sqrt{2})\}^{11}$

$\qquad\qquad\qquad\qquad\qquad =(49-50)^{11}=(-1)^{11}$

$\qquad\qquad\qquad\qquad\qquad =-1$

$\therefore (7+5\sqrt{2})^{11}=-\frac{1}{(7-5\sqrt{2})^{11}}=-\frac{1}{A}$

다른 풀이

$(7-5\sqrt{2})(7+5\sqrt{2})=49-50=-1$이므로

$7+5\sqrt{2}=-\frac{1}{7-5\sqrt{2}}$

$\therefore (7+5\sqrt{2})^{11}=\left(-\frac{1}{7-5\sqrt{2}}\right)^{11}=-\frac{1}{(7-5\sqrt{2})^{11}}=-\frac{1}{A}$

14 $(4+a\sqrt{3})(1-2\sqrt{3})^2=(4+a\sqrt{3})(1-4\sqrt{3}+12)$

$\qquad\qquad\qquad\qquad\quad =(4+a\sqrt{3})(13-4\sqrt{3})$

$\qquad\qquad\qquad\qquad\quad =52+(-16+13a)\sqrt{3}-12a$

$\qquad\qquad\qquad\qquad\quad =52-12a+(13a-16)\sqrt{3}$

이 식이 유리수이려면 $13a-16=0$이어야 하므로

$13a=16 \qquad \therefore a=\frac{16}{13}$

15 (정사각뿔대의 부피)

=(큰 정사각뿔의 부피)−(작은 정사각뿔의 부피)

$=\frac{1}{3}\times(3+3\sqrt{2})^2\times\{8(2-\sqrt{2})+16(\sqrt{2}-1)\}$

$-\frac{1}{3}\times3^2\times8(2-\sqrt{2})$

$=\frac{1}{3}\times(27+18\sqrt{2})\times8\sqrt{2}-24(2-\sqrt{2})$

$=72\sqrt{2}+96-48+24\sqrt{2}$

$=48+96\sqrt{2}(\text{cm}^3)$

16 (주어진 식)$=\cfrac{1}{\sqrt{2}-\cfrac{1}{\sqrt{2}-\cfrac{1}{\boxed{\sqrt{2}-\frac{\sqrt{2}+1}{(\sqrt{2}-1)(\sqrt{2}+1)}}}}}$ ($\boxed{\;}=-1$)

$=\cfrac{1}{\sqrt{2}-\cfrac{1}{\sqrt{2}+1}}=\cfrac{1}{\sqrt{2}-\cfrac{\sqrt{2}-1}{(\sqrt{2}+1)(\sqrt{2}-1)}}$

$=\frac{1}{\sqrt{2}-(\sqrt{2}-1)}=1$

17 두 정삼각형은 서로 닮은 도형이고, 넓이의 비가 2 : 3이므로 한 변의 길이의 비는 $\sqrt{2}:\sqrt{3}$이다.

이때 큰 정삼각형의 한 변의 길이와 작은 정삼각형의 한 변의 길이의 합은 $21\times\frac{1}{3}=7(\text{cm})$이므로

(큰 정삼각형의 한 변의 길이)

$=7\times\frac{\sqrt{3}}{\sqrt{3}+\sqrt{2}}=7\times\frac{\sqrt{3}(\sqrt{3}-\sqrt{2})}{(\sqrt{3}+\sqrt{2})(\sqrt{3}-\sqrt{2})}$

$=7\times(3-\sqrt{6})=21-7\sqrt{6}(\text{cm})$

18 $\frac{1}{1+\sqrt{2}-\sqrt{3}}=\frac{(1+\sqrt{2})+\sqrt{3}}{\{(1+\sqrt{2})-\sqrt{3}\}\{(1+\sqrt{2})+\sqrt{3}\}}$

$=\frac{1+\sqrt{2}+\sqrt{3}}{(1+\sqrt{2})^2-(\sqrt{3})^2}=\frac{1+\sqrt{2}+\sqrt{3}}{2\sqrt{2}}$

$=\frac{(1+\sqrt{2}+\sqrt{3})\times\sqrt{2}}{2\sqrt{2}\times\sqrt{2}}$

$=\frac{2+\sqrt{2}+\sqrt{6}}{4}$

따라서 $a=2$, $b=1$, $c=1$이므로

$a+b+c=2+1+1=4$

19 $f(n)=\frac{\sqrt{n}-\sqrt{n+1}}{(\sqrt{n}+\sqrt{n+1})(\sqrt{n}-\sqrt{n+1})}$

$=-\sqrt{n}+\sqrt{n+1}$

$\therefore f(1)+f(2)+f(3)+\cdots+f(100)$

$=-\sqrt{1}+\sqrt{2}-\sqrt{2}+\sqrt{3}-\sqrt{3}+\sqrt{4}$

$+\cdots-\sqrt{99}+\sqrt{100}-\sqrt{100}+\sqrt{101}$

$=\sqrt{101}-1$

20 $\frac{x}{\sqrt{3}+1}+(1-\sqrt{12})y=\frac{x(\sqrt{3}-1)}{(\sqrt{3}+1)(\sqrt{3}-1)}+y-2y\sqrt{3}$

$=\frac{x\sqrt{3}-x}{2}+y-2y\sqrt{3}$

$=\left(-\frac{x}{2}+y\right)+\left(\frac{x}{2}-2y\right)\sqrt{3}$

즉, $\left(-\frac{x}{2}+y\right)+\left(\frac{x}{2}-2y\right)\sqrt{3}=3+4\sqrt{3}$이므로

$-\frac{x}{2}+y=3$ … ㉠, $\frac{x}{2}-2y=4$ … ㉡

따라서 ㉠, ㉡을 연립하여 풀면

$x=-20$, $y=-7$

21 $1+x>0$, $1-x>0$이므로

$\sqrt{\frac{1+x}{1-x}}-\sqrt{\frac{1-x}{1+x}}=\frac{\sqrt{1+x}}{\sqrt{1-x}}-\frac{\sqrt{1-x}}{\sqrt{1+x}}$

$=\frac{(\sqrt{1+x})^2-(\sqrt{1-x})^2}{\sqrt{1-x}\sqrt{1+x}}$

$=\frac{1+x-(1-x)}{\sqrt{(1-x)(1+x)}}=\frac{2x}{\sqrt{1-x^2}}$

$=\frac{2\times\frac{1}{\sqrt{2}}}{\sqrt{1-\left(\frac{1}{\sqrt{2}}\right)^2}}=\frac{\sqrt{2}}{\sqrt{1-\frac{1}{2}}}=\frac{\sqrt{2}}{\frac{1}{\sqrt{2}}}$

$=2$

22 $(2x+1-\sqrt{2})(2x-2-\sqrt{2})=(2x-\sqrt{2}+1)(2x-\sqrt{2}-2)$

이므로 $2x-\sqrt{2}=A$로 놓으면

$(2x-\sqrt{2}+1)(2x-\sqrt{2}-2)=(A+1)(A-2)$

$=A^2-A-2$

$=(2x-\sqrt{2})^2-(2x-\sqrt{2})-2$

$=4x^2-4\sqrt{2}x+2-2x+\sqrt{2}-2$

$=4x^2+(-4\sqrt{2}-2)x+\sqrt{2}$

따라서 x의 계수와 상수항의 곱은

$(-4\sqrt{2}-2)\times\sqrt{2}=-8-2\sqrt{2}$

23 $x^2-3x-5=0$에서 $x^2-3x=5$

$\therefore (x+2)(x+3)(x-5)(x-6)$

$=\{(x+2)(x-5)\}\{(x+3)(x-6)\}$

$=(x^2-3x-10)(x^2-3x-18)$

$=(5-10)\times(5-18)$

$=-5\times(-13)=65$

24 $(x-1)(x+1)(2x+1)(2x+5)$

$=(x-1)(2x+5)(x+1)(2x+1)$

$=(2x^2+3x-5)(2x^2+3x+1)$

이때 $2x^2+3x=A$로 놓으면

$(A-5)(A+1)=A^2-4A-5$

$=(2x^2+3x)^2-4(2x^2+3x)-5$

$=4x^4+12x^3+9x^2-8x^2-12x-5$

$=4x^4+12x^3+x^2-12x-5$

25 $(x+\sqrt{5})(y-\sqrt{5})=xy-x\sqrt{5}+y\sqrt{5}-5$
$=xy-5+(-x+y)\sqrt{5}$
$=7-4\sqrt{5}$
따라서 $xy-5=7$이므로 $xy=12$이고,
$-x+y=-4$이므로 $x-y=4$
$\therefore x^2+y^2=(x-y)^2+2xy=4^2+2\times12=40$

26 $(2x-1)(2y-1)=3$에서
$4xy-2(x+y)-2=0$, $2xy-(x+y)-1=0$
이때 $xy=2$이므로 $4-(x+y)-1=0$
$\therefore x+y=3$
$$\therefore \frac{x-1}{y}+\frac{y-1}{x}=\frac{x(x-1)+y(y-1)}{xy}=\frac{x^2+y^2-(x+y)}{xy}=\frac{(x+y)^2-2xy-(x+y)}{xy}=\frac{3^2-2\times2-3}{2}=1$$

27 $x^2-\sqrt{6}x+1=0$에서 $x\neq0$이므로 양변을 x로 나누면
$x-\sqrt{6}+\frac{1}{x}=0$ $\quad\therefore x+\frac{1}{x}=\sqrt{6}$
이때 $x^2+\frac{1}{x^2}=\left(x+\frac{1}{x}\right)^2-2=(\sqrt{6})^2-2=4$,
$x^4+\frac{1}{x^4}=\left(x^2+\frac{1}{x^2}\right)^2-2=4^2-2=14$이므로
$x^4+x^2+x+\frac{1}{x}+\frac{1}{x^2}+\frac{1}{x^4}$
$=\left(x^4+\frac{1}{x^4}\right)+\left(x^2+\frac{1}{x^2}\right)+\left(x+\frac{1}{x}\right)$
$=14+4+\sqrt{6}$
$=18+\sqrt{6}$

28 $\frac{1}{\sqrt{5}-2}=\frac{\sqrt{5}+2}{(\sqrt{5}-2)(\sqrt{5}+2)}=\sqrt{5}+2$
$2<\sqrt{5}<3$에서 $4<\sqrt{5}+2<5$이므로
$\sqrt{5}+2$의 정수 부분은 4이고, 소수 부분은
$x=(\sqrt{5}+2)-4=\sqrt{5}-2$이다.
즉, $x+2=\sqrt{5}$이므로 양변을 제곱하면
$(x+2)^2=(\sqrt{5})^2$, $x^2+4x+4=5$
따라서 $x^2+4x=1$이므로
$x^2+4x+3=1+3=4$

29 길잡이 6□와 4□를 각각 $60+x$, $40+y$로 놓고 두 수의 십의 자리의 숫자와 일의 자리의 숫자를 각각 바꾸어도 그 곱이 같음을 식으로 나타내 본다.
두 자리의 자연수 6□와 4□를 $60+x$, $40+y$라 하면 이 두 수의 십의 자리의 숫자와 일의 자리의 숫자를 각각 바꾼 두 자리의 자연수는 $10x+6$, $10y+4$이므로
$(60+x)(40+y)=(10x+6)(10y+4)$
$2400+60y+40x+xy=100xy+40x+60y+24$
$99xy=2376$ $\quad\therefore xy=24$
이때 x, y는 한 자리의 자연수이므로 순서쌍 (x, y)의 개수는 (3, 8), (4, 6), (6, 4), (8, 3)의 4개이다.

30 길잡이 앞, 오른쪽, 위에서 본 모양으로부터 상자의 최소 개수를 생각해 본다.
상자 한 개의 부피는 $(2a+b)(5a-7)(2a-b)$
상자는 바닥에 $a\times5=5a$(개)가 깔려 있고, 오른쪽에서 보면 그 위로 최소 $4+1+2=7$(개)의 상자가 쌓여 있으므로 상자의 최소 개수는 $(5a+7)$개이다.
따라서 상자 전체의 최소 부피는
$(2a+b)(5a-7)(2a-b)(5a+7)$
$=(2a+b)(2a-b)(5a+7)(5a-7)$
$=(4a^2-b^2)(25a^2-49)$
$=100a^4-196a^2-25a^2b^2+49b^2$

31 길잡이 곱셈 공식을 이용하여 십의 자리의 숫자가 같고 일의 자리의 숫자의 합이 10인 두 자리의 자연수의 곱을 구하는 방법을 생각한다.
(1) $\boxed{a}\boxed{b}$와 $\boxed{a}\boxed{c}$에서 일의 자리의 숫자의 합이 10이므로
$b+c=10$
$\therefore (10a+b)(10a+c)=100a^2+10a(b+c)+bc$
$=100a^2+100a+bc$
$=100a(\boxed{a+1})+\boxed{bc}$
따라서 $\boxed{a}\boxed{b}\times\boxed{a}\boxed{c}$의 계산 결과는 앞의 두 자리에는 a와 $\boxed{a+1}$의 곱을 적고, 뒤의 두 자리에는 b와 $\boxed{c}$의 곱을 적으면 된다.
$\therefore$ (가) $a+1$, (나) bc, (다) $a+1$, (라) c
(2) $7\times(7+1)$
$72\times78=5616$
2×8

P. 42~43 내신 1% 뛰어넘기

01 16	02 -1	03 2	04 1
05 $-20-10\sqrt{3}$		06 2	07 ⑤	08 5

01 길잡이 곱셈 공식 $(a+b)(a-b)=a^2-b^2$을 이용할 수 있도록 수를 적절히 변형한다.
$3\times5\times17\times257$
$=(2+1)(2^2+1)(2^4+1)(2^8+1)$
$=(2-1)(2+1)(2^2+1)(2^4+1)(2^8+1)$
$=(2^2-1)(2^2+1)(2^4+1)(2^8+1)$
$=(2^4-1)(2^4+1)(2^8+1)$
$=(2^8-1)(2^8+1)$
$=2^{16}-1$
$\therefore a=16$

02 길잡이 $\frac{1}{\sqrt{a}+1}+\frac{1}{\sqrt{b}+1}=1$에서 좌변의 분모를 통분하여 $\sqrt{ab}$의 값을 구한다.

$\frac{1}{\sqrt{a}+1}+\frac{1}{\sqrt{b}+1}=\frac{\sqrt{a}+\sqrt{b}+2}{(\sqrt{a}+1)(\sqrt{b}+1)}=1$에서

$\sqrt{a}+\sqrt{b}+2=\sqrt{ab}+\sqrt{a}+\sqrt{b}+1 \quad \therefore \sqrt{ab}=1$

$$\begin{aligned}\therefore \frac{1}{\sqrt{a}-1}+\frac{1}{\sqrt{b}-1}&=\frac{\sqrt{a}+\sqrt{b}-2}{(\sqrt{a}-1)(\sqrt{b}-1)}\\&=\frac{\sqrt{a}+\sqrt{b}-2}{\sqrt{ab}-\sqrt{a}-\sqrt{b}+1}\\&=\frac{\sqrt{a}+\sqrt{b}-2}{1-\sqrt{a}-\sqrt{b}+1}\\&=\frac{\sqrt{a}+\sqrt{b}-2}{-(\sqrt{a}+\sqrt{b}-2)}=-1\end{aligned}$$

03 길잡이 $2^{3x}\times2^{3y}=2^{3x+3y}=2^{3(x+y)}$임을 이용한다.

$$\begin{aligned}2^{3x}\times2^{3y}&=(12-4\sqrt{5})(12+4\sqrt{5})\\&=12^2-(4\sqrt{5})^2\\&=144-80\\&=64=2^6\end{aligned}$$

이고, $2^{3x}\times2^{3y}=2^{3x+3y}=2^{3(x+y)}$이므로

$3(x+y)=6 \quad \therefore x+y=2$

04 길잡이 $0<a<1$이면 $0<a^n<1$임을 이용한다. (단, n은 자연수)

$4<\sqrt{17}<5$이므로 $0<\sqrt{17}-4<1$

따라서 $0<(\sqrt{17}-4)^{2020}<1$이므로

$(\sqrt{17}-4)^{2020}$의 정수 부분은 0이고, 소수 부분은

$A=(\sqrt{17}-4)^{2020}-0=(\sqrt{17}-4)^{2020}$

$$\begin{aligned}\therefore (\sqrt{17}+4)^{2020}A&=(\sqrt{17}+4)^{2020}(\sqrt{17}-4)^{2020}\\&=\{(\sqrt{17}+4)(\sqrt{17}-4)\}^{2020}\\&=\{(\sqrt{17})^2-4^2\}^{2020}\\&=1^{2020}=1\end{aligned}$$

05 길잡이 $\langle1, 3\rangle$, $\langle2, 6\rangle$, $\langle3, 9\rangle$, $\cdots$, $\langle10, 30\rangle$을 분수로 나타낸 후 분모, 분자에 공통으로 곱해진 수를 찾아 약분한다.

$$\begin{aligned}&\langle1, 3\rangle+\langle2, 6\rangle+\langle3, 9\rangle+\cdots+\langle10, 30\rangle\\&=\frac{\sqrt{1}+\sqrt{3}}{\sqrt{1}-\sqrt{3}}+\frac{\sqrt{2}+\sqrt{6}}{\sqrt{2}-\sqrt{6}}+\frac{\sqrt{3}+\sqrt{9}}{\sqrt{3}-\sqrt{9}}+\cdots+\frac{\sqrt{10}+\sqrt{30}}{\sqrt{10}-\sqrt{30}}\\&=\frac{\sqrt{1}+\sqrt{3}}{\sqrt{1}-\sqrt{3}}+\frac{\sqrt{2}(\sqrt{1}+\sqrt{3})}{\sqrt{2}(\sqrt{1}-\sqrt{3})}+\frac{\sqrt{3}(\sqrt{1}+\sqrt{3})}{\sqrt{3}(\sqrt{1}-\sqrt{3})}+\cdots+\frac{\sqrt{10}(\sqrt{1}+\sqrt{3})}{\sqrt{10}(\sqrt{1}-\sqrt{3})}\\&=\frac{\sqrt{1}+\sqrt{3}}{\sqrt{1}-\sqrt{3}}+\frac{\sqrt{1}+\sqrt{3}}{\sqrt{1}-\sqrt{3}}+\frac{\sqrt{1}+\sqrt{3}}{\sqrt{1}-\sqrt{3}}+\cdots+\frac{\sqrt{1}+\sqrt{3}}{\sqrt{1}-\sqrt{3}}\\&=10\times\frac{\sqrt{1}+\sqrt{3}}{\sqrt{1}-\sqrt{3}}=10\times\frac{(\sqrt{1}+\sqrt{3})^2}{(\sqrt{1}-\sqrt{3})(\sqrt{1}+\sqrt{3})}\\&=10\times\frac{4+2\sqrt{3}}{-2}=10\times(-2-\sqrt{3})\\&=-20-10\sqrt{3}\end{aligned}$$

06 길잡이 x_1, x_2, x_3, $\cdots$의 값을 차례로 구하여 규칙을 찾는다.

$\frac{1}{x_1}=\frac{1}{\sqrt{6}-2}=\frac{\sqrt{6}+2}{2}$이고,

$2<\sqrt{6}<3$이므로 $2<\frac{\sqrt{6}+2}{2}<\frac{5}{2}$

즉, $\frac{1}{x_1}$의 정수 부분이 2이므로

$x_2=\frac{1}{x_1}-2=\frac{\sqrt{6}+2}{2}-2=\frac{\sqrt{6}-2}{2}$

마찬가지로 $\frac{1}{x_2}=\frac{2}{\sqrt{6}-2}=\sqrt{6}+2$이고,

$2<\sqrt{6}<3$이므로 $4<\sqrt{6}+2<5$

즉, $\frac{1}{x_2}$의 정수 부분이 4이므로

$x_3=\frac{1}{x_2}-4=(\sqrt{6}+2)-4=\sqrt{6}-2$

이와 같이 x_4, x_5, x_6, $\cdots$의 값을 차례로 구하면

$x_1=x_3=x_5=\cdots=\sqrt{6}-2$,

$x_2=x_4=x_6=\cdots=\frac{\sqrt{6}-2}{2}$이므로

$x_{2020}=x_2=\frac{\sqrt{6}-2}{2}$, $x_{2021}=x_1=\sqrt{6}-2$

$\therefore \frac{x_{2021}}{x_{2020}}=\frac{\sqrt{6}-2}{\frac{\sqrt{6}-2}{2}}=2$

07 길잡이 $x+y=A$, $z-w=B$, $x-y=C$, $z+w=D$로 놓고 곱셈 공식을 이용하여 전개한다.

$x+y=A$, $z-w=B$, $x-y=C$, $z+w=D$로 놓으면

$$\begin{aligned}(\text{주어진 식})&=(A-B)(A+B)+(-C+D)(C+D)\\&=A^2-B^2-C^2+D^2\\&=(x+y)^2-(z-w)^2-(x-y)^2+(z+w)^2\\&=(x^2+2xy+y^2)-(z^2-2zw+w^2)\\&\quad-(x^2-2xy+y^2)+(z^2+2zw+w^2)\\&=4xy+4zw\end{aligned}$$

08 길잡이 $m^2+mn-n^2=0$의 양변을 mn으로 나눈 후 곱셈 공식을 변형하여 식의 값을 구한다.

$m^2+mn-n^2=0$의 양변을 $mn\,(mn\neq0)$으로 나누면

$\frac{m}{n}+1-\frac{n}{m}=0 \quad \therefore \frac{m}{n}-\frac{n}{m}=-1$

$$\begin{aligned}\therefore \left(\frac{m^2+n^2}{mn}\right)^2&=\left(\frac{m}{n}+\frac{n}{m}\right)^2\\&=\left(\frac{m}{n}-\frac{n}{m}\right)^2+4\\&=(-1)^2+4=5\end{aligned}$$

4. 인수분해

P. 46~48 개념+대표 문제 확인하기

1 ④ 2 13 3 $-2a-2$ 4 -19
5 $(x+4)(3x-1)$ 6 $3x-1$ 7 ㄱ, 8100
8 1 9 2022 10 $150\pi\,\text{cm}^2$ 11 ⑤
12 -3 13 ④ 14 $(a+2b+3)(a+2b-5)$
15 $(x^2-2x-2)(x^2-2x-9)$ 16 (6, 4), (8, 2)
17 4 18 $(x-y-5)(x-y+2)$ 19 $4x$

1 ④ $-2a^2-3ab+9b^2=(-2a+3b)(a+3b)$

2 $4x^2+ax+1=(2x)^2+ax+(\pm1)^2$
이 식이 완전제곱식이 되려면
$a=2\times2\times(\pm1)=\pm4$
이때 $a>0$이므로 $a=4$
x^2-6x+b가 완전제곱식이 되려면
$b=\left(\frac{-6}{2}\right)^2=(-3)^2=9$
$\therefore a+b=4+9=13$

3 $-4<a<2$에서 $a-2<0$, $a+4>0$이므로
$\sqrt{a^2-4a+4}-\sqrt{a^2+8a+16}=\sqrt{(a-2)^2}-\sqrt{(a+4)^2}$
$=-(a-2)-(a+4)$
$=-2a-2$

4 $3x^2+ax+10=(x-5)(3x+m)$ (m은 상수)으로 놓으면
$3x^2+ax+10=3x^2+(m-15)x-5m$이므로
$m-15=a$, $-5m=10$
$\therefore m=-2$, $a=-17$
$bx^2+13x-15=(x-5)(bx+n)$ (n은 상수)으로 놓으면
$bx^2+13x-15=bx^2+(n-5b)x-5n$이므로
$n-5b=13$, $-5n=-15$
$\therefore n=3$, $b=-2$
$\therefore a+b=-17+(-2)=-19$

5 승재는 상수항을 제대로 보았으므로
$(x+2)(3x-2)=3x^2+4x-4$
에서 처음 이차식의 상수항은 -4이다.
보아는 x의 계수를 제대로 보았으므로
$(x+3)(3x+2)=3x^2+11x+6$
에서 처음 이차식의 x의 계수는 11이다.
따라서 처음 이차식은 $3x^2+11x-4$이므로 이 식을 바르게 인수분해하면
$3x^2+11x-4=(x+4)(3x-1)$

6 도형 (가)의 넓이는
$(3x+2)^2-3^2=9x^2+12x-5=(3x+5)(3x-1)$
이때 도형 (가), (나)의 넓이는 서로 같고, 도형 (나)의 가로의 길이가 $3x+5$이므로 세로의 길이는 $3x-1$이다.

7 $81.5^2+17\times81.5+8.5^2=81.5^2+2\times81.5\times8.5+8.5^2$
$=(81.5+8.5)^2$
$=90^2=8100$
따라서 주어진 식을 계산하는 데 가장 알맞은 인수분해 공식은 ㄱ이고, 그 값은 8100이다.

8 (주어진 식)$=\frac{96^2-16+35^2-65^2}{81^2-19^2}$
$=\frac{96^2-4^2+35^2-65^2}{81^2-19^2}$
$=\frac{(96+4)(96-4)+(35+65)(35-65)}{(81+19)(81-19)}$
$=\frac{100\times92+100\times(-30)}{100\times62}$
$=\frac{62}{62}=1$

9 $2020\times2024+4=2020\times(2020+4)+4$
$=2020^2+2\times2020\times2+2^2$
$=(2020+2)^2$
$=2022^2$
따라서 구하는 자연수는 2022이다.

10 (한지 부분의 넓이)
=(큰 부채꼴의 넓이)−(작은 부채꼴의 넓이)
$=\pi\times22.5^2\times\frac{120}{360}-\pi\times7.5^2\times\frac{120}{360}$
$=\frac{1}{3}\pi(22.5^2-7.5^2)$
$=\frac{1}{3}\pi(22.5+7.5)(22.5-7.5)$
$=\frac{1}{3}\pi\times30\times15=150\pi(\text{cm}^2)$

11 $\frac{x^2-3xy+2y^2}{x-2y}=\frac{(x-y)(x-2y)}{x-2y}$
$=x-y$ ($\because x-2y\neq0$)
$=11+6\sqrt{2}-(-3+3\sqrt{2})=14+3\sqrt{2}$

12 $x^2-9y^2=(x+3y)(x-3y)=-2(x-3y)=10$
$\therefore x-3y=-5$
두 식 $x+3y=-2$, $x-3y=-5$를 연립하여 풀면
$x=-\frac{7}{2}$, $y=\frac{1}{2}$이므로 $x+y=-\frac{7}{2}+\frac{1}{2}=-3$

13 $6x^3y^2-15x^2y^3-9xy^4=3xy^2(2x^2-5xy-3y^2)$
$=3xy^2(x-3y)(2x+y)$
따라서 주어진 식의 인수가 아닌 것은 ④이다.

14 $a+2b=A$로 놓으면
$(a+2b)(a+2b-2)-15=A(A-2)-15$
$=A^2-2A-15$
$=(A+3)(A-5)$
$=(a+2b+3)(a+2b-5)$

15 $(x+1)(x+2)(x-3)(x-4)-6$
$=(x+1)(x-3)(x+2)(x-4)-6$
$=(x^2-2x-3)(x^2-2x-8)-6$
이때 $x^2-2x=X$로 놓으면
$(X-3)(X-8)-6=X^2-11X+18$
$=(X-2)(X-9)$
$=(x^2-2x-2)(x^2-2x-9)$

16 $xy-x-5y+5=x(y-1)-5(y-1)$
$=(x-5)(y-1)$
즉, $(x-5)(y-1)=3$이고 x, y는 양의 정수이므로
$x-5=1$, $y-1=3$ 또는 $x-5=3$, $y-1=1$
따라서 주어진 식을 만족시키는 순서쌍 (x, y)는 $(6, 4)$, $(8, 2)$이다.

17 $25-4x^2-y^2+4xy=25-(4x^2-4xy+y^2)$
$=5^2-(2x-y)^2$
$=(5+2x-y)(5-2x+y)$
따라서 $a=2$, $b=-1$, $c=5$, $d=-2$이므로
$a+b+c+d=2+(-1)+5+(-2)=4$

18 주어진 식을 x에 대하여 내림차순으로 정리하여 인수분해하면
$x^2+y^2-3x+3y-2xy-10$
$=x^2-(2y+3)x+y^2+3y-10$
$=x^2-(2y+3)x+(y+5)(y-2)$
$=(x-y-5)(x-y+2)$

19 x^4-5x^2+4에서 $x^2=X$로 놓으면
$x^4-5x^2+4=(x^2)^2-5x^2+4=X^2-5X+4$
$=(X-1)(X-4)=(x^2-1)(x^2-4)$
$=(x+1)(x-1)(x+2)(x-2)$
$\therefore (x+1)+(x-1)+(x+2)+(x-2)=4x$

P. 49~53 내신 5% 따라잡기

1 ⑤	**2** 60	**3** $(18, 5)$, $(-22, -5)$		
4 ①	**5** ②	**6** $2(a+c)(a-c)$		
7 8, 18, 30, 44		**8** ③	**9** $10x+6$	
10 32 cm	**11** -200	**12** $\frac{101}{200}$	**13** 16	**14** $4\sqrt{2}$
15 ②	**16** ③	**17** ④	**18** 16	**19** ①
20 $\frac{1}{6}$	**21** ②	**22** $(k^2+k+4)(k^2-k+4)$		
23 991	**24** $20\sqrt{5}-21$		**25** ③	**26** 48
27 -2	**28** $2x+3y$		**29** 149, 151	
30 $A_{25}(337, -312)$				

1 ① $x^2y-2xy^2=xy(x-2y)$
② $x^4-x^2=x^2(x^2-1)=x^2(x+1)(x-1)$
③ $-4x^2+16xy-16y^2=-4(x^2-4xy+4y^2)$
$=-4(x-2y)^2$
④ $a(3a-2b)-(2b-3a)=a(3a-2b)+(3a-2b)$
$=(a+1)(3a-2b)$
⑤ $(3a+5b)(2x-1)-3a-5b$
$=(3a+5b)(2x-1)-(3a+5b)$
$=(3a+5b)(2x-2)$
$=2(3a+5b)(x-1)$
따라서 인수분해를 바르게 한 것은 ⑤이다.

2 $x^2-5ax+3b+(7ax-b)=x^2+2ax+2b$
이 식이 완전제곱식이 되려면
$2b=\left(\frac{2a}{2}\right)^2=a^2$
따라서 50 이하의 자연수 a, b의 순서쌍 (a, b)는
$(2, 2)$, $(4, 8)$, $(6, 18)$, $(8, 32)$, $(10, 50)$
이므로 $a+b$의 최댓값은
$10+50=60$

3 $4x^2+(m+2)xy+25y^2=(2x)^2+(m+2)xy+(\pm5y)^2$
이 식이 완전제곱식이 되려면
$m+2=2\times2\times(\pm5)=\pm20$
$\therefore m=18$ 또는 $m=-22$
(i) $m=18$일 때
$4x^2+20xy+25y^2=(2x+5y)^2$이므로 $n=5$
(ii) $m=-22$일 때
$4x^2-20xy+25y^2=(2x-5y)^2$이므로 $n=-5$
따라서 (i), (ii)에 의해 구하는 순서쌍 (m, n)은
$(18, 5)$, $(-22, -5)$이다.

4 $a>1$에서 $0<\frac{1}{a}<1$이므로 $a+\frac{1}{a}>0$
$0<b<1$에서 $\frac{1}{b}>1$이므로 $b-\frac{1}{b}<0$

$\therefore \sqrt{a^2+2+\frac{1}{a^2}}-\sqrt{\left(b+\frac{1}{b}\right)^2-4}-\frac{1}{\sqrt{a^2}}+\sqrt{\frac{1}{b^2}}$

$=\sqrt{a^2+2+\frac{1}{a^2}}-\sqrt{b^2-2+\frac{1}{b^2}}-\frac{1}{\sqrt{a^2}}+\sqrt{\left(\frac{1}{b}\right)^2}$

$=\sqrt{\left(a+\frac{1}{a}\right)^2}-\sqrt{\left(b-\frac{1}{b}\right)^2}-\frac{1}{\sqrt{a^2}}+\sqrt{\left(\frac{1}{b}\right)^2}$

$=a+\frac{1}{a}-\left\{-\left(b-\frac{1}{b}\right)\right\}-\frac{1}{a}+\frac{1}{b}$

$=a+\frac{1}{a}+b-\frac{1}{b}-\frac{1}{a}+\frac{1}{b}=a+b$

5 $\sqrt{x}=a+3$이므로 양변을 제곱하면

$x=(a+3)^2=a^2+6a+9$

이때 $-2<a<4$에서 $a+2>0$, $a-4<0$이므로

$\sqrt{x-2a-5}+\sqrt{x-14a+7}$

$=\sqrt{a^2+6a+9-2a-5}+\sqrt{a^2+6a+9-14a+7}$

$=\sqrt{a^2+4a+4}+\sqrt{a^2-8a+16}$

$=\sqrt{(a+2)^2}+\sqrt{(a-4)^2}$

$=(a+2)-(a-4)=6$

6 $[-a, 2b, c]-[b, -4c, a]-[c, -2a, -b]$

$=(a^2-c^2+2abc)-(b^2-a^2+4abc)-(c^2-b^2-2abc)$

$=a^2-c^2+2abc-b^2+a^2-4abc-c^2+b^2+2abc$

$=2a^2-2c^2=2(a^2-c^2)=2(a+c)(a-c)$

7 $x^2+7x-k=(x+a)(x+b)$

$=x^2+(a+b)x+ab$

이므로 $a+b=7$, $ab=-k$

이때 $1\le k\le 50$이므로 $-50\le ab\le -1$

$a>b$라 하면 a와 b는 서로 다른 부호이므로 $a>0$, $b<0$

따라서 합이 7이고, $-50\le ab\le -1$을 만족시키는 두 정수 a, b의 순서쌍 (a, b)는

$(8, -1)$, $(9, -2)$, $(10, -3)$, $(11, -4)$

이므로 자연수 $k(=-ab)$의 값은 8, 18, 30, 44이다.

8 $5x^2+kx+6=(x+a)(5x+b)$

$=5x^2+(5a+b)x+ab$

이므로 $5a+b=k$, $ab=6$

이때 곱이 6인 두 정수 a, b의 순서쌍 (a, b)는

$(1, 6)$, $(2, 3)$, $(3, 2)$, $(6, 1)$, $(-1, -6)$, $(-2, -3)$, $(-3, -2)$, $(-6, -1)$이므로

$(1, 6)$일 때, $k=5\times1+6=11$

$(2, 3)$일 때, $k=5\times2+3=13$

$(3, 2)$일 때, $k=5\times3+2=17$

$(6, 1)$일 때, $k=5\times6+1=31$

$(-1, -6)$일 때, $k=5\times(-1)+(-6)=-11$

$(-2, -3)$일 때, $k=5\times(-2)+(-3)=-13$

$(-3, -2)$일 때, $k=5\times(-3)+(-2)=-17$

$(-6, -1)$일 때, $k=5\times(-6)+(-1)=-31$

따라서 k의 값이 될 수 없는 것은 ③이다.

9 (직사각형의 넓이)=(가로의 길이)×(세로의 길이)이므로 $6x^2+ax-10$은 $2x+5$를 인수로 가진다.

$6x^2+ax-10=(2x+5)(3x+m)$ (m은 상수)으로 놓으면

$6x^2+ax-10=6x^2+(2m+15)x+5m$

즉, $5m=-10$이므로 $m=-2$

따라서 $6x^2+ax-10=(2x+5)(3x-2)$이므로 이 직사각형의 세로의 길이는 $3x-2$이다.

$\therefore$ (둘레의 길이)$=2\{(2x+5)+(3x-2)\}$

$=2(5x+3)=10x+6$

10 $\overline{AC}$를 지름으로 하는 원의 반지름의 길이를 r cm라 하면

$2\pi r=36\pi \quad \therefore r=18$

즉, $\overline{AC}=2r=2\times18=36$(cm)이므로 $\overline{BC}=a$ cm라 하면

(색칠한 부분의 넓이)

=($\overline{AD}$를 지름으로 하는 원의 넓이)

−($\overline{AB}$를 지름으로 하는 원의 넓이)

$=\pi\left(\frac{36+a}{2}\right)^2-\pi\left(\frac{36-a}{2}\right)^2$

$=\pi\left\{\left(\frac{36+a}{2}\right)^2-\left(\frac{36-a}{2}\right)^2\right\}$

$=\pi\left(\frac{36+a}{2}+\frac{36-a}{2}\right)\left(\frac{36+a}{2}-\frac{36-a}{2}\right)$

$=\pi\times36\times a=144\pi(\text{cm}^2)$

따라서 $a=4$이므로 $\overline{BC}=4$ cm

$\therefore \overline{AB}=\overline{AC}-\overline{BC}=36-4=32$(cm)

11 $1^2-3^2+5^2-7^2+9^2-11^2+13^2-15^2+17^2-19^2$

$=(1^2-3^2)+(5^2-7^2)+(9^2-11^2)+(13^2-15^2)+(17^2-19^2)$

$=(1-3)(1+3)+(5-7)(5+7)+(9-11)(9+11)+(13-15)(13+15)+(17-19)(17+19)$

$=-2\times(1+3+5+7+9+11+13+15+17+19)$

⇨ 합이 20인 것이 5쌍

$=-2\times(20\times5)$

$=-200$

12 $f(2)\times f(3)\times f(4)\times\cdots\times f(99)\times f(100)$

$=\left(1-\frac{1}{2^2}\right)\times\left(1-\frac{1}{3^2}\right)\times\cdots\times\left(1-\frac{1}{99^2}\right)\times\left(1-\frac{1}{100^2}\right)$

$=\left(1-\frac{1}{2}\right)\times\left(1+\frac{1}{2}\right)\times\left(1-\frac{1}{3}\right)\times\left(1+\frac{1}{3}\right)\times\cdots\times\left(1-\frac{1}{99}\right)\times\left(1+\frac{1}{99}\right)\times\left(1-\frac{1}{100}\right)\times\left(1+\frac{1}{100}\right)$

$=\frac{1}{2}\times\frac{3}{2}\times\frac{2}{3}\times\frac{4}{3}\times\cdots\times\frac{98}{99}\times\frac{100}{99}\times\frac{99}{100}\times\frac{101}{100}$

$=\frac{1}{2}\times\frac{101}{100}$

$=\frac{101}{200}$

13 $2^{48}-1=(2^{24}+1)(2^{24}-1)$
$=(2^{24}+1)(2^{12}+1)(2^{12}-1)$
$=(2^{24}+1)(2^{12}+1)(2^{6}+1)(2^{6}-1)$
$=(2^{24}+1)(2^{12}+1)(2^{6}+1)(2^{3}+1)(2^{3}-1)$
이때 $2^3+1=9$, $2^3-1=7$이므로 $2^{48}-1$은 7, 9로 나누어떨어진다.
따라서 이 두 자연수의 합은 $7+9=16$이다.

14 주어진 식을 인수분해하면
$3x^2-8xy-3y^2=(3x+y)(x-3y)$
이때 $2x-y=\frac{1}{\sqrt{2}-1}=\frac{\sqrt{2}+1}{(\sqrt{2}-1)(\sqrt{2}+1)}=\sqrt{2}+1$ ⋯ ㉠
$x+2y=\frac{1}{\sqrt{2}+1}=\frac{\sqrt{2}-1}{(\sqrt{2}+1)(\sqrt{2}-1)}=\sqrt{2}-1$ ⋯ ㉡
㉠+㉡에서 $3x+y=2\sqrt{2}$
㉠−㉡에서 $x-3y=2$
∴ (주어진 식)$=(3x+y)(x-3y)$
$=2\sqrt{2}\times2=4\sqrt{2}$

15 $xyz-xy-xz+x-yz+y+z-1$
$=x(yz-y-z+1)-(yz-y-z+1)$
$=(x-1)(yz-y-z+1)$
$=(x-1)\{y(z-1)-(z-1)\}$
$=(x-1)(y-1)(z-1)$

16 $P(x)=(x-3)^2-4(x-3)+4$에서
$x-3=A$로 놓으면
$P(x)=A^2-4A+4=(A-2)^2$
$=\{(x-3)-2\}^2$
$=(x-5)^2$
$\therefore P(x)\times P(x+10)=(x-5)^2\{(x+10)-5\}^2$
$=(x-5)^2(x+5)^2$
$=\{(x-5)(x+5)\}^2$
$=(x^2-25)^2$
따라서 $P(x)\times P(x+10)$의 인수가 아닌 것은 ③이다.

17 $x+y=X$로 놓으면
$(x+y)^2-6(x+y)-55=X^2-6X-55$
$=(X+5)(X-11)$
$=(x+y+5)(x+y-11)$
이 식의 값이 소수가 되어야 하므로
$x+y+5=1$ 또는 $x+y-11=1$
이때 x, y는 자연수이므로 $x+y-11=1$
$\therefore x+y=12$
따라서 $x+y=12$이면 $x+y+5=17$은 소수이므로
$x+y=12$를 만족시키는 두 자연수 x, y의 순서쌍 (x, y)는
$(1, 11)$, $(2, 10)$, $(3, 9)$, $\cdots$, $(11, 1)$의 11개이다.

18 $x(x+2)(x+4)(x+6)+k=x(x+6)(x+2)(x+4)+k$
$=(x^2+6x)(x^2+6x+8)+k$
이때 $x^2+6x=X$로 놓으면
$X(X+8)+k=X^2+8X+k$
따라서 이 식이 완전제곱식이 되도록 하는 k의 값은
$k=\left(\frac{8}{2}\right)^2=4^2=16$

19 x, y는 연속하는 두 자연수이므로 $y=x+1$이라 하면
$X=\sqrt{x^2+y^2+x^2y^2}$
$=\sqrt{x^2+(x+1)^2+\{x(x+1)\}^2}$
$=\sqrt{2x^2+2x+1+(x^2+x)^2}$
$=\sqrt{(x^2+x)^2+2(x^2+x)+1}$
이때 $x^2+x=A$로 놓으면
$X=\sqrt{A^2+2A+1}=\sqrt{(A+1)^2}$
$=\sqrt{(x^2+x+1)^2}=x^2+x+1$ ($\because$ x는 자연수)
$=x(x+1)+1$
따라서 연속하는 두 자연수의 곱 $x(x+1)$은 항상 짝수이므로 $X=x(x+1)+1$은 항상 홀수이다.

참고 $y=x-1\,(x>1)$이라 하면 $X=\underbrace{x(x-1)}_{\text{항상 짝수}}+1$이므로 X는 항상 홀수이다.

20 모든 경우의 수는 $6\times6=36$
$xy-2x-y+2=x(y-2)-(y-2)=(x-1)(y-2)$
이므로 $\sqrt{(x-1)(y-2)}$가 자연수가 되려면 $(x-1)(y-2)$가 (자연수)^2 꼴이어야 한다.
이때 $1\le x\le6$, $1\le y\le6$이므로 x, y의 순서쌍 (x, y)는 다음과 같다.
(i) $(x-1)(y-2)=1$일 때, $(2, 3)$
(ii) $(x-1)(y-2)=4$일 때, $(2, 6)$, $(3, 4)$, $(5, 3)$
(iii) $(x-1)(y-2)=9$일 때, $(4, 5)$
(iv) $(x-1)(y-2)=16$일 때, $(5, 6)$
따라서 (i)~(iv)에 의해 $\sqrt{xy-2x-y+2}$가 자연수가 되는 경우의 수는 $1+3+1+1=6$이므로
구하는 확률은 $\frac{6}{36}=\frac{1}{6}$

21 주어진 식을 x에 대하여 내림차순으로 정리하여 인수분해하면
$(1-x^2)(1-y^2)-4xy$
$=1-x^2-y^2+x^2y^2-4xy$
$=(y^2-1)x^2-4yx-(y^2-1)$
$=(y+1)(y-1)x^2-4yx-(y+1)(y-1)$
$=\{(y-1)x-(y+1)\}\{(y+1)x+(y-1)\}$
$=(xy-x-y-1)(xy+x+y-1)$
따라서 $a=-1$, $b=-1$, $c=-1$, $d=1$, $e=-1$이므로
$a+b+c+d+e=-1+(-1)+(-1)+1+(-1)$
$=-3$

다른 풀이

$(1-x^2)(1-y^2)-4xy$
$=1-x^2-y^2+x^2y^2-4xy$
$=(1-2xy+x^2y^2)-(x^2+2xy+y^2)$
$=(xy-1)^2-(x+y)^2$
$=(xy-x-y-1)(xy+x+y-1)$
따라서 $a=-1$, $b=-1$, $c=-1$, $d=1$, $e=-1$이므로
$a+b+c+d+e=-1+(-1)+(-1)+1+(-1)$
$=-3$

22 $k^4+7k^2+16=k^4+8k^2+16-k^2$
$=(k^2+4)^2-k^2$
$=(k^2+k+4)(k^2-k+4)$

개념 더하기 다시 보기

x^4+ax^2+b 꼴의 인수분해
① $x^2=X$로 놓고 인수분해 공식을 이용한다.
② ①의 방법으로 인수분해되지 않으면 A^2-B^2 꼴로 변형하여 인수분해한다.

23 $30=x$로 놓으면
$30\times31\times32\times33+1$
$=x(x+1)(x+2)(x+3)+1$
$=x(x+3)(x+1)(x+2)+1$
$=(x^2+3x)(x^2+3x+2)+1$
이때 $x^2+3x=A$로 놓으면
$A(A+2)+1=A^2+2A+1=(A+1)^2$
$=(x^2+3x+1)^2$
$=(30^2+3\times30+1)^2$
$=991^2$
이때 $N>0$이므로 $N=991$

24 $x^2-y^2+2x+1=(x^2+2x+1)-y^2$
$=(x+1)^2-y^2$
$=(x+y+1)(x-y+1)$
즉, $(x+y+1)(x-y+1)=80$이고 $x+y=\sqrt{5}$이므로
$(\sqrt{5}+1)(x-y+1)=80$에서
$x-y+1=\dfrac{80}{\sqrt{5}+1}=\dfrac{80(\sqrt{5}-1)}{(\sqrt{5}+1)(\sqrt{5}-1)}$
$=20\sqrt{5}-20$
$\therefore x-y=20\sqrt{5}-21$

25 $2<\sqrt{7}<3$에서 $\sqrt{7}$의 정수 부분이 2이므로
$a=\sqrt{7}-2$
또 $3<2\sqrt{3}(=\sqrt{12})<4$에서
$1<5-2\sqrt{3}<2$이므로 $b=1$

$\therefore \dfrac{a^3-b^3+a^2b-ab^2}{a-b}=\dfrac{a^3+a^2b-b^3-ab^2}{a-b}$
$=\dfrac{a^2(a+b)-b^2(a+b)}{a-b}$
$=\dfrac{(a^2-b^2)(a+b)}{a-b}$
$=\dfrac{(a+b)^2(a-b)}{a-b}$
$=(a+b)^2$ ($\because a-b\neq0$)
$=(\sqrt{7}-2+1)^2=(\sqrt{7}-1)^2$
$=8-2\sqrt{7}$

26 $2x+2y+xy=28$ $\cdots$ ㉠
$x+y-xy=-4$ $\cdots$ ㉡
㉠+㉡을 하면 $3x+3y=24$이므로
$3(x+y)=24$ $\quad\therefore x+y=8$
$x+y=8$을 ㉡에 대입하면
$8-xy=-4$ $\quad\therefore xy=12$
또 $(x-y)^2=(x+y)^2-4xy=8^2-4\times12=16$이므로
$x-y=\pm4$
이때 $x>y$에서 $x-y>0$이므로 $x-y=4$
$\therefore \sqrt{6xy(x^2-y^2)}=\sqrt{6xy(x+y)(x-y)}$
$=\sqrt{6\times12\times8\times4}$
$=\sqrt{(2^4\times3)^2}=48$

27 주어진 식에서 분자를 x에 대하여 내림차순으로 정리하여 인수분해하면
$3x^2+4xy+y^2+6x+2y=3x^2+(4y+6)x+y^2+2y$
$=3x^2+(4y+6)x+y(y+2)$
$=(3x+y)(x+y+2)$
$\therefore$ (주어진 식)$=\dfrac{(3x+y)(x+y+2)}{x+y+2}$
$=3x+y$ ($\because x+y+2\neq0$)
$=3(\sqrt{5}-2)+(4-3\sqrt{5})$
$=3\sqrt{5}-6+4-3\sqrt{5}$
$=-2$

28 길잡이 먼저 색종이 A의 넓이를 구해 본다.
(색종이 A의 넓이)
=(색종이 C의 넓이)
 −(색종이 C에서 색종이 B와 겹치지 않은 부분의 넓이)
 −(색종이 B에서 색종이 A와 겹치지 않은 부분의 넓이)
$=(3x+4y)^2-(4x^2+11xy+5y^2)-(x^2+xy+2y^2)$
$=(9x^2+24xy+16y^2)-(4x^2+11xy+5y^2)$
$\quad-(x^2+xy+2y^2)$
$=4x^2+12xy+9y^2$
$=(2x+3y)^2$
따라서 색종이 A의 한 변의 길이는 $2x+3y$이다.

29 길잡이 22499=22500−1이므로 인수분해를 이용하여 복호 키를 구한다.

22499는 두 소수의 곱으로 나타내어지므로 두 소수의 곱이 22499가 되는 수를 찾으면

$22499=22500-1=150^2-1^2$
$=(150+1)(150-1)$
$=151\times149$

따라서 22499는 두 소수 149와 151의 곱으로 나타낼 수 있으므로 복호 키는 149와 151이다.

30 길잡이 n이 홀수일 때와 짝수일 때로 나누어 점 A_n의 x좌표, y좌표가 각각 어떻게 변하는지 생각해 본다.

점 A_{n-1}에서 점 A_n으로 이동할 때, n이 홀수이면 x좌표가, n이 짝수이면 y좌표가 변하므로 원점에서 출발하여

1번째의 좌표는 $A_1(1^2,\ 0)$,
2번째의 좌표는 $A_2(1^2,\ 2^2)$,
3번째의 좌표는 $A_3(1^2-3^2,\ 2^2)$,
4번째의 좌표는 $A_4(1^2-3^2,\ 2^2-4^2)$, …

점 A_{25}의 x좌표는

$1^2-3^2+5^2-7^2+\cdots+21^2-23^2+25^2$
$=(1-3)(1+3)+(5-7)(5+7)+\cdots+(21-23)(21+23)+25^2$
$=-2\times(1+3+5+7+\cdots+21+23)+25^2$
$=-2\times(24\times6)+625$
$=-288+625=337$

점 A_{25}의 y좌표는

$2^2-4^2+6^2-8^2+\cdots+22^2-24^2$
$=(2-4)(2+4)+(6-8)(6+8)+\cdots+(22-24)(22+24)$
$=-2\times(2+4+6+8+\cdots+22+24)$
$=-2\times(26\times6)=-312$

따라서 점 A_{25}의 좌표는 $A_{25}(337,\ -312)$이다.

P. 54~55 내신 1% 뛰어넘기

01 $2a$	**02** 210, 504, 990	**03** 13개	**04** 12
05 $k=7n+1$	**06** $9-\sqrt{3}$	**07** 28	**08** 72

01 길잡이 연립방정식의 해를 구하여 주어진 식에 대입한다.

$\begin{cases} 9x-ay=81 & \cdots ㉠ \\ ax-y=a^3 & \cdots ㉡ \end{cases}$

㉠−㉡×a를 하면

$(9-a^2)x=81-a^4$, $(9-a^2)x=(9+a^2)(9-a^2)$

이때 $0<a<3$이므로 $9-a^2\neq0$

$\therefore x=a^2+9 \quad \cdots ㉢$

㉢을 ㉡에 대입하면

$a(a^2+9)-y=a^3$, $a^3+9a-y=a^3 \quad \therefore y=9a$

따라서 $\alpha=a^2+9$, $\beta=9a$이므로

$\sqrt{\alpha+\frac{2}{3}\beta}-\sqrt{\alpha-\frac{2}{3}\beta}$
$=\sqrt{a^2+9+\frac{2}{3}\times9a}-\sqrt{a^2+9-\frac{2}{3}\times9a}$
$=\sqrt{a^2+6a+9}-\sqrt{a^2-6a+9}$
$=\sqrt{(a+3)^2}-\sqrt{(a-3)^2}$
$=(a+3)-\{-(a-3)\}$ ($\because 0<a<3$)
$=2a$

02 길잡이 $8n^3-2n$을 인수분해한 후 인수들의 관계를 생각한다.

$8n^3-2n=2n(4n^2-1)$
$=(2n-1)\times2n\times(2n+1)$

즉, $8n^3-2n$은 연속하는 세 자연수의 곱의 꼴로 나타낼 수 있다.

$n=2$일 때, $3\times4\times5=60$
$n=3$일 때, $5\times6\times7=210$
$n=4$일 때, $7\times8\times9=504$
$n=5$일 때, $9\times10\times11=990$
$n=6$일 때, $11\times12\times13=1716$

따라서 세 자리의 자연수는 210, 504, 990이다.

03 길잡이 주어진 식이 두 일차식의 곱으로 인수분해되기 위한 일차항의 계수와 상수항 사이의 관계를 알아본다.

주어진 다항식이 $(x+a)(x+b)$ (a, b는 정수)로 인수분해된다고 하면 $x^2+(a+b)x+ab$에서 $a+b=-2$이고, $-200\leq ab\leq-1$이므로 이를 만족시키는 두 정수 a, b를 순서쌍 $(a,\ b)$로 나타내면

$(1,\ -3)$, $(2,\ -4)$, $(3,\ -5)$, …, $(13,\ -15)$

이므로 구하는 다항식의 개수는 13개이다.

04 길잡이 $9xy-6x+\frac{x}{y}$에서 $\frac{x}{y}$를 묶어 낸 후, 인수분해 공식을 이용한다.

$9xy-6x+\frac{x}{y}=\frac{x}{y}(9y^2-6y+1)$
$=\frac{x}{y}(3y-1)^2$

즉, $\frac{x}{y}(3y-1)^2=242$에서 x, y는 자연수이고

$242=2\times11^2=242\times1^2$이므로

(i) $\frac{x}{y}=2$, $3y-1=11$일 때, $x=8$, $y=4$

(ii) $\frac{x}{y}=242$, $3y-1=1$일 때, $x=\frac{484}{3}$, $y=\frac{2}{3}$

그런데 x, y는 자연수이어야 하므로 조건을 만족시키지 않는다.

따라서 (i), (ii)에 의해 $x=8$, $y=4$이므로

$x+y=8+4=12$

05 길잡이 $a^2-b^2=(a+b)(a-b)$임을 이용하여 주어진 식을 먼저 간단히 한다.

$(x^{7n}-y^{7n})^2-(x^{7n}+y^{7n})^2$
$=(x^{7n}-y^{7n}+x^{7n}+y^{7n})(x^{7n}-y^{7n}-x^{7n}-y^{7n})$
$=2x^{7n}\times(-2y^{7n})$
$=-4\times(xy)^{7n}$

이때 $xy=(3\sqrt{2}-\sqrt{22})(3\sqrt{2}+\sqrt{22})=18-22=-4$이므로
$-4\times(xy)^{7n}=-4\times(-4)^{7n}$
$=4^{7n+1}$ ($\because$ n은 홀수)
$\therefore k=7n+1$

06 길잡이 주어진 방정식을 연립방정식으로 나타낸 후 $x+y$, x^2+y^2의 값을 구한다.

$x^2+\sqrt{3}y=y^2+\sqrt{3}x=2\sqrt{3}$에서
$\begin{cases} x^2=2\sqrt{3}-\sqrt{3}y & \cdots ㉠ \\ y^2=2\sqrt{3}-\sqrt{3}x & \cdots ㉡ \end{cases}$
㉠$-$㉡을 하면
$x^2-y^2=\sqrt{3}x-\sqrt{3}y$
$(x+y)(x-y)=\sqrt{3}(x-y)$
이때 $x\neq y$, 즉 $x-y\neq0$이므로 $x+y=\sqrt{3}$
㉠$+$㉡을 하면
$x^2+y^2=4\sqrt{3}-\sqrt{3}(x+y)$
$=4\sqrt{3}-\sqrt{3}\times\sqrt{3}=4\sqrt{3}-3$
$\therefore x^3+x^2y+y^3+xy^2-xy$
$=x^2(x+y)+y^2(x+y)-xy$
$=(x^2+y^2)(x+y)-xy$
$=(4\sqrt{3}-3)\times\sqrt{3}-(3-2\sqrt{3})$
$=12-3\sqrt{3}-3+2\sqrt{3}$
$=9-\sqrt{3}$

07 길잡이 주어진 식의 좌변을 x에 대하여 내림차순으로 정리하여 인수분해한다.

주어진 식의 좌변을 x에 대하여 내림차순으로 정리하여 인수분해하면
$xyz+xy+yz+zx+x+y+z+1$
$=x(yz+y+z+1)+(yz+y+z+1)$
$=(x+1)(yz+y+z+1)$
$=(x+1)\{y(z+1)+(z+1)\}$
$=(x+1)(y+1)(z+1)$
$\therefore (x+1)(y+1)(z+1)=1001$
$=7\times11\times13$
이때 x, y, z가 $x<y<z$인 양의 정수이므로
$x+1=7$, $y+1=11$, $z+1=13$
$\therefore x=6$, $y=10$, $z=12$
$\therefore x+y+z=6+10+12=28$

08 길잡이 $x^2-xy+y^2=6$의 좌변을 완전제곱식 $(x-y)^2$으로 변형한 후, 주어진 식에 대입한다.

$x^2-xy+y^2=6$에서 $x^2-2xy+y^2=6-xy$이므로
$(x-y)^2=6-xy$
$\therefore x^4+y^4+(x-y)^4$
$=x^4+y^4+(6-xy)^2$
$=x^4+y^4+x^2y^2-12xy+36$
$=x^4+2x^2y^2+y^4-x^2y^2-12xy+36$
$=(x^2+y^2)^2-(xy)^2-12xy+36$
$=(x^2+xy+y^2)(x^2-xy+y^2)-12xy+36$
$=6(x^2+xy+y^2)-12xy+36$
$=6(x^2-xy+y^2)+36$
$=6\times6+36=72$

개념 더하기 다시 보기

$a^4+a^2b^2+b^4=a^4+2a^2b^2+b^4-a^2b^2$
$=(a^2+b^2)^2-(ab)^2$
$=(a^2+ab+b^2)(a^2-ab+b^2)$

P. 56~57 3~4 서술형 완성하기

[과정은 풀이 참조]

1 31 **2** 8
3 (1) 3 (2) $4-2\sqrt{3}$ (3) $x=-16$, $y=10$ **4** $3x-7$
5 $\frac{10}{3}$ **6** -6 **7** $29-3\sqrt{11}$ **8** 228

1 $(4+2)(4^2+2^2)(4^4+2^4)(4^8+2^8)+2^{15}$
$=\frac{1}{2}(4-2)(4+2)(4^2+2^2)(4^4+2^4)(4^8+2^8)+2^{15}$ $\cdots$ (i)
$=\frac{1}{2}(4^2-2^2)(4^2+2^2)(4^4+2^4)(4^8+2^8)+2^{15}$
$=\frac{1}{2}(4^4-2^4)(4^4+2^4)(4^8+2^8)+2^{15}$
$=\frac{1}{2}(4^8-2^8)(4^8+2^8)+2^{15}$
$=\frac{1}{2}(4^{16}-2^{16})+2^{15}$
$=\frac{1}{2}(2^{32}-2^{16})+2^{15}$
$=2^{31}-2^{15}+2^{15}$
$=2^{31}$
따라서 $2^{31}=2^x$이므로 $x=31$ $\cdots$ (ii)

채점 기준	비율
(i) 곱셈 공식을 이용할 수 있도록 좌변을 변형하기	30 %
(ii) 곱셈 공식을 이용하여 x의 값 구하기	70 %

2 $(5-a\sqrt{2})+(b+3\sqrt{2})=5+b+(3-a)\sqrt{2}$

이 식의 값이 유리수가 되어야 하므로

$3-a=0 \quad \therefore a=3$ … (i)

$(5-a\sqrt{2})(b+3\sqrt{2})=(5-3\sqrt{2})(b+3\sqrt{2})$

$=5b-18+(15-3b)\sqrt{2}$

이 식의 값이 유리수가 되어야 하므로

$15-3b=0 \quad \therefore b=5$ … (ii)

$\therefore a+b=3+5=8$ … (iii)

채점 기준	비율
(i) 두 수의 합이 유리수가 되도록 하는 a의 값 구하기	40 %
(ii) 두 수의 곱이 유리수가 되도록 하는 b의 값 구하기	40 %
(iii) $a+b$의 값 구하기	20 %

3 (1) $\frac{\sqrt{6}+\sqrt{2}}{\sqrt{6}-\sqrt{2}}=\frac{(\sqrt{6}+\sqrt{2})^2}{(\sqrt{6}-\sqrt{2})(\sqrt{6}+\sqrt{2})}$

$=\frac{6+4\sqrt{3}+2}{6-2}$

$=\frac{8+4\sqrt{3}}{4}$

$=2+\sqrt{3}$

$1<\sqrt{3}<2$에서 $3<2+\sqrt{3}<4$이므로

$A=3$ … (i)

(2) $(\sqrt{3}-1)^2=3-2\sqrt{3}+1$

$=4-2\sqrt{3}$

$2\sqrt{3}=\sqrt{12}$이고, $3<\sqrt{12}<4$에서 $0<4-\sqrt{12}<1$이므로

$4-2\sqrt{3}$의 정수 부분은 0이고, 소수 부분은

$B=(4-2\sqrt{3})-0=4-2\sqrt{3}$ … (ii)

(3) $B(A-B)=(4-2\sqrt{3})\{3-(4-2\sqrt{3})\}$

$=(4-2\sqrt{3})(-1+2\sqrt{3})$

$=-4+8\sqrt{3}+2\sqrt{3}-12$

$=-16+10\sqrt{3}$

$\therefore x=-16,\ y=10$ … (iii)

채점 기준	비율
(i) A의 값 구하기	30 %
(ii) B의 값 구하기	30 %
(iii) x, y의 값 구하기	40 %

4 $\triangle$ABC의 둘레의 길이는 $2(4x+5)$이므로

$\overline{AB}+\overline{BC}+\overline{CA}=2(4x+5)$

이때 $\triangle$ABC의 내접원의 반지름의 길이를 r라 하면

$\triangle ABC=\frac{1}{2}\times r\times\overline{AB}+\frac{1}{2}\times r\times\overline{BC}+\frac{1}{2}\times r\times\overline{CA}$

$=\frac{1}{2}\times r\times(\overline{AB}+\overline{BC}+\overline{CA})$

$=\frac{1}{2}\times r\times 2(4x+5)$

$=(4x+5)r$ … (i)

이때 $\triangle$ABC의 넓이는

$12x^2-13x-35=(3x-7)(4x+5)$이므로 … (ii)

$(4x+5)r=(3x-7)(4x+5)$에서

$r=3x-7$

따라서 $\triangle$ABC의 내접원의 반지름의 길이는 $3x-7$이다. … (iii)

채점 기준	비율
(i) 내접원의 반지름의 길이를 이용하여 $\triangle$ABC의 넓이를 구하는 식 세우기	40 %
(ii) $12x^2-13x-35$를 인수분해하기	40 %
(iii) $\triangle$ABC의 내접원의 반지름의 길이 구하기	20 %

5 $a(a-1)-b(b+1)=a^2-a-b^2-b$

$=a^2-b^2-a-b$

$=(a+b)(a-b)-(a+b)$

$=(a+b)(a-b-1)$ … (i)

이때 $a+b=-3$이므로 $-3(a-b-1)=-7$에서

$a-b-1=\frac{7}{3}$ … (ii)

$\therefore a-b=\frac{10}{3}$ … (iii)

채점 기준	비율
(i) $a(a-1)-b(b+1)$을 인수분해하기	50 %
(ii) $a-b-1$의 값 구하기	30 %
(iii) $a-b$의 값 구하기	20 %

6 주어진 식을 x에 대하여 내림차순으로 정리하여 인수분해하면

$x^2+4xy+3y^2-10x-14y+16$

$=x^2+(4y-10)x+3y^2-14y+16$ … (i)

$=x^2+(4y-10)x+(3y-8)(y-2)$

$=(x+3y-8)(x+y-2)$ … (ii)

따라서 $a=3,\ b=-8,\ c=1,\ d=-2$ 또는

$a=1,\ b=-2,\ c=3,\ d=-8$이므로 … (iii)

$a+b+c+d=3+(-8)+1+(-2)$

$=-6$ … (iv)

채점 기준	비율
(i) 주어진 식을 x에 대하여 내림차순으로 정리하기	30 %
(ii) 주어진 식을 인수분해하기	30 %
(iii) a, b, c, d의 값 구하기	20 %
(iv) $a+b+c+d$의 값 구하기	20 %

7 $3<\sqrt{11}<4$이므로

$6<3+\sqrt{11}<7 \quad \therefore \langle x\rangle=6$ … (i)

$2x=6+2\sqrt{11}=6+\sqrt{44}$이고 $6<\sqrt{44}<7$이므로

$12<6+\sqrt{44}<13 \quad \therefore \langle 2x\rangle=12$ … (ii)

$$\therefore \frac{x}{x-\langle x\rangle}+\frac{x-\langle 2x\rangle}{x}$$

$$=\frac{3+\sqrt{11}}{(3+\sqrt{11})-6}+\frac{(3+\sqrt{11})-12}{3+\sqrt{11}}$$

$$=\frac{\sqrt{11}+3}{\sqrt{11}-3}+\frac{\sqrt{11}-9}{\sqrt{11}+3}$$

$$=\frac{(\sqrt{11}+3)^2+(\sqrt{11}-9)(\sqrt{11}-3)}{(\sqrt{11}-3)(\sqrt{11}+3)}$$

$$=\frac{(20+6\sqrt{11})+(38-12\sqrt{11})}{2}$$

$$=\frac{58-6\sqrt{11}}{2}=29-3\sqrt{11}$$ … (iii)

채점 기준	비율
(i) $\langle x\rangle$의 값 구하기	30 %
(ii) $\langle 2x\rangle$의 값 구하기	30 %
(iii) 주어진 식의 값 구하기	40 %

8 $$\frac{215^2-225}{230}+\frac{3^{33}+3^{30}-3^3-1}{3^{30}-1}$$

$$=\frac{215^2-15^2}{215+15}+\frac{3^{30}(3^3+1)-(3^3+1)}{3^{30}-1}$$

$$=\frac{(215+15)(215-15)}{215+15}+\frac{(3^3+1)(3^{30}-1)}{3^{30}-1}$$ … (i)

$=215-15+3^3+1$

$=228$ … (ii)

채점 기준	비율
(i) 인수분해 공식을 이용하여 주어진 식 변형하기	50 %
(ii) 답 구하기	50 %

5. 이차방정식

P. 60~65 개념+대표 문제 확인하기

1 ㄱ, ㄷ	**2** ③	**3** $x=3$	**4** $\frac{1}{3}$	**5** -11
6 4	**7** ③	**8** 8	**9** $a=3$, $x=1$	
10 ㄴ, ㄷ, ㅁ, ㅂ		**11** 2	**12** $x=-6$	
13 9	**14** ③	**15** $a=1$, $b=\frac{5}{4}$		**16** ④
17 24	**18** ⑤	**19** -1	**20** $x=\frac{-1\pm\sqrt{5}}{4}$	
21 $x=9-3\sqrt{10}$		**22** 140		
23 $x=-\frac{1}{2}$ 또는 $x=\frac{3}{4}$			**24** 2	**25** 10
26 $a=3$, $b=-6$		**27** ①	**28** 10	**29** 7
30 ④	**31** 21	**32** 15명	**33** 4초 후	
34 13초 후		**35** 2		

1 ㄱ. $x^2+5x-1=0$ (이차방정식)
ㄴ. 등식이 아니므로 이차방정식이 아니다.
ㄷ. $x^2+x=3$ $\quad\therefore x^2+x-3=0$ (이차방정식)
ㄹ. $x^2+2=x^2+3x$ $\quad\therefore -3x+2=0$ (일차방정식)
ㅁ. $4x^2-x=4x^2-4x+1$ $\quad\therefore 3x-1=0$ (일차방정식)
ㅂ. 분모에 미지수가 있으므로 이차방정식이 아니다.
따라서 이차방정식은 ㄱ, ㄷ이다.

2 $(a+1)x^2-x=(4x-1)(x+3)$에서
$(a+1)x^2-x=4x^2+11x-3$
$\therefore (a-3)x^2-12x+3=0$
이 식이 x에 대한 이차방정식이려면 이차항의 계수가 0이 아니어야 하므로
$a-3\neq 0$에서 $a\neq 3$
따라서 a의 값이 될 수 없는 것은 ③이다.

3 $-2(x-11)\geq 5x-8$에서 $-2x+22\geq 5x-8$
$-7x\geq -30$ $\quad\therefore x\leq\frac{30}{7}(=4.28\cdots)$
이를 만족시키는 자연수 x의 값은 1, 2, 3, 4이므로
$x^2-9x+18=0$에 이 값들을 각각 대입하면
$x=1$일 때, $1^2-9\times1+18=10\neq 0$
$x=2$일 때, $2^2-9\times2+18=4\neq 0$
$x=3$일 때, $3^2-9\times3+18=0$
$x=4$일 때, $4^2-9\times4+18=-2\neq 0$
따라서 $x^2-9x+18=0$의 해는 $x=3$이다.

4 $5x^2-3(a-4)x+2=0$에 $x=-2$를 대입하면
$5\times(-2)^2+6(a-4)+2=0$, $20+6a-24+2=0$
$6a=2$ $\quad\therefore a=\frac{1}{3}$

5 $x^2+3x+1=0$에 $x=p$를 대입하면
$p^2+3p+1=0$에서 $p^2+3p=-1$
$2x^2-3x-5=0$에 $x=q$를 대입하면
$2q^2-3q-5=0$에서 $2q^2-3q=5$
$\therefore p^2+3p-4q^2+6q=(p^2+3p)-2(2q^2-3q)$
$=-1-2\times5=-11$

6 $x^2-4x+1=0$에 $x=\alpha$를 대입하면
$\alpha^2-4\alpha+1=0$ $\quad\cdots$ ㉠
이때 $\alpha=0$이면 등식이 성립하지 않으므로 $\alpha\neq 0$
㉠의 양변을 α로 나누면
$\alpha-4+\frac{1}{\alpha}=0$ $\quad\therefore \alpha+\frac{1}{\alpha}=4$

7 $(x+3)(x-1)=-2-2x^2$에서
$x^2+2x-3=-2-2x^2$, $3x^2+2x-1=0$
$(x+1)(3x-1)=0$ $\quad\therefore x=-1$ 또는 $x=\frac{1}{3}$
이때 $a>b$이므로 $a=\frac{1}{3}$, $b=-1$
$\therefore 3a+b=3\times\frac{1}{3}+(-1)=0$

8 $x^2-3x-4a=8$에 $x=a$를 대입하면
$a^2-3a-4a=8$, $a^2-7a-8=0$
$(a+1)(a-8)=0$ $\quad\therefore a=-1$ 또는 $a=8$
이때 $a>0$이므로 $a=8$

9 $x^2+ax-2(a-1)=0$에 $x=-4$를 대입하면
$(-4)^2-4a-2(a-1)=0$, $16-4a-2a+2=0$
$-6a=-18$ $\quad\therefore a=3$
따라서 주어진 이차방정식은 $x^2+3x-4=0$이므로
$(x+4)(x-1)=0$ $\quad\therefore x=-4$ 또는 $x=1$
따라서 다른 한 근은 $x=1$이다.

10 ㄱ. $2x^2-2x-4=0$, $2(x^2-x-2)=0$
$2(x+1)(x-2)=0$ $\quad\therefore x=-1$ 또는 $x=2$
ㄴ. $x^2-6x+9=0$, $(x-3)^2=0$ $\quad\therefore x=3$
ㄷ. $x^2-\frac{2}{3}x+\frac{1}{9}=0$, $\left(x-\frac{1}{3}\right)^2=0$ $\quad\therefore x=\frac{1}{3}$
ㄹ. $x^2-10x+24=0$, $(x-4)(x-6)=0$
$\therefore x=4$ 또는 $x=6$
ㅁ. $3(x^2+4x+4)=0$, $3(x+2)^2=0$ $\quad\therefore x=-2$
ㅂ. $x^2-8x-20=-36$, $x^2-8x+16=0$
$(x-4)^2=0$ $\quad\therefore x=4$
따라서 중근을 갖는 이차방정식은 ㄴ, ㄷ, ㅁ, ㅂ이다.

11 $x^2+2ax-4a+12=0$이 중근을 가지려면 (완전제곱식)$=0$ 꼴로 나타낼 수 있어야 하므로
$-4a+12=\left(\frac{2a}{2}\right)^2$, $a^2+4a-12=0$

$(a+6)(a-2)=0 \quad \therefore a=-6$ 또는 $a=2$
이때 $a>0$이므로 $a=2$

12 $5x(x+7)=3(x-4)$에서
$5x^2+35x=3x-12$, $5x^2+32x+12=0$
$(x+6)(5x+2)=0 \quad \therefore x=-6$ 또는 $x=-\frac{2}{5}$
또 $x(2x-11)+6=(x-6)^2$에서
$2x^2-11x+6=x^2-12x+36$, $x^2+x-30=0$
$(x+6)(x-5)=0 \quad \therefore x=-6$ 또는 $x=5$
따라서 두 이차방정식의 공통인 근은 $x=-6$이다.

13 $3(x-2)^2-21=0$에서 $(x-2)^2=7$
$x-2=\pm\sqrt{7} \quad \therefore x=2\pm\sqrt{7}$
따라서 $a=2$, $b=7$이므로
$a+b=2+7=9$

14 $(x-p)^2=q-3$에서 $q-3>0$이면 서로 다른 두 근을 갖고, $q-3=0$이면 중근을 갖고, $q-3<0$이면 근을 갖지 않는다. 따라서 주어진 이차방정식이 해를 가질 조건은 $q-3\geq 0$, 즉, $q\geq 3$이다.

15 $4x^2+8x-1=0$에서 $x^2+2x-\frac{1}{4}=0$
$x^2+2x=\frac{1}{4}$, $x^2+2x+1=\frac{1}{4}+1 \quad \therefore (x+1)^2=\frac{5}{4}$
$\therefore a=1$, $b=\frac{5}{4}$

16 ① $5x^2=3$, $x^2=\frac{3}{5} \quad \therefore x=\pm\sqrt{\frac{3}{5}}=\pm\frac{\sqrt{15}}{5}$
② $(x+3)^2=2$, $x+3=\pm\sqrt{2} \quad \therefore x=-3\pm\sqrt{2}$
③ $6x^2+5x-4=0$, $(3x+4)(2x-1)=0$
$\therefore x=-\frac{4}{3}$ 또는 $x=\frac{1}{2}$
④ $x^2-2x-\frac{2}{3}=0$, $x^2-2x=\frac{2}{3}$, $x^2-2x+1=\frac{2}{3}+1$
$(x-1)^2=\frac{5}{3}$, $x-1=\pm\sqrt{\frac{5}{3}}$
$\therefore x=1\pm\frac{\sqrt{15}}{3}=\frac{3\pm\sqrt{15}}{3}$
⑤ $9x^2-6x+1=0$, $(3x-1)^2=0 \quad \therefore x=\frac{1}{3}$
따라서 해를 바르게 구한 것은 ④이다.

17 $x^2+14x=1-2k$에서 $x^2+14x+49=1-2k+49$
$(x+7)^2=-2k+50$, $x+7=\pm\sqrt{-2k+50}$
$\therefore x=-7\pm\sqrt{-2k+50}$
따라서 $-2k+50=2$이므로 $-2k=-48 \quad \therefore k=24$

다른 풀이

$x=-7\pm\sqrt{2}$에서 $x+7=\pm\sqrt{2}$
양변을 제곱하면 $(x+7)^2=2$, $x^2+14x=-47$
따라서 $1-2k=-47$이므로 $-2k=-48 \quad \therefore k=24$

18 ① $x=\frac{-(-1)\pm\sqrt{(-1)^2-4\times1\times(-4)}}{2\times1}=\frac{1\pm\sqrt{17}}{2}$
② $x=\frac{-3\pm\sqrt{3^2-4\times1\times(-3)}}{2\times1}=\frac{-3\pm\sqrt{21}}{2}$
③ $x=\frac{-2\pm\sqrt{2^2-1\times2}}{1}=-2\pm\sqrt{2}$
④ $x=\frac{-3\pm\sqrt{3^2-1\times4}}{1}=-3\pm\sqrt{5}$
⑤ $x=\frac{-(-4)\pm\sqrt{(-4)^2-1\times(-3)}}{1}=4\pm\sqrt{19}$
따라서 바르게 푼 것은 ⑤이다.

19 $x^2+3x-a=0$에서
$x=\frac{-3\pm\sqrt{3^2-4\times1\times(-a)}}{2\times1}=\frac{-3\pm\sqrt{9+4a}}{2}$이므로
$-3=b$, $9+4a=17$에서
$a=2$, $b=-3$
$\therefore a+b=2+(-3)=-1$

20 $x^2-x+3k=0$에 $x=k$를 대입하면 $k^2-k+3k=0$
$k^2+2k=0$, $k(k+2)=0 \quad \therefore k=0$ 또는 $k=-2$
이때 $k\neq 0$이므로 $k=-2$
따라서 이차방정식 $4x^2+2x-1=0$의 해는
$x=\frac{-1\pm\sqrt{1^2-4\times(-1)}}{4}=\frac{-1\pm\sqrt{5}}{4}$

21 주어진 이차방정식의 양변에 6을 곱하면
$3(x+2)^2-2x=(2x-3)(2x-1)$
$3(x^2+4x+4)-2x=4x^2-8x+3$
$3x^2+12x+12-2x=4x^2-8x+3$
$x^2-18x-9=0$
$\therefore x=\frac{-(-9)\pm\sqrt{(-9)^2-1\times(-9)}}{1}$
$=9\pm\sqrt{90}=9\pm3\sqrt{10}$
따라서 음수인 해는 $x=9-3\sqrt{10}$이다.

22 주어진 이차방정식의 양변에 10을 곱하면
$5x^2-3x=2x+10x^2-6$, $5x^2+5x-6=0$
$\therefore x=\frac{-5\pm\sqrt{5^2-4\times5\times(-6)}}{2\times5}=\frac{-5\pm\sqrt{145}}{10}$
따라서 $p=-5$, $q=145$이므로
$p+q=-5+145=140$

23 $x-\frac{1}{2}=A$로 놓으면
$4A^2-1=-3A$, $4A^2+3A-1=0$
$(A+1)(4A-1)=0 \quad \therefore A=-1$ 또는 $A=\frac{1}{4}$
즉, $x-\frac{1}{2}=-1$ 또는 $x-\frac{1}{2}=\frac{1}{4}$
$\therefore x=-\frac{1}{2}$ 또는 $x=\frac{3}{4}$

24 $x^2-2mx+2m+3=0$이 중근을 가지려면
$(-2m)^2-4\times1\times(2m+3)=0$이어야 하므로
$4m^2-8m-12=0$, $m^2-2m-3=0$
$(m+1)(m-3)=0$ $\therefore m=-1$ 또는 $m=3$
따라서 모든 m의 값의 합은 $-1+3=2$

다른 풀이
$x^2-2mx+2m+3=0$이 중근을 가지려면
(완전제곱식)$=0$ 꼴로 나타낼 수 있어야 하므로
$2m+3=\left(\frac{-2m}{2}\right)^2$, $m^2-2m-3=0$
$(m+1)(m-3)=0$ $\therefore m=-1$ 또는 $m=3$
따라서 모든 m의 값의 합은 $-1+3=2$

25 $2x^2+8x+k-3=0$은 서로 다른 두 근을 가지므로
$8^2-4\times2\times(k-3)>0$
$8k<88$ $\therefore k<11$ ⋯ ㉠
또 $x^2-4x+k-5=0$은 근이 없으므로
$(-4)^2-4\times1\times(k-5)<0$
$4k>36$ $\therefore k>9$ ⋯ ㉡
따라서 ㉠, ㉡을 모두 만족시키는 자연수 k의 값은 10이다.

26 두 근이 -3, 5이고 x^2의 계수가 a인 이차방정식은
$a(x+3)(x-5)=0$, $a(x^2-2x-15)=0$
$ax^2-2ax-15a=0$
이 식이 $ax^2+bx-45=0$과 같으므로
$-2a=b$, $-15a=-45$ $\therefore a=3$, $b=-6$

27 중근이 $x=2$이고 x^2의 계수가 3인 이차방정식은
$3(x-2)^2=0$ $\therefore 3x^2-12x+12=0$ ⋯ ㉠
$3(x-1)(x-a)=b$에서
$3x^2-3(a+1)x+3a-b=0$ ⋯ ㉡
㉠과 ㉡이 같으므로
$-3(a+1)=-12$, $3a-b=12$에서 $a=3$, $b=-3$
$\therefore a+b=3+(-3)=0$

28 두 근의 차가 4이므로 두 근을 α, $\alpha+4$라 하면
$2(x-\alpha)\{x-(\alpha+4)\}=0$
$2x^2-2(2\alpha+4)x+2\alpha(\alpha+4)=0$
이 식이 $2x^2+12x+k=0$과 같으므로
$-2(2\alpha+4)=12$, $4\alpha=-20$ $\therefore \alpha=-5$
$\therefore k=2\alpha(\alpha+4)=2\times(-5)\times(-5+4)=10$

다른 풀이
$2x^2+12x+k=0$에서 일차항의 계수가 짝수이므로
$x=\frac{-6\pm\sqrt{36-2k}}{2}$
이때 두 근의 차가 4이므로
$\frac{-6+\sqrt{36-2k}}{2}-\frac{-6-\sqrt{36-2k}}{2}=4$, $\sqrt{36-2k}=4$
$36-2k=16$, $2k=20$ $\therefore k=10$

29 $x^2-10x+k=0$에서 x의 계수와 상수항이 모두 유리수이고
한 근이 $x=5-3\sqrt{2}$이므로 다른 한 근은 $x=5+3\sqrt{2}$이다.
즉, $\{x-(5-3\sqrt{2})\}\{x-(5+3\sqrt{2})\}=0$에서
$x^2-10x+7=0$
이 식이 $x^2-10x+k=0$과 같으므로 $k=7$

다른 풀이
$x^2-10x+k=0$에 $x=5-3\sqrt{2}$를 대입하면
$(5-3\sqrt{2})^2-10(5-3\sqrt{2})+k=0$
$43-30\sqrt{2}-50+30\sqrt{2}+k=0$ $\therefore k=7$

개념 더하기 자세히 보기

계수가 유리수인 이차방정식의 근
이차방정식 $ax^2+bx+c=0(a\neq0)$에서 a, b, c가 유리수일 때
$x=\frac{-b}{2a}+\frac{1}{2a}\sqrt{b^2-4ac}$ 또는 $x=\frac{-b}{2a}-\frac{1}{2a}\sqrt{b^2-4ac}$
(유리수) (유리수)
⇨ 한 근이 $x=p+q\sqrt{m}$이면 다른 한 근은 $x=p-q\sqrt{m}$이다.
(단, p, q는 유리수, $\sqrt{m}$은 무리수)

30 $\frac{n(n-3)}{2}=44$에서 $n(n-3)=88$, $n^2-3n-88=0$
$(n+8)(n-11)=0$ $\therefore n=-8$ 또는 $n=11$
이때 $n>3$이므로 $n=11$
따라서 구하는 다각형은 십일각형이다.

31 연속하는 세 홀수를 $x-2$, x, $x+2$(x는 2보다 큰 홀수)라
하면 $(x-2)^2+x^2+(x+2)^2=155$에서
$3x^2=147$, $x^2=49$ $\therefore x=-7$ 또는 $x=7$
이때 $x>2$이므로 $x=7$
따라서 세 홀수는 5, 7, 9이므로 그 합은 $5+7+9=21$

32 학생 수를 x명이라 하면 한 사람이 받는 연필의 수는
$(x-3)$자루이므로
$x(x-3)=180$에서 $x^2-3x-180=0$
$(x+12)(x-15)=0$ $\therefore x=-12$ 또는 $x=15$
이때 x는 자연수이므로 $x=15$
따라서 학생 수는 15명이다.

33 $50+70t-5t^2=250$에서 $5t^2-70t+200=0$
$t^2-14t+40=0$, $(t-4)(t-10)=0$
$\therefore t=4$ 또는 $t=10$
따라서 물체가 지면으로부터 250 m 높이의 지점을 처음으로 지나는 것은 쏘아 올린 지 4초 후이다.

34 x초 후에 처음 직사각형과 넓이가 같아진다고 하면
x초 후의 가로의 길이는 $(20-x)$ cm,
세로의 길이는 $(14+2x)$ cm이므로
$(20-x)(14+2x)=280$, $280+40x-14x-2x^2=280$
$x^2-13x=0$, $x(x-13)=0$ $\therefore x=0$ 또는 $x=13$
이때 $0<x<20$이므로 $x=13$
따라서 처음 직사각형과 넓이가 같아지는 것은 13초 후이다.

35

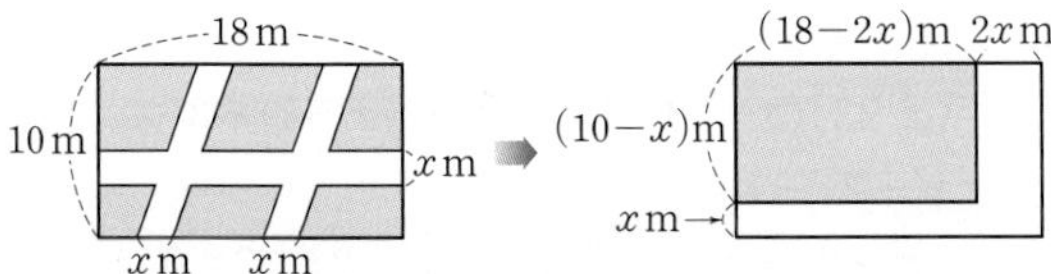

위의 그림에서 도로를 제외한 땅의 넓이가 $112\,\text{m}^2$이므로

$(18-2x)(10-x)=112$에서

$2x^2-38x+180=112$

$x^2-19x+34=0$

$(x-2)(x-17)=0$

$\therefore x=2$ 또는 $x=17$

이때 $0<2x<18$에서 $0<x<9$이므로

$x=2$

P. 66~74 내신 5% 따라잡기

1 ③ **2** 1 **3** ① **4** ② **5** $\frac{1}{2}$

6 $(3, 4)$ **7** $x=1$ 또는 $x=6$ **8** $-\frac{3}{5}$ **9** 6개

10 $-3\sqrt{3}$ **11** $x=-\frac{5}{8}$ **12** ④ **13** -1

14 1 **15** ① **16** ② **17** ⑤ **18** -5

19 1 **20** $\frac{8}{3}$ **21** $\frac{1}{8}$ **22** -1 **23** 3개

24 1, 2, 3 **25** $\frac{10+2\sqrt{37}}{3}$ **26** ②

27 $x=\frac{3\pm\sqrt{57}}{2}$ **28** $-\frac{3}{2}$ **29** ⑤ **30** ⑤

31 $c=2a-b$ **32** ⑤ **33** $a<\frac{9}{4}$

34 84 **35** 10 **36** ③ **37** 6 **38** 10단계

39 9 **40** 83 **41** 3초 **42** ③

43 14일, 21일, 28일 **44** 13cm

45 P(8, 5), P(10, 4) **46** 3초 후

47 2 **48** $\frac{-5+5\sqrt{5}}{2}$cm **49** ③ **50** $\frac{3}{200}$

51 4 **52** 17개

1 $a^2x^2+ax+2=(a+2)x^2-1$에서

$(a^2-a-2)x^2+ax+3=0$

이 식이 x에 대한 이차방정식이 되려면 이차항의 계수가 0이 아니어야 하므로

$a^2-a-2\neq0$, $(a+1)(a-2)\neq0$

$\therefore a\neq-1$, $a\neq2$

2 $kx^2+ax+(k+2)b=0$에 $x=1$을 대입하면

$k+a+(k+2)b=0$, $(1+b)k+a+2b=0$

이 식이 k의 값에 관계없이 항상 성립하므로

$1+b=0$, $a+2b=0$ $\quad\therefore a=2$, $b=-1$

$\therefore a+b=2+(-1)=1$

3 $(a+c-2)x^2+(b-5)x-c-3=0$에 $x=-1$을 대입하면

$a+c-2-b+5-c-3=0$, $a-b=0$ $\quad\therefore a=b$

따라서 a, b, c를 세 변으로 하는 삼각형은 $a=b$인 이등변 삼각형이다.

4 $2x^2-6x-3=0$에 $x=\alpha$를 대입하면

$2\alpha^2-6\alpha-3=0$ $\quad\cdots$ ㉠

이때 $\alpha=0$이면 등식이 성립하지 않으므로 $\alpha\neq0$

㉠의 양변을 α로 나누면

$2\alpha-6-\frac{3}{\alpha}=0$, $2\alpha-\frac{3}{\alpha}=6$

$\therefore 4\alpha^2+\frac{9}{\alpha^2}=\left(2\alpha-\frac{3}{\alpha}\right)^2+2\times2\alpha\times\frac{3}{\alpha}$

$=6^2+12=48$

5 $4x^2-(2m+1)x-4=0$에 $x=p$를 대입하면

$4p^2-(2m+1)p-4=0$ $\quad\cdots$ ㉠

이때 $p=0$이면 등식이 성립하지 않으므로 $p\neq0$

㉠의 양변을 p로 나누면 $4p-(2m+1)-\frac{4}{p}=0$

$4\left(p-\frac{1}{p}\right)=2m+1$ $\quad\therefore p-\frac{1}{p}=\frac{2m+1}{4}$

따라서 $\frac{2m+1}{4}=m$이므로 $2m+1=4m$

$2m=1$ $\quad\therefore m=\frac{1}{2}$

6 $x^2+ax-b=0$에 $x=a-\sqrt{b}$를 대입하면

$(a-\sqrt{b})^2+a(a-\sqrt{b})-b=0$, $2a^2=3a\sqrt{b}$

$a\neq0$이므로 양변을 $2a$로 나누면 $a=\frac{3}{2}\sqrt{b}$

이때 a는 자연수이므로 $\frac{3}{2}\sqrt{b}$도 자연수이어야 한다.

즉, b는 $4\times$(자연수)^2 꼴이어야 하므로

$b=4$, 16, 36, $\cdots$

이때 b는 10보다 작은 자연수이므로 $b=4$

따라서 $a=\frac{3}{2}\sqrt{b}=\frac{3}{2}\sqrt{4}=3$이므로

구하는 순서쌍 (a, b)는 $(3, 4)$이다.

7 일차항의 계수와 상수항을 바꾸면

$x^2+(k-1)x-k=0$이고 이 식에 $x=-7$을 대입하면

$(-7)^2-7(k-1)-k=0$

$49-7k+7-k=0$, $-8k=-56$ $\quad\therefore k=7$

따라서 처음 이차방정식은 $x^2-7x+6=0$이므로

$(x-1)(x-6)=0$ $\quad\therefore x=1$ 또는 $x=6$

8 직선 $2ax+3y=3$이 점 $(a-1, a^2)$을 지나므로
$2a(a-1)+3a^2=3$, $5a^2-2a-3=0$
$(5a+3)(a-1)=0$
$\therefore a=-\frac{3}{5}$ 또는 $a=1$ … ㉠
또 이 직선이 제4사분면을 지나지 않으므로
$2ax+3y=3$, 즉 $y=-\frac{2}{3}ax+1$에서
(기울기)$=-\frac{2}{3}a>0$ $\therefore a<0$ … ㉡
따라서 ㉠, ㉡에서 $a=-\frac{3}{5}$

9 $\langle x\rangle^2+2\langle x\rangle-8=0$에서
$(\langle x\rangle+4)(\langle x\rangle-2)=0$
$\therefore \langle x\rangle=-4$ 또는 $\langle x\rangle=2$
이때 $\langle x\rangle$는 자연수이므로 $\langle x\rangle=2$
따라서 약수가 2개인 자연수는 소수이므로 15 이하의 자연수 중에서 소수는 2, 3, 5, 7, 11, 13의 6개이다.

10 $x^2-|x|-2=x+1$에서
(i) $x\geq0$일 때, $|x|=x$이므로
$x^2-x-2=x+1$, $x^2-2x-3=0$
$(x+1)(x-3)=0$ $\therefore x=-1$ 또는 $x=3$
이때 $x\geq0$이므로 $x=3$
(ii) $x<0$일 때, $|x|=-x$이므로
$x^2+x-2=x+1$, $x^2=3$ $\therefore x=\pm\sqrt{3}$
이때 $x<0$이므로 $x=-\sqrt{3}$
따라서 (i), (ii)에 의해 $x=3$ 또는 $x=-\sqrt{3}$이므로
모든 근의 곱은 $3\times(-\sqrt{3})=-3\sqrt{3}$

11 $(a-1)x^2-a(a+4)x-10=0$에 $x=-2$를 대입하면
$4(a-1)+2a(a+4)-10=0$
$2a^2+12a-14=0$, $a^2+6a-7=0$
$(a+7)(a-1)=0$ $\therefore a=-7$ 또는 $a=1$
이때 $\underline{a-1}\neq0$에서 $a\neq1$이므로 $a=-7$
└→ 이차항의 계수
즉, 주어진 이차방정식은 $8x^2+21x+10=0$이므로
$(x+2)(8x+5)=0$ $\therefore x=-2$ 또는 $x=-\frac{5}{8}$
따라서 구하는 다른 한 근은 $x=-\frac{5}{8}$이다.

12 $(a^2-4)x^2-(4-a)x-2(a-1)=0$에 $x=1$을 대입하면
$a^2-4-(4-a)-2(a-1)=0$, $a^2-a-6=0$
$(a+2)(a-3)=0$ $\therefore a=-2$ 또는 $a=3$
이때 $\underline{a^2-4}\neq0$에서 $a\neq-2$, $a\neq2$이므로 $a=3$
└→ 이차항의 계수
따라서 약수가 3개인 자연수는 $(소수)^2$ 꼴인 수이고, 이 중에서 50보다 작은 수는 4, 9, 25, 49이므로 그 합은
$4+9+25+49=87$

13 $(x+3)*(x-2)$
$=(x+3)(x-2)-(x+3)+2(x-2)+3$
$=x^2+2x-10$
즉, $x^2+2x-10=-7$이므로 $x^2+2x-3=0$
$(x+3)(x-1)=0$ $\therefore x=-3$ 또는 $x=1$
이때 $\alpha<\beta$이므로 $\alpha=-3$, $\beta=1$
따라서 $3\alpha+8\beta=3\times(-3)+8\times1=-1$이므로
$(3\alpha+8\beta)+(3\alpha+8\beta)^2+\cdots+(3\alpha+8\beta)^{2021}$
$=(-1)+(-1)^2+(-1)^3+\cdots+(-1)^{2020}+(-1)^{2021}$
$=\underline{(-1)+1}+\underline{(-1)+1}+\cdots+\underline{(-1)+1}+(-1)$
$=-1$

14 $4x^2-8ax+a=0$에서 $x^2-2ax+\frac{a}{4}=0$
이 이차방정식이 중근을 가지려면 (완전제곱식)$=0$ 꼴로 나타낼 수 있어야 하므로
$\frac{a}{4}=\left(-\frac{2a}{2}\right)^2$, $\frac{a}{4}=a^2$, $4a^2-a=0$
$a(4a-1)=0$ $\therefore a=0$ 또는 $a=\frac{1}{4}$
이때 $a\neq0$이므로 $a=\frac{1}{4}$
주어진 이차방정식에 $a=\frac{1}{4}$을 대입하면
$4x^2-2x+\frac{1}{4}=0$, $16x^2-8x+1=0$
$(4x-1)^2=0$ $\therefore x=\frac{1}{4}$
따라서 $k=\frac{1}{4}$이므로 $\frac{a}{k}=\frac{1}{4}\div\frac{1}{4}=1$

15 $x^2+ax+8b=0$의 두 근이 같으려면, 즉 해가 중근이려면 (완전제곱식)$=0$ 꼴로 나타낼 수 있어야 하므로
$8b=\left(\frac{a}{2}\right)^2$, $a^2=32b$
즉, $a^2=2^5b$이므로 b의 값은 $2\times(자연수)^2$ 꼴이어야 한다.
$b=2, 8, 18, 32, 50, 72, 98, 128, \cdots$
이때 a, b는 두 자리의 자연수이고, a의 값이 최대가 되려면 b의 값이 최대이어야 하므로 $b=98$
$a^2=2^5b=2^5\times98=2^5\times2\times7^2=2^6\times7^2=(2^3\times7)^2$
이때 $a>0$이므로 $a=2^3\times7=56$
$\therefore b-a=98-56=42$

16 $x^2+2ax+3b+1=0$의 해가 중근이려면 (완전제곱식)$=0$ 꼴로 나타낼 수 있어야 하므로
$3b+1=\left(\frac{2a}{2}\right)^2$ $\therefore 3b+1=a^2$
이 식을 만족시키는 순서쌍 (a, b)는 $(2, 1)$, $(4, 5)$의 2가지이고, 모든 경우의 수는 $6\times6=36$이므로 구하는 확률은
$\frac{2}{36}=\frac{1}{18}$

17 $6A=5B$에서 $6(x^2+2x-3)=5(x^2+4x-5)$
$x^2-8x+7=0$, $(x-1)(x-7)=0$
$\therefore x=1$ 또는 $x=7$ $\cdots$ ㉠
또 $A\neq0$에서 $x^2+2x-3\neq0$, $(x+3)(x-1)\neq0$
$\therefore x\neq-3$, $x\neq1$ $\cdots$ ㉡
따라서 ㉠, ㉡에서 $x=7$

18 $x^2+2(a+2)x+a^2+4a+3=0$에서
$x^2+2(a+2)x+(a+1)(a+3)=0$
$(x+a+1)(x+a+3)=0$
$\therefore x=-a-1$ 또는 $x=-a-3$
이때 두 근 중 큰 근은 $x=-a-1$이다.
또 $x^2-2x-8=0$에서
$(x+2)(x-4)=0$ $\therefore x=-2$ 또는 $x=4$
이때 두 근 중 큰 근은 $x=4$이므로
$-a-1=4$ $\therefore a=-5$

19 $x^2+ax+a-1=0$에서 $(x+1)(x+a-1)=0$
$\therefore x=-1$ 또는 $x=-a+1$
$x^2-(a+3)x+3a=0$에서 $(x-3)(x-a)=0$
$\therefore x=3$ 또는 $x=a$
(i) 공통인 해가 $x=-1$일 때, $a=-1$
(ii) 공통인 해가 $x=3$일 때, $-a+1=3$ $\therefore a=-2$
(iii) 공통인 해가 $x=-a+1$과 $x=a$일 때,
$-a+1=a$ $\therefore a=\frac{1}{2}$
따라서 (i)~(iii)에 의해 모든 a의 값의 곱은
$-1\times(-2)\times\frac{1}{2}=1$

20 $9(x-2)^2=a^2$에 $x=\frac{10}{3}$을 대입하면
$9\left(\frac{10}{3}-2\right)^2=a^2$, $a^2=16$
이때 $a>0$이므로 $a=4$
즉, $9(x-2)^2=16$에서 $(x-2)^2=\frac{16}{9}$
$x-2=\pm\frac{4}{3}$ $\therefore x=\frac{2}{3}$ 또는 $x=\frac{10}{3}$
따라서 $b=\frac{2}{3}$이므로 $ab=4\times\frac{2}{3}=\frac{8}{3}$

21 $2(x+3)^2=a$에서 $(x+3)^2=\frac{a}{2}$
$x+3=\pm\sqrt{\frac{a}{2}}$ $\therefore x=-3\pm\sqrt{\frac{a}{2}}$
이때 두 근의 차가 $\frac{1}{2}$이므로
$-3+\sqrt{\frac{a}{2}}-\left(-3-\sqrt{\frac{a}{2}}\right)=\frac{1}{2}$, $2\sqrt{\frac{a}{2}}=\frac{1}{2}$
$\sqrt{\frac{a}{2}}=\frac{1}{4}$, $\frac{a}{2}=\frac{1}{16}$ $\therefore a=\frac{1}{8}$

22 $x^2-ax-2a=0$에서 $x^2-ax+\frac{a^2}{4}=2a+\frac{a^2}{4}$
$\left(x-\frac{a}{2}\right)^2=\frac{a^2}{4}+2a$ $\therefore A=-\frac{a}{2}$, $B=\frac{a^2}{4}+2a$
$B=\frac{a^2}{4}+2a=5$에서 $a^2+8a-20=0$
$(a+10)(a-2)=0$ $\therefore a=-10$ 또는 $a=2$
이때 $a>0$이므로 $a=2$ $\therefore A=-\frac{a}{2}=-1$

23 $(x-5)^2=\frac{k}{2}+25$에서 $x=5\pm\sqrt{\frac{k}{2}+25}$
이 해가 모두 정수가 되려면 근호 안의 수, 즉 $\frac{k}{2}+25$가 0 또는 (자연수)^2 꼴이어야 한다.
이때 k는 두 자리의 자연수이므로
$10\leq k\leq99$에서 $30\leq\frac{k}{2}+25\leq74.5$
$\frac{k}{2}+25=36, 49, 64$ $\therefore k=22, 48, 78$
따라서 두 자리의 자연수 k는 3개이다.

24 $x^2-4x+2=0$에서 일차항의 계수가 짝수이므로
$x=\frac{2\pm\sqrt{(-2)^2-1\times2}}{1}=2\pm\sqrt{2}$
이때 $1<\sqrt{2}<2$이므로 $3<2+\sqrt{2}<4$
또 $-2<-\sqrt{2}<-1$에서 $0<2-\sqrt{2}<1$
따라서 두 근 사이에 있는 자연수는 1, 2, 3이다.

25 $x^2-3x-7=0$에서
$x=\frac{3\pm\sqrt{(-3)^2-4\times1\times(-7)}}{2\times1}=\frac{3\pm\sqrt{37}}{2}$
이때 양수인 근은 $x=\frac{3+\sqrt{37}}{2}$이고 $6<\sqrt{37}<7$에서
$9<3+\sqrt{37}<10$, $4.5<\frac{3+\sqrt{37}}{2}<5$이므로
$a=4$, $b=\frac{3+\sqrt{37}}{2}-4=\frac{-5+\sqrt{37}}{2}$
$\therefore \frac{a}{b}=4\times\frac{2}{-5+\sqrt{37}}=\frac{8(-5-\sqrt{37})}{(-5+\sqrt{37})(-5-\sqrt{37})}$
$=\frac{10+2\sqrt{37}}{3}$

26 $2x^2-8x+k-1=0$에서 일차항의 계수가 짝수이므로
$x=\frac{4\pm\sqrt{(-4)^2-2(k-1)}}{2}=\frac{4\pm\sqrt{18-2k}}{2}$
$=2\pm\frac{\sqrt{2(9-k)}}{2}$
이 해가 모두 정수가 되려면 $9-k$의 값이 0 또는 $2\times$(자연수)^2 꼴이어야 한다.
(i) $9-k=0$일 때, $k=9$
(ii) $9-k=2\times1^2$일 때, $k=9-2=7$
(iii) $9-k=2\times2^2$일 때, $k=9-8=1$
따라서 (i)~(iii)에 의해 모든 자연수 k의 값의 합은
$9+7+1=17$

27 $-0.1x^2-\frac{x(x+4)}{2}+\frac{(x-1)^2}{5}+1=0$의 양변에 10을 곱하면

$-x^2-5x(x+4)+2(x-1)^2+10=0$

$-4x^2-24x+12=0$, $x^2+6x-3=0$

이때 일차항의 계수가 짝수이므로

$x=\frac{-3\pm\sqrt{3^2-1\times(-3)}}{1}=-3\pm\sqrt{12}$

따라서 $a=-3$, $b=12$이므로

$x^2+ax-b=0$에서 $x^2-3x-12=0$

$\therefore x=\frac{3\pm\sqrt{(-3)^2-4\times1\times(-12)}}{2\times1}=\frac{3\pm\sqrt{57}}{2}$

28 $2(a+b)^2-a+b-6=8ab$에서

$2a^2+4ab+2b^2-8ab-a+b-6=0$

$2(a-b)^2-(a-b)-6=0$

$a-b=A$로 놓으면

$2A^2-A-6=0$, $(2A+3)(A-2)=0$

$\therefore A=-\frac{3}{2}$ 또는 $A=2$

즉, $a-b=-\frac{3}{2}$ 또는 $a-b=2$

이때 $a<b$에서 $a-b<0$이므로 $a-b=-\frac{3}{2}$

29 $(k^2-1)x^2-2(k+1)x+2=0$이 중근을 가지므로

$\{-2(k+1)\}^2-4\times(k^2-1)\times2=0$

$k^2+2k+1-2k^2+2=0$, $k^2-2k-3=0$

$(k+1)(k-3)=0$ $\quad\therefore k=-1$ 또는 $k=3$

이때 $\underline{k^2-1}\neq0$에서 $(k+1)(k-1)\neq0$이므로
(→ 이차항의 계수)

$k\neq-1$, $k\neq1$ $\quad\therefore k=3$

30 $px^2-5x+q=0$이 서로 다른 두 근을 가지려면

$(-5)^2-4pq>0$이어야 하므로 $pq<\frac{25}{4}(=6.25)$

이를 만족시키는 순서쌍 (p, q)는

(1, 1), (1, 2), (1, 3), (1, 4), (1, 5), (1, 6), (2, 1),
(2, 2), (2, 3), (3, 1), (3, 2), (4, 1), (5, 1), (6, 1)
의 14가지이고, 모든 경우의 수는 $6\times6=36$이므로

구하는 확률은 $\frac{14}{36}=\frac{7}{18}$

31 $(a-b)x^2+(b-c)x+(c-a)=0$이 중근을 가지므로

$(b-c)^2-4(a-b)(c-a)=0$

$b^2-2bc+c^2-4(ac-a^2-bc+ab)=0$

$4a^2-4(b+c)a+b^2+2bc+c^2=0$

$4a^2-4(\underbrace{b+c}_{A})a+(\underbrace{b+c}_{A})^2=0$

$\{2a-(\underbrace{b+c}_{A})\}^2=0$, $(2a-b-c)^2=0$

따라서 $2a-b-c=0$이므로 $c=2a-b$

32 $2x^2-3x-2=0$에서

$(2x+1)(x-2)=0$ $\quad\therefore x=-\frac{1}{2}$ 또는 $x=2$

따라서 $-\frac{1}{2}-3=-\frac{7}{2}$, $2-3=-1$이므로

두 근이 $-\frac{7}{2}$, -1이고 x^2의 계수가 2인 이차방정식은

$2\left(x+\frac{7}{2}\right)(x+1)=0$ $\quad\therefore 2x^2+9x+7=0$

33 두 근이 p, q이고 x^2의 계수가 1인 이차방정식은

$(x-p)(x-q)=0$ $\quad\therefore x^2-(p+q)x+pq=0$

이때 $\begin{cases}p+q=3-2a\\pq=a^2-2a\end{cases}$에서 $x^2-(3-2a)x+(a^2-2a)=0$

이 이차방정식이 서로 다른 두 근을 가지므로

$(2a-3)^2-4(a^2-2a)>0$, $4a^2-12a+9-4a^2+8a>0$

$-4a+9>0$ $\quad\therefore a<\frac{9}{4}$

34 $2x^2+ax+b=0$에서 a, b가 유리수이고 한 근이

$x=\frac{2-\sqrt{2}}{2}$이므로 다른 한 근은 $x=\frac{2+\sqrt{2}}{2}$이다.

$2\left(x-\frac{2-\sqrt{2}}{2}\right)\left(x-\frac{2+\sqrt{2}}{2}\right)=0$에서 $2x^2-4x+1=0$

이 식이 $2x^2+ax+b=0$과 같으므로 $a=-4$, $b=1$

$\therefore a+b=-3$, $ab=-4$

즉, 두 근이 -3, -4이고 x^2의 계수가 1인 이차방정식은

$(x+3)(x+4)=0$ $\quad\therefore x^2+7x+12=0$

따라서 $p=7$, $q=12$이므로

$pq=7\times12=84$

35 두 근의 비가 2 : 1이므로 두 근을 α, $2\alpha(\alpha\neq0)$라 하면

$(x-\alpha)(x-2\alpha)=0$ $\quad\therefore x^2-3\alpha x+2\alpha^2=0$

이 식이 $x^2+(m-5)x+32=0$과 같으므로

$2\alpha^2=32$에서 $\alpha^2=16$ $\quad\therefore \alpha=\pm4$

또 $-3\alpha=m-5$에서 $m=-3\alpha+5$

$\therefore m=-7$ 또는 $m=17$

따라서 모든 m의 값의 합은 $-7+17=10$

36 $x^2+ax+b=0$의 두 근이 연속하는 홀수이므로 두 근을 α, $\alpha+2$(α는 홀수)라 하면 두 근의 제곱의 차가 16이므로

$(\alpha+2)^2-\alpha^2=16$, $\alpha^2+4\alpha+4-\alpha^2=16$

$4\alpha=12$ $\quad\therefore \alpha=3$

즉, 두 근이 3, 5이고 x^2의 계수가 1인 이차방정식은

$(x-3)(x-5)=0$ $\quad\therefore x^2-8x+15=0$

이 식이 $x^2+ax+b=0$과 같으므로 $a=-8$, $b=15$

따라서 $bx^2+ax+1=0$에서 $15x^2-8x+1=0$

$(5x-1)(3x-1)=0$ $\quad\therefore x=\frac{1}{5}$ 또는 $x=\frac{1}{3}$

37 두 근이 절댓값은 같고, 부호는 반대이므로
두 근을 k, $-k(k>0)$라 하면
$(x-k)(x+k)=0 \quad \therefore x^2-k^2=0$
이 식이 $x^2-(a^2-3a-18)x-a+2=0$과 같으므로
$0=-(a^2-3a-18) \quad \cdots ㉠$
$-k^2=-a+2 \quad \cdots ㉡$
㉠에서 $a^2-3a-18=0$
$(a+3)(a-6)=0 \quad \therefore a=-3$ 또는 $a=6$
㉡에서 $k^2=a-2$이므로
(i) $a=-3$일 때, $k^2=-5$
그런데 어떤 수의 제곱은 음수가 될 수 없으므로 이를 만족시키는 k의 값은 없다.
(ii) $a=6$일 때, $k^2=4 \quad \therefore k=-2$ 또는 $k=2$
이때 $k>0$이므로 $k=2$
따라서 (i), (ii)에 의해 $a=6$

38 n단계에 놓인 흰 바둑돌의 개수는 검은 바둑돌의 개수보다 n개 적으므로
$\frac{n(n+1)}{2}-n=\frac{n^2+n}{2}-\frac{2n}{2}=\frac{n^2-n}{2}$(개)
흰 바둑돌이 45개이므로
$\frac{n^2-n}{2}=45$에서 $n^2-n-90=0$
$(n+9)(n-10)=0 \quad \therefore n=-9$ 또는 $n=10$
이때 $n>0$이므로 $n=10$
따라서 흰 바둑돌이 45개가 놓이는 삼각형 모양은 10단계이다.

39 연속하는 다섯 개의 자연수를 $x-2$, $x-1$, x, $x+1$, $x+2$(x는 2보다 큰 자연수)라 하면
$(x+2)^2+(x+1)^2=x^2+(x-1)^2+(x-2)^2+11$에서
$x^2+4x+4+x^2+2x+1=x^2+x^2-2x+1+x^2-4x+4+11$
$x^2-12x+11=0$, $(x-1)(x-11)=0$
$\therefore x=1$ 또는 $x=11$
이때 $x>2$이므로 $x=11$
따라서 다섯 개의 자연수는 9, 10, 11, 12, 13이므로 이 중에서 가장 작은 수는 9이다.

40 십의 자리의 숫자를 x, 일의 자리의 숫자를 y라 하면 구하는 자연수는 $10x+y$이다.
(나)에서 $x^2+y^2=73 \quad \cdots ㉠$
(다)에서 십의 자리의 숫자와 일의 자리의 숫자를 바꾼 수는 $10y+x$이므로
$(10y+x)+(10x+y)=121$, $11x+11y=121$
$x+y=11 \quad \therefore y=11-x \quad \cdots ㉡$
㉠에 ㉡을 대입하면 $x^2+(11-x)^2=73$
$x^2-11x+24=0$, $(x-3)(x-8)=0$
$\therefore x=3, y=8$ 또는 $x=8, y=3$
이때 (가)에서 $x>y$이므로 $x=8$, $y=3$
따라서 구하는 두 자리의 자연수는 83이다.

41 쏘아 올린 지 t초 후의 높이를 50 m라 하면
$35t-5t^2=50$에서 $5t^2-35t+50=0$
$t^2-7t+10=0$, $(t-2)(t-5)=0$
$\therefore t=2$ 또는 $t=5$
따라서 물체의 높이가 50 m 이상일 때는 쏘아 올린 지 2초 후부터 5초 후까지이므로 3초 동안이다.

42 처음 꿀벌의 수를 x마리라 하면
$\sqrt{\frac{1}{2}x}+\frac{7}{8}x=x$에서 $\sqrt{\frac{1}{2}x}=\frac{1}{8}x$, $\frac{1}{2}x=\frac{1}{64}x^2$
$x^2-32x=0$, $x(x-32)=0$
$\therefore x=0$ 또는 $x=32$
이때 $x\geq 1$이므로 $x=32$
따라서 처음에 있던 꿀벌은 모두 32마리이다.

43 봉사 활동을 하는 3번의 날의 수를 차례로 $x-7$, x, $x+7$ (x는 7보다 큰 자연수)이라 하면
$(x-7)^2+2x+(x+7)=266$에서
$x^2-11x-210=0$, $(x+10)(x-21)=0$
$\therefore x=-10$ 또는 $x=21$
이때 $x>7$이므로 $x=21$
따라서 구하는 날은 14일, 21일, 28일이다.

44 오른쪽 그림과 같이 등변사다리꼴 ABCD의 두 꼭짓점 A, D에서 $\overline{BC}$에 내린 수선의 발을 각각 E, F라 하면

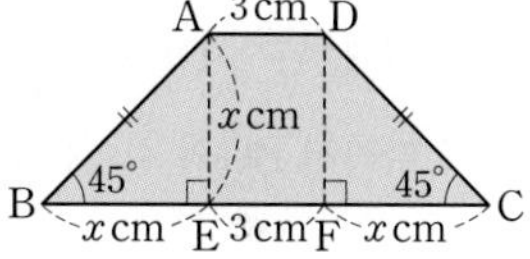

$\angle DCF=\angle ABE=45°$이므로
$\triangle ABE\equiv\triangle DCF$ (RHA 합동)
$\overline{BE}=x$ cm라 하면 $\overline{CF}=\overline{BE}=x$ cm이고
$\triangle ABE$가 직각이등변삼각형이므로 $\overline{AE}=\overline{BE}=x$ cm
등변사다리꼴 ABCD의 넓이가 40 cm²이므로
$\frac{1}{2}\times\{3+(2x+3)\}\times x=40$에서
$x^2+3x-40=0$, $(x+8)(x-5)=0$
$\therefore x=-8$ 또는 $x=5$
이때 $x>0$이므로 $x=5$
$\therefore \overline{BC}=2x+3=2\times5+3=13$(cm)

45 점 P의 x좌표를 p라 하면
$P\left(p, -\frac{1}{2}p+9\right)$
$\square OAPB=\overline{OA}\times\overline{OB}$이므로
$p\left(-\frac{1}{2}p+9\right)=40$에서
$p^2-18p+80=0$, $(p-8)(p-10)=0$
$\therefore p=8$ 또는 $p=10$
$\therefore P(8, 5)$, $P(10, 4)$

46 점 P는 초속 1 cm로 움직이므로 점 P가 출발한 지 t초 후에 $\overline{AP}=t$ cm　　$\therefore \overline{BP}=(9-t)$ cm

점 Q는 초속 2 cm로 움직이므로 점 Q가 출발한 지 t초 후에 $\overline{BQ}=2t$ cm

t초 후에 △PBQ의 넓이가 18 cm²가 된다고 하면

$\frac{1}{2}\times(9-t)\times 2t=18$에서 $9t-t^2=18$, $t^2-9t+18=0$

$(t-3)(t-6)=0$　　$\therefore t=3$ 또는 $t=6$

이때 $0<2t<10$이므로 $0<t<5$　　$\therefore t=3$

따라서 △PBQ의 넓이가 18 cm²가 되는 것은 두 점 P, Q가 출발한 지 3초 후이다.

참고 $\overline{BC}=10$ cm이므로 점 Q가 움직일 수 있는 거리는 10 cm 미만이다. ⇨ $0<2t<10$

47 오른쪽 그림에서 △AGF와 △FED는 직각이등변삼각형이다.

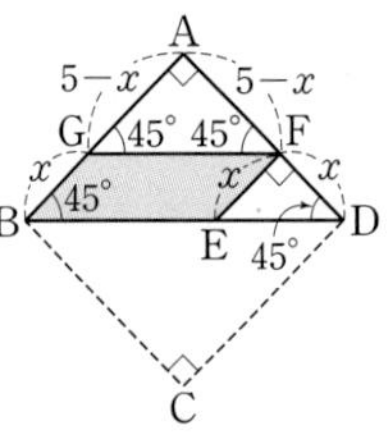

$\overline{BG}=x$라 하면 $\overline{AG}=5-x$이므로

□BEFG

=△ABD−△AGF−△FED

에서

$6=\frac{1}{2}\times5\times5-\frac{1}{2}\times(5-x)\times(5-x)-\frac{1}{2}\times x\times x$

$6=\frac{25}{2}-\frac{(5-x)^2}{2}-\frac{x^2}{2}$, $12=25-(5-x)^2-x^2$

$x^2-5x+6=0$, $(x-2)(x-3)=0$

$\therefore x=2$ 또는 $x=3$

이때 $\overline{AF}>\overline{DF}$에서 $5-x>x$이므로 $0<x<\frac{5}{2}$　　$\therefore x=2$

따라서 $\overline{BG}$의 길이는 2이다.

48 △ABC에서 $\overline{AB}=\overline{AC}$이므로

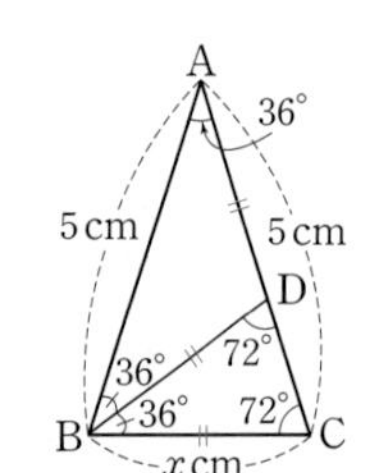

$\angle ABC=\angle ACB$

$=\frac{1}{2}\times(180°-36°)=72°$

$\therefore \angle ABD=\angle CBD=\frac{1}{2}\times72°=36°$

즉, $\angle A=\angle ABD$이므로 $\overline{AD}=\overline{BD}$

또 △ABD에서

$\angle BDC=\angle A+\angle ABD=36°+36°=72°$

즉, $\angle BDC=\angle BCD$이므로 $\overline{BD}=\overline{BC}$

△ABC와 △BCD에서

$\angle BAC=\angle CBD=36°$, $\angle ACB=\angle BDC=72°$이므로

△ABC∽△BCD (AA 닮음)

$\therefore \overline{AB}:\overline{BC}=\overline{BC}:\overline{CD}$

$\overline{BC}=x$ cm라 하면 $\overline{CD}=(5-x)$ cm이므로

$5:x=x:(5-x)$, $x^2=5(5-x)$, $x^2+5x-25=0$

$\therefore x=\frac{-5\pm\sqrt{5^2-4\times1\times(-25)}}{2}=\frac{-5\pm5\sqrt{5}}{2}$

이때 $x>0$이므로 $x=\frac{-5+5\sqrt{5}}{2}$

따라서 $\overline{BC}$의 길이는 $\frac{-5+5\sqrt{5}}{2}$ cm이다.

49 $\overline{AC}=x$ cm라 하면 $\overline{BC}=(40-x)$ cm이므로

(색칠한 부분의 넓이)

=($\overline{AB}$를 지름으로 하는 반원의 넓이)

　−($\overline{AC}$를 지름으로 하는 반원의 넓이)

　−($\overline{BC}$를 지름으로 하는 반원의 넓이)

에서

$\frac{1}{2}\pi\times\left(\frac{40}{2}\right)^2-\frac{1}{2}\pi\times\left(\frac{x}{2}\right)^2-\frac{1}{2}\pi\times\left(\frac{40-x}{2}\right)^2=99\pi$

$200-\frac{x^2}{8}-\frac{(40-x)^2}{8}=99$

$1600-x^2-(x^2-80x+1600)=792$

$2x^2-80x+792=0$, $x^2-40x+396=0$

$(x-18)(x-22)=0$　　$\therefore x=18$ 또는 $x=22$

이때 $\overline{AC}>\overline{BC}$에서 $x>40-x$이므로

$20<x<40$　　$\therefore x=22$

따라서 $\overline{AC}$의 길이는 22 cm이다.

50 길잡이 근의 공식을 이용하여 x를 □에 대한 식으로 나타내어 본다.

$x^2-2x-□=0$에서 일차항의 계수가 짝수이므로

$x=\frac{1\pm\sqrt{(-1)^2-1\times(-□)}}{1}=1\pm\sqrt{1+□}$이고, 이 해가 자연수가 되려면 $1+□$가 (자연수)² 꼴이어야 한다.

(i) $1+□=4$, 즉 $□=3$일 때

　$x=1\pm\sqrt{4}$　　$\therefore x=-1$ 또는 $x=3$

　이때 $x>0$이므로 $x=3$

(ii) $1+□=9$, 즉 $□=8$일 때

　$x=1\pm\sqrt{9}$　　$\therefore x=-2$ 또는 $x=4$

　이때 $x>0$이므로 $x=4$

(iii) $1+□=16$, 즉 $□=15$일 때

　$x=1\pm\sqrt{16}$　　$\therefore x=-3$ 또는 $x=5$

　이때 $x>0$이므로 $x=5$

즉, 은석이와 소영이가 받은 사은품의 개수의 합이 8개 이상인 경우에 두 사람이 구한 해를 순서쌍으로 나타내면

(3, 5), (4, 4), (4, 5), (5, 3), (5, 4), (5, 5)의 6가지이고, 모든 경우의 수는 $20\times20=400$이므로

구하는 확률은 $\frac{6}{400}=\frac{3}{200}$

51 길잡이 주어진 타일의 넓이의 합을 구해 본다.

모든 타일의 넓이의 합은

$x^2\times5+(1\times x)\times7+1^2\times7=5x^2+7x+7\,(\text{cm}^2)$

이때 타일 A, C가 각각 한 개씩 더 있으면 직사각형 모양의 벽면을 모두 채울 수 있으므로

$(5x^2+7x+7)+x^2+1=132$에서

$6x^2+7x-124=0$

$(6x+31)(x-4)=0$　　$\therefore x=-\frac{31}{6}$ 또는 $x=4$

이때 $x>0$이므로 $x=4$

52 길잡이 돌의 반지름의 길이에 가로 또는 세로로 놓인 돌의 개수만큼 곱하면 연못의 반지름의 길이와 같음을 이용한다.

십자 모양에서 가로로 놓인 돌의 개수를 x개라 하면 세로로 놓인 돌의 개수도 x개이므로 전체 돌의 개수는 $(2x-1)$개이다.

이때 돌의 반지름의 길이가 50 cm이므로 연못의 반지름의 길이는 $50x$ cm이다.

즉, 돌 1개의 넓이는 $\pi\times50^2=2500\pi(\text{cm}^2)$이고

연못의 넓이는 $\pi\times(50x)^2=2500\pi x^2(\text{cm}^2)$이므로

$2500\pi x^2-2500\pi\times(2x-1)=\frac{64}{81}\times2500\pi x^2$

$x^2-(2x-1)=\frac{64}{81}x^2$, $\frac{17}{81}x^2-2x+1=0$

$17x^2-162x+81=0$, $(17x-9)(x-9)=0$

$\therefore x=\frac{9}{17}$ 또는 $x=9$

이때 x는 자연수이므로 $x=9$

따라서 연못에 놓인 돌의 개수는

$2\times9-1=17$(개)

P. 75~77 **내신 1% 뛰어넘기**

01 2	**02** 3	**03** $x=1$	**04** -3	**05** 5
06 $3-\sqrt{14}$		**07** 9	**08** 2	
09 $x^2-2020x-2021=0$				
10 걸린 시간: 1시간 40분, $a=10$			**11** 20 %	
12 P(6, 9)				

01 길잡이 주어진 이차방정식에 한 근을 대입하고, 이를 이용할 수 있도록 주어진 식을 변형한다.

$x^2-3x+1=0$에 $x=a$를 대입하면 $a^2-3a+1=0$

$\therefore a^5-5a^4+7a^3-a^2-3a+3$

$=a^5\underline{-3a^4-2a^4}+\underline{a^3+6a^3}\underline{-2a^2+a^2}-3a+\underline{1+2}$

$=a^5-3a^4+a^3-2a^4+6a^3-2a^2+a^2-3a+1+2$

$=a^3(a^2-3a+1)-2a^2(a^2-3a+1)+(a^2-3a+1)+2$

$=a^3\times0-2a^2\times0+0+2=2$

다른 풀이

$a^2-3a+1=0$에서 $a^2=3a-1$이므로

$a^3=a\times a^2=a(3a-1)=3a^2-a=3(3a-1)-a=8a-3$

$a^4=a\times a^3=a(8a-3)=8a^2-3a=8(3a-1)-3a$
$=21a-8$

$a^5=a\times a^4=a(21a-8)=21a^2-8a=21(3a-1)-8a$
$=55a-21$

$\therefore a^5-5a^4+7a^3-a^2-3a+3$

$=(55a-21)-5(21a-8)+7(8a-3)-(3a-1)$
$-3a+3$

$=55a-21-105a+40+56a-21-3a+1-3a+3$

$=2$

02 길잡이 주어진 식에서 반복되는 부분이 x와 같음을 이용한다.

$x=2+\cfrac{3}{2+\cfrac{3}{2+\cfrac{3}{2+\cdots}}}$에서 $x=2+\frac{3}{x}$이므로 (상자 부분 $=x$)

$x^2=2x+3$, $x^2-2x-3=0$

$(x+1)(x-3)=0$ $\quad\therefore x=-1$ 또는 $x=3$

이때 $x>0$이므로 $x=3$

03 길잡이 두 이차방정식에 공통인 근을 문자로 놓고 대입한 후 두 식이 같음을 이용한다.

두 이차방정식의 공통인 근을 $x=\alpha$라 하자.

$x^2+mx+n=0$에 $x=\alpha$를 대입하면

$\alpha^2+m\alpha+n=0$ $\quad\cdots$ ㉠

주어진 이차방정식의 x의 계수와 상수항을 바꾸면

$x^2+nx+m=0$이고, 이 식에 $x=\alpha$를 대입하면

$\alpha^2+n\alpha+m=0$ $\quad\cdots$ ㉡

㉠, ㉡에서 $\alpha^2+m\alpha+n=\alpha^2+n\alpha+m$

$(m-n)\alpha=m-n$

이때 $m\neq n$이므로 $\alpha=1$

따라서 두 이차방정식의 공통인 근은 $x=1$이다.

04 길잡이 $f(x)$의 식의 분모를 유리화한 후 m의 값을 구한다.

$f(x)=\frac{1}{\sqrt{x+1}+\sqrt{x}}=\frac{\sqrt{x+1}-\sqrt{x}}{(\sqrt{x+1}+\sqrt{x})(\sqrt{x+1}-\sqrt{x})}$

$=\sqrt{x+1}-\sqrt{x}$

$\therefore m=f(1)+f(2)+f(3)+\cdots+f(23)+f(24)$

$=(\sqrt{2}-\sqrt{1})+(\sqrt{3}-\sqrt{2})+(\sqrt{4}-\sqrt{3})$
$+\cdots+(\sqrt{24}-\sqrt{23})+(\sqrt{25}-\sqrt{24})$

$=\sqrt{25}-\sqrt{1}=5-1=4$

주어진 이차방정식에 $x=4$를 대입하면

$16(a^2-1)+4(5a-6)+4(3a-2)=0$

$16a^2+32a-48=0$, $a^2+2a-3=0$

$(a+3)(a-1)=0$ $\quad\therefore a=-3$ 또는 $a=1$

이때 $a^2-1\neq0$에서 $a\neq-1$, $a\neq1$이므로 $a=-3$

05 길잡이 a, c가 소수임을 이용하여 $x^2-2cx+a=0$의 좌변을 인수분해한다.

$x^2-2cx+a=0$에서 a가 소수이므로 곱이 a가 되는 두 정수를 찾아 좌변을 인수분해하면

$(x+a)(x+1)=0$ 또는 $(x-a)(x-1)=0$이다.

이때 $(x+a)(x+1)=0$의 좌변을 정리하면

$x^2+(a+1)x+a=0$이고 이 식이 $x^2-2cx+a=0$과 같으므로 $a+1=-2c$이어야 한다.

그런데 a, c는 소수, 즉 자연수이므로 $a+1=-2c$는 성립하지 않는다.

따라서 $x^2-2cx+a=0$의 좌변을 인수분해하면

$(x-a)(x-1)=0$이므로 $x=a$ 또는 $x=1$이다.

주어진 두 이차방정식의 공통인 해를 $x=\alpha$라 하자.

$x^2-ax+2b=0$에 $x=\alpha$를 대입하면

$a^2-a^2+2b=0 \qquad \therefore b=0$

그런데 b는 소수이어야 하므로 $x=a$는 공통인 해가 아니다.

즉, 공통인 해는 $x=1$이다.

$x^2-ax+2b=0$에 $x=1$을 대입하면

$a=2b+1 \qquad \cdots$ ㉠

$x^2-2cx+a=0$에 $x=1$을 대입하면

$a=2c-1 \qquad \cdots$ ㉡

㉠, ㉡에서 $2b+1=2c-1 \qquad \therefore c=b+1$

따라서 b와 c는 소수이면서 연속하는 두 자연수이므로

$b=2,\ c=3$

$\therefore a=2b+1=2\times2+1=5$

06 길잡이 주어진 등식의 양변을 y^2으로 나눈 후 $\frac{x}{y}=A$로 놓고 이차방정식을 푼다.

(나)에서 $xy<0$이므로 $x\neq0,\ y\neq0 \qquad \therefore y^2\neq0$

(가)에서 $x^2-6xy-5y^2=0$의 양변을 y^2으로 나누면

$\frac{x^2}{y^2}-6\frac{x}{y}-5=0,\ \left(\frac{x}{y}\right)^2-6\frac{x}{y}-5=0$

$\frac{x}{y}=A$로 놓으면

$A^2-6A-5=0$에서 일차항의 계수가 짝수이므로

$A=\frac{3\pm\sqrt{(-3)^2-1\times(-5)}}{1}=3\pm\sqrt{14}$

$\therefore \frac{x}{y}=3\pm\sqrt{14}$

이때 $xy<0$에서 $\frac{x}{y}<0$이므로

$\frac{x}{y}=3-\sqrt{14}$

07 길잡이 좌변에 공통부분이 생기도록 2개씩 묶어 전개한다.

$n(n+1)(n+2)(n+3)+1=109^2$에서

$n(n+3)(n+1)(n+2)=109^2-1$

$=(109-1)(109+1)$

$=108\times110$

즉, $(n^2+3n)(n^2+3n+2)=108\times110$이므로

$n^2+3n=A$로 놓으면

$A(A+2)=108\times110,\ A^2+2A-108\times110=0$

$(A+110)(A-108)=0 \qquad \therefore A=-110$ 또는 $A=108$

이때 n은 자연수이므로 $A=n^2+3n>0$

$\therefore A=108$

즉, $n^2+3n=108$이므로 $n^2+3n-108=0$

$(n+12)(n-9)=0 \qquad \therefore n=-12$ 또는 $n=9$

이때 n은 자연수이므로 $n=9$

08 길잡이 이차방정식 $ax^2+bx+c=0$이 근을 가지려면 $b^2-4ac\geq0$이어야 함을 이용한다.

$x^2-ax+b+1=0$이 근을 가지므로

$(-a)^2-4(b+1)\geq0 \qquad \therefore b\leq\frac{a^2}{4}-1$

즉, b의 최댓값은 $M=\frac{a^2}{4}-1$

이때 $-2\leq a\leq4$이므로 $0\leq a^2\leq16$

$0\leq\frac{a^2}{4}\leq4,\ -1\leq\frac{a^2}{4}-1\leq3 \qquad \therefore -1\leq M\leq3$

따라서 $p=-1,\ q=3$이므로

$p+q=-1+3=2$

09 길잡이 이차방정식 $x^2-ax+b=0$의 두 근이 연속하는 자연수이므로 두 근을 $\alpha,\ \alpha+1$로 놓는다.

$x^2-ax+b=0$의 두 근이 연속하는 자연수이므로 두 근을 $\alpha,\ \alpha+1$(α는 자연수)이라 하면 두 근의 제곱의 차가 5이므로

$(\alpha+1)^2-\alpha^2=5,\ \alpha^2+2\alpha+1-\alpha^2=5$

$2\alpha=4 \qquad \therefore \alpha=2$

즉, 두 근은 2, 3이므로

$(x-2)(x-3)=0 \qquad \therefore x^2-5x+6=0$

이 식이 $x^2-ax+b=0$과 같으므로

$a=5,\ b=6$에서 $a-b=-1,\ b-a=1$

$\therefore A=(a-b)+(a-b)^2+\cdots+(a-b)^{2021}$

$=(-1)+(-1)^2+\cdots+(-1)^{2021}=-1$

$\therefore B=(b-a)+(b-a)^2+\cdots+(b-a)^{2021}$

$=1+1^2+\cdots+1^{2021}=2021$

따라서 두 근이 -1, 2021이고 x^2의 계수가 1인 이차방정식은

$(x+1)(x-2021)=0 \qquad \therefore x^2-2020x-2021=0$

10 길잡이 (거리)=(시간)×(속력)임을 이용하여 우현이와 주아가 이동한 거리에 대한 식을 각각 세워 본다.

두 사람이 만날 때까지 걸린 시간을 x시간, 두 사람이 만난 지점을 P 지점이라 하면 우현이가 A 지점에서 P 지점까지 간 거리는 $8x$ km이고, 주아가 B 지점에서 P 지점까지 간 거리는 ax km이다. 이때 1시간 20분은 $1+\frac{20}{60}=\frac{4}{3}$(시간)이므로 주아가 P 지점에서 A 지점까지 간 거리는 $\frac{4}{3}a$ km이다.

즉, $8x=\frac{4}{3}a \qquad \cdots$ ㉠, $\qquad ax+\frac{4}{3}a=30 \qquad \cdots$ ㉡

㉠에서 $a=6x$이므로 ㉡에 이를 대입하면

$6x^2+8x=30,\ 3x^2+4x-15=0$

$(x+3)(3x-5)=0 \qquad \therefore x=-3$ 또는 $x=\frac{5}{3}$

이때 $x>0$이므로 $x=\frac{5}{3}$

따라서 두 사람이 만날 때까지 걸린 시간은 $\frac{5}{3}$시간, 즉 1시간 40분이다.

또 $a=6x$에 $x=\frac{5}{3}$를 대입하면 $a=10$

11 길잡이 처음 1인당 입장료와 입장객 수를 각각 문자로 놓고, (전체 입장료)=(1인당 입장료)×(입장객 수)임을 이용하여 이차방정식을 세운다.

처음 1인당 입장료를 a원, 입장객 수를 b명이라 하면

입장료를 $x\,\%$ 올린 후의 입장료는 $\left(1+\frac{x}{100}\right)a$원,

입장객 수는 $\left(1-\frac{x}{400}\right)b$명이다.

따라서 입장료를 $x\,\%$ 올린 후의 총수입은

$\left(1+\frac{x}{100}\right)a\times\left(1-\frac{x}{400}\right)b$(원)

이때 총수입이 14 % 증가해야 하므로

$\left(1+\frac{x}{100}\right)\left(1-\frac{x}{400}\right)ab=\frac{114}{100}ab$에서

$\frac{100+x}{100}\times\frac{400-x}{400}=\frac{114}{100}$, $(100+x)(400-x)=45600$

$x^2-300x+5600=0$, $(x-20)(x-280)=0$

$\therefore x=20$ 또는 $x=280$

이때 $0<x<50$이므로 $x=20$

따라서 입장료는 20 %를 올려야 한다.

12 길잡이 점 P가 일차함수 $y=x+3$의 그래프 위의 점이므로 그 좌표를 $P(a,\ a+3)$으로 놓는다.

$y=x+3$의 그래프 위의 점 P의 좌표를 $P(a,\ a+3)\ (a>0)$이라 하면

오른쪽 그림에서

$\overline{OQ}=a$, $\overline{PQ}=a+3$

$\therefore \triangle POQ=\frac{1}{2}a(a+3)$

점 P에서 y축에 내린 수선의 발을 H라 하면 $\overline{PH}=\overline{OQ}=a$

$y=x+3$의 그래프의 y절편은 3이므로 $\overline{OR}=3$

$\therefore \triangle PRO=\frac{1}{2}\times3\times a=\frac{3}{2}a$

$\triangle POQ : \triangle PRO=3:1$이므로

$\frac{1}{2}a(a+3):\frac{3}{2}a=3:1$, $\frac{1}{2}a(a+3)=\frac{9}{2}a$

$a^2-6a=0$, $a(a-6)=0$ $\quad\therefore a=0$ 또는 $a=6$

이때 $a>0$이므로 $a=6$

따라서 점 P의 좌표는 $P(6,\ 9)$이다.

P. 78~79 **5 서술형 완성하기**

[과정은 풀이 참조]

1 풀이 참조 **2** 15 **3** 3개 **4** 9
5 $x=4$ 또는 $x=6$ **6** $6+6\sqrt{5}$ **7** 111
8 24명

1 오른쪽 표에서 가로와 대각선에 있는 네 수의 합이 서로 같으므로

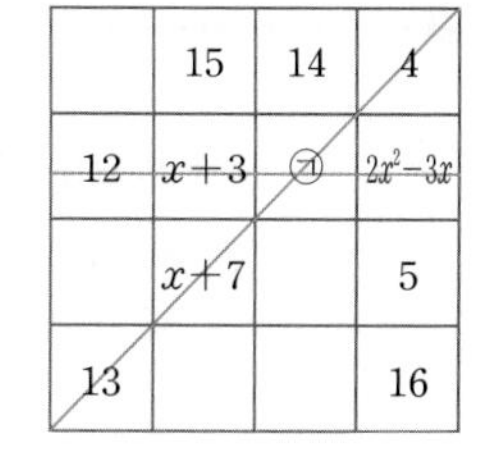

$12+(x+3)+㉠+(2x^2-3x)$
$=4+㉠+(x+7)+13$에서 $\cdots$ (i)

$2x^2-3x-9=0$

$(2x+3)(x-3)=0$

$\therefore x=-\frac{3}{2}$ 또는 $x=3$

이때 $x+3$은 자연수, 즉 x는 정수이므로 $x=3$ $\cdots$ (ii)

즉, 세로에 있는 네 수의 합은

$4+(2x^2-3x)+5+16=4+(18-9)+5+16=34$

따라서 가로, 세로, 대각선에 있는 네 수의 합은 모두 34이므로 주어진 마방진을 완성하면 오른쪽 표와 같다. $\cdots$ (iii)

1	15	14	4
12	6	7	9
8	10	11	5
13	3	2	16

채점 기준	비율
(i) x에 대한 이차방정식 세우기	30 %
(ii) x의 값 구하기	40 %
(iii) 마방진 완성하기	30 %

2 $x(x-3)=18$에서 $x^2-3x-18=0$

$(x+3)(x-6)=0$ $\quad\therefore x=-3$ 또는 $x=6$ $\cdots$ (i)

따라서 $2x^2+(a+1)x+2a=0$에 $x=-3$을 대입하면

$2\times(-3)^2-3(a+1)+2a=0$ $\cdots$ (ii)

$18-3a-3+2a=0$ $\quad\therefore a=15$ $\cdots$ (iii)

채점 기준	비율
(i) 이차방정식 $x(x-3)=18$의 두 근 구하기	40 %
(ii) (i)의 두 근 중 작은 근을 $2x^2+(a+1)x+2a=0$에 대입하기	30 %
(iii) a의 값 구하기	30 %

3 $x^2+y^2+2xy-3x-3y-4=0$에서

$(x+y)^2-3(x+y)-4=0$

$x+y=A$로 놓으면 $\cdots$ (i)

$A^2-3A-4=0$, $(A+1)(A-4)=0$

$\therefore A=-1$ 또는 $A=4$

즉, $x+y=-1$ 또는 $x+y=4$

이때 x, y는 자연수이므로 $x+y=4$ $\cdots$ (ii)

따라서 구하는 순서쌍 $(x,\ y)$는 $(1,\ 3)$, $(2,\ 2)$, $(3,\ 1)$의 3개이다. $\cdots$ (iii)

채점 기준	비율
(i) 주어진 식을 정리한 후, $x+y=A$로 놓기	40 %
(ii) $x+y$의 값 구하기	40 %
(iii) 순서쌍 $(x,\ y)$의 개수 구하기	20 %

4 $3x^2+2ax+2a+9=0$이 중근을 가지려면

$(2a)^2-4\times3\times(2a+9)=0$이어야 하므로 … (i)

$a^2-6a-27=0$, $(a+3)(a-9)=0$

$\therefore a=-3$ 또는 $a=9$ … (ii)

㉠ $a=-3$일 때, $3x^2-6x+3=0$에서

$x^2-2x+1=0$, $(x-1)^2=0$ $\therefore x=1$

그런데 $x=1$은 양수인 중근이므로 음수인 중근이라는 조건을 만족시키지 않는다.

㉡ $a=9$일 때, $3x^2+18x+27=0$에서

$x^2+6x+9=0$, $(x+3)^2=0$ $\therefore x=-3$

따라서 ㉠, ㉡에서 $a=9$ … (iii)

채점 기준	비율
(i) 중근을 갖도록 하는 a에 대한 이차방정식 세우기	30 %
(ii) a에 대한 이차방정식 풀기	30 %
(iii) 음수인 중근을 갖도록 하는 a의 값 구하기	40 %

5 지은이는 중근 $x=5$를 얻었으므로 지은이가 푼 이차방정식은

$(x-5)^2=0$ $\therefore x^2-10x+25=0$

이때 지은이는 x의 계수를 바르게 보았으므로 처음 이차방정식의 x의 계수는 -10이다. … (i)

보검이는 $x=-12$ 또는 $x=-2$의 해를 얻었으므로 보검이가 푼 이차방정식은

$(x+12)(x+2)=0$ $\therefore x^2+14x+24=0$

이때 보검이는 상수항을 바르게 보았으므로 처음 이차방정식의 상수항은 24이다. … (ii)

따라서 처음 이차방정식은 $x^2-10x+24=0$이므로

$(x-4)(x-6)=0$ $\therefore x=4$ 또는 $x=6$ … (iii)

채점 기준	비율
(i) 처음 이차방정식의 x의 계수 구하기	40 %
(ii) 처음 이차방정식의 상수항 구하기	40 %
(iii) 처음 이차방정식 풀기	20 %

6 $\overline{BC}=x$라 하면 $\overline{DE}=\overline{AD}-\overline{AE}=x-12$

$\square ABCD \backsim \square DEFC$이므로 $\overline{AB}:\overline{DE}=\overline{BC}:\overline{EF}$에서

$12:(x-12)=x:12$ … (i)

$x(x-12)=144$, $x^2-12x-144=0$

일차항의 계수가 짝수이므로

$x=\dfrac{-(-6)\pm\sqrt{(-6)^2-1\times(-144)}}{1}=6\pm6\sqrt{5}$ … (ii)

이때 $x>12$이므로 $x=6+6\sqrt{5}$

따라서 $\overline{BC}$의 길이는 $6+6\sqrt{5}$이다. … (iii)

채점 기준	비율
(i) $\overline{BC}$에 대한 비례식 세우기	50 %
(ii) 이차방정식 풀기	40 %
(iii) $\overline{BC}$의 길이 구하기	10 %

7 주어진 이차방정식의 두 근의 최대공약수가 3이므로

두 근을 $a=3m$, $b=3n$(m, n은 서로소)이라 하면 … (i)

$2(x-3m)(x-3n)=0$

$\therefore 2x^2-2(3m+3n)x+18mn=0$

이 식이 $2x^2-30x+k=0$과 같으므로

$-2(3m+3n)=-30$ … ㉠

$18mn=k$ … ㉡

㉠에서 $m+n=5$이고

$a>b>3$에서 $3m>3n>3$, $m>n>1$

이때 m, n은 자연수이므로 $m=3$, $n=2$ … (ii)

㉡에서 $k=18\times3\times2=108$

$\therefore a-b+k=3m-3n+k$

$=3\times3-3\times2+108$

$=9-6+108=111$ … (iii)

채점 기준	비율
(i) $a=3m$, $b=3n$으로 놓기	40 %
(ii) m, n의 값 구하기	40 %
(iii) $a-b+k$의 값 구하기	20 %

8 기존 야구 동아리 학생 수를 x명이라 하면

기존 학생 1명이 처음에 받은 관람권의 수는 $\dfrac{96}{x}$장이므로

2명의 학생이 새로 들어온 후, 기존 학생 1명이 갖게 된 관람권의 수는 $\left(\dfrac{96}{x}-1\right)$장, 새로 온 학생 1명이 받은 관람권의 수는 $\dfrac{x}{2}$장이다.

즉, $\dfrac{x}{2}=\left(\dfrac{96}{x}-1\right)+9$에서 … (i)

$\dfrac{x}{2}=\dfrac{96}{x}+8$

이때 $x\neq0$이므로 양변에 $2x$를 곱하면 $x^2=192+16x$

$x^2-16x-192=0$, $(x+8)(x-24)=0$

$\therefore x=-8$ 또는 $x=24$ … (ii)

이때 x는 자연수이므로 $x=24$

따라서 기존 야구 동아리 학생 수는 24명이다. … (iii)

채점 기준	비율
(i) 기존 야구 동아리 학생과 새로 온 학생이 각각 갖게 된 관람권의 수를 비교하여 식 세우기	50 %
(ii) 이차방정식 풀기	40 %
(iii) 기존 야구 동아리 학생 수 구하기	10 %

6. 이차함수와 그 그래프

P. 82~87 개념+대표 문제 확인하기

1 ㄷ, ㅁ 2 9 3 -180 4 $-2<a<-\frac{2}{3}$
5 ④, ⑤ 6 10 7 $-\frac{5}{3}$ 8 $(0, 1)$ 9 -1, 3
10 ②, ⑤ 11 1 12 -6 13 ㄴ, ㄷ 14 ②
15 $\frac{3}{4}$ 16 4 17 $a=-\frac{1}{2}$, $p=-2$, $q=1$
18 $y=-2(x+3)^2+11$ 19 $a<0$, $p>0$, $q<0$
20 ③ 21 -30 22 29 23 $k>-2$
24 ①, ⑤ 25 10 26 $x=-1$, $(-1, 1)$
27 -2 28 $a>0$, $b<0$, $c>0$ 29 ③

1 ㄱ. $y=2000x$ (일차함수)
ㄴ. $y=80x$ (일차함수)
ㄷ. $y=x\left(\frac{10}{2}-x\right)=-x^2+5x$ (이차함수)
ㄹ. $y=x^3$ (이차함수가 아니다.)
ㅁ. $y=4\pi x^2$ (이차함수)
따라서 이차함수인 것은 ㄷ, ㅁ이다.

2 $f(3)=2$이므로 $-\frac{1}{3}\times 3^2+3a-1=2$
$3a=6$ $\quad\therefore a=2$
즉, $f(x)=-\frac{1}{3}x^2+2x-1$에서
$f(b)=-\frac{10}{3}$이므로 $-\frac{1}{3}b^2+2b-1=-\frac{10}{3}$
$b^2-6b-7=0$, $(b+1)(b-7)=0$
$\therefore b=-1$ 또는 $b=7$
이때 b는 자연수이므로 $b=7$
$\therefore a+b=2+7=9$

3 $y=5x^2$의 그래프와 x축에 서로 대칭인 그래프는 $y=-5x^2$이고, 이 그래프가 점 $(-6, k)$를 지나므로
$k=-5\times(-6)^2=-180$

4 $y=ax^2$의 그래프의 폭이 $y=-\frac{2}{3}x^2$의 그래프보다 좁고, $y=-2x^2$의 그래프보다 넓으므로
$\left|-\frac{2}{3}\right|<|a|<|-2|$, $\frac{2}{3}<|a|<2$
이때 $a<0$이므로 $-2<a<-\frac{2}{3}$

5 ① 꼭짓점의 좌표는 $(0, 0)$이다.
② 축의 방정식은 $x=0$이다.
③ $y=ax^2$에서 $a<0$이므로 위로 볼록한 포물선이다.
④ 제3사분면과 제4사분면을 지난다.
⑤ $\left|-\frac{1}{2}\right|>\left|\frac{1}{4}\right|$이므로 이차함수 $y=-\frac{1}{2}x^2$의 그래프는 $y=\frac{1}{4}x^2$의 그래프보다 폭이 좁다.
따라서 옳은 것은 ④, ⑤이다.

6 그래프의 꼭짓점이 원점이므로 구하는 이차함수의 식을 $y=ax^2$으로 놓자.
이 그래프가 점 $(-3, 2)$를 지나므로
$2=9a$ $\quad\therefore a=\frac{2}{9}$
따라서 $f(x)=\frac{2}{9}x^2$이므로
$f(9)-f(6)=\frac{2}{9}\times 9^2-\frac{2}{9}\times 6^2=18-8=10$

7 $y=ax^2$의 그래프를 y축의 방향으로 -3만큼 평행이동하면 $y=ax^2-3$이고, 이 그래프가 점 $(3, 0)$을 지나므로
$0=9a-3$ $\quad\therefore a=\frac{1}{3}$
따라서 $f(x)=\frac{1}{3}x^2-3$이므로
$f(-2)=\frac{1}{3}\times(-2)^2-3=-\frac{5}{3}$

8 $y=ax^2+q$의 그래프가 점 $(-3, -2)$를 지나므로
$-2=9a+q$ $\quad\cdots$ ㉠
또 점 $\left(1, \frac{2}{3}\right)$를 지나므로
$\frac{2}{3}=a+q$ $\quad\cdots$ ㉡
㉠, ㉡을 연립하여 풀면 $a=-\frac{1}{3}$, $q=1$
따라서 $y=-\frac{1}{3}x^2+1$의 그래프의 꼭짓점의 좌표는 $(0, 1)$이다.

9 $y=-3x^2$의 그래프를 x축의 방향으로 p만큼 평행이동하면 $y=-3(x-p)^2$이고, 이 그래프가 점 $(1, -12)$를 지나므로
$-12=-3(1-p)^2$, $(1-p)^2=4$, $1-p=\pm 2$
$\therefore p=-1$ 또는 $p=3$

10 ② 꼭짓점의 좌표는 $(-1, 0)$이다.
⑤ $x<-1$일 때, x의 값이 증가하면 y의 값도 증가한다.

11 $y=a(x-p)^2$의 그래프의 축의 방정식은 $x=p$이므로 $p=-2$
$y=a(x+2)^2$의 그래프가 점 $(-4, -2)$를 지나므로
$-2=a(-4+2)^2$, $4a=-2$ $\quad\therefore a=-\frac{1}{2}$
$\therefore ap=-\frac{1}{2}\times(-2)=1$

12 $y=-2x^2$의 그래프를 x축의 방향으로 3만큼, y축의 방향으로 a만큼 평행이동하면 $y=-2(x-3)^2+a$이고,
이 그래프가 점 $(2, -1)$을 지나므로
$-1=-2(2-3)^2+a$, $-1=-2+a$ $\quad\therefore a=1$
즉, $y=-2(x-3)^2+1$의 그래프가 점 $(5, b)$를 지나므로
$b=-2(5-3)^2+1=-7$
$\therefore a+b=1+(-7)=-6$

13 ㄴ. 꼭짓점의 좌표가 $(-2, -5)$이므로
$y=-2x-1$에 $x=-2$, $y=-5$를 대입하면
$-5\neq-2\times(-2)-1$
즉, 꼭짓점은 일차함수 $y=-2x-1$의 그래프 위에 있지 않다.
ㄷ. 축의 방정식은 $x=-2$이다.
따라서 옳지 않은 것은 ㄴ, ㄷ이다.

14 각 그래프의 꼭짓점을 x축의 방향으로 1만큼, y축의 방향으로 -2만큼 평행이동하여 꼭짓점이 위치하는 사분면을 구하면
① $(0, 4)$ ⇨ $(1, 2)$: 제1사분면
② $(-2, 0)$ ⇨ $(-1, -2)$: 제3사분면
③ $(0, 3)$ ⇨ $(1, 1)$: 제1사분면
④ $(1, 0)$ ⇨ $(2, -2)$: 제4사분면
⑤ $(-3, 4)$ ⇨ $(-2, 2)$: 제2사분면
따라서 평행이동한 그래프의 꼭짓점이 제3사분면 위에 위치하는 것은 ②이다.

15 이차함수의 그래프를 평행이동할 때 그래프의 모양과 폭은 변하지 않으므로 $a=\frac{3}{4}$
꼭짓점이 $(2, 1)$에서 $(5, -2)$로 이동했으므로
$2+m=5$, $1+n=-2$ $\quad\therefore m=3,\ n=-3$
$\therefore a+m+n=\frac{3}{4}+3+(-3)=\frac{3}{4}$

16 $y=-\frac{1}{3}(x-2)^2+a$의 그래프를 y축에 대하여 대칭이동하면
$y=-\frac{1}{3}(-x-2)^2+a$ $\quad\therefore y=-\frac{1}{3}(x+2)^2+a$
이 그래프가 점 $(-5, 1)$을 지나므로
$1=-\frac{1}{3}(-5+2)^2+a$
$1=-3+a$ $\quad\therefore a=4$

17 주어진 그래프의 꼭짓점의 좌표가 $(-2, 1)$이므로
$p=-2$, $q=1$
즉, $y=a(x+2)^2+1$이고, 이 그래프가 점 $(0, -1)$을 지나므로
$-1=a(0+2)^2+1$, $4a=-2$ $\quad\therefore a=-\frac{1}{2}$

18 ㈎에서 축의 방정식이 $x=-3$이므로 구하는 이차함수의 식을 $y=a(x+3)^2+q$로 놓으면
㈏에서 이 그래프가 두 점 $(-5, 3)$, $(-2, 9)$를 지나므로
$3=4a+q$, $9=a+q$
이 두 식을 연립하여 풀면 $a=-2$, $q=11$
따라서 구하는 이차함수의 식은 $y=-2(x+3)^2+11$

19 그래프가 위로 볼록한 포물선이므로 $a<0$
꼭짓점 $(-p, -q)$가 제2사분면 위에 있으므로
$-p<0$, $-q>0$ $\quad\therefore p>0,\ q<0$

20 $y=ax+b$의 그래프에서 (기울기)$=a<0$, (y절편)$=b>0$
즉, $y=a(x-b)^2$의 그래프는 $a<0$이므로 위로 볼록한 포물선이고, 꼭짓점의 좌표 $(b, 0)$에서 $b>0$이므로 꼭짓점은 x축 위의 점이며 y축의 오른쪽에 있다.
따라서 $y=a(x-b)^2$의 그래프로 알맞은 것은 ③이다.

21 $y=-2x^2-24x-40=-2(x+6)^2+32$의 그래프를 x축의 방향으로 m만큼, y축의 방향으로 n만큼 평행이동하면
$y=-2(x-m+6)^2+32+n$
이때 $y=-2x^2+4x-7=-2(x-1)^2-5$이므로
$-m+6=-1$, $32+n=-5$
$\therefore m=7,\ n=-37$
$\therefore m+n=7+(-37)=-30$

22 $y=2x^2-16x+k+3=2(x-4)^2+k-29$의 그래프가 x축과 한 점에서 만나므로 꼭짓점이 x축 위에 있다.
이때 꼭짓점의 좌표는 $(4, k-29)$이고, 꼭짓점의 y좌표는 0이므로 $k-29=0$ $\quad\therefore k=29$

23 $y=-x^2+4x+5k+10$의 그래프에서 x^2의 계수가 음수이므로 그래프의 모양이 위로 볼록한 포물선이다.
따라서 이 그래프가 모든 사분면을 지나려면 y축과 만나는 점의 y좌표가 0보다 커야 하므로
$5k+10>0$ $\quad\therefore k>-2$

24 $y=-2x^2+8x-6=-2(x-2)^2+2$의 그래프에서
① 꼭짓점의 좌표는 $(2, 2)$이다.
② 축의 방정식은 $x=2$이다.
③ 그래프는 오른쪽 그림과 같으므로 제2사분면을 지나지 않는다.
④ $y=-2x^2+8x-6$에 $y=0$을 대입하면
$-2x^2+8x-6=0$, $x^2-4x+3=0$
$(x-1)(x-3)=0$
$\therefore x=1$ 또는 $x=3$
즉, x축과 두 점 $(1, 0)$, $(3, 0)$에서 만난다.
⑤ $x>2$일 때, x의 값이 증가하면 y의 값은 감소한다.
따라서 옳은 것은 ①, ⑤이다.

25 $y=-x^2+3x+4$에 $y=0$을 대입하면
$x^2-3x-4=0$, $(x+1)(x-4)=0$
$\therefore x=-1$ 또는 $x=4$ $\quad \therefore \mathrm{B}(-1, 0)$, $\mathrm{C}(4, 0)$
$x=0$을 대입하면 $y=4$ $\quad \therefore \mathrm{A}(0, 4)$
$\therefore \triangle \mathrm{ABC}=\frac{1}{2}\times\overline{\mathrm{BC}}\times\overline{\mathrm{AO}}=\frac{1}{2}\times5\times4=10$

26 $y=ax^2+bx+c$로 놓으면 이 그래프가 점 $(0, 3)$을 지나므로 $c=3$
즉, $y=ax^2+bx+3$의 그래프가
점 $(-1, 1)$을 지나므로 $1=a-b+3$
$\therefore a-b=-2$ $\quad \cdots$ ㉠
점 $(1, 9)$를 지나므로 $9=a+b+3$
$\therefore a+b=6$ $\quad \cdots$ ㉡
㉠, ㉡을 연립하여 풀면 $a=2$, $b=4$
따라서 $y=2x^2+4x+3=2(x+1)^2+1$이므로 이 그래프의 축의 방정식은 $x=-1$이고 꼭짓점의 좌표는 $(-1, 1)$이다.

27 $y=ax^2+bx+c$의 그래프가 x축과 두 점 $(-2, 0)$, $(4, 0)$에서 만나므로 $y=a(x+2)(x-4)$로 놓으면 이 그래프가 점 $(0, 4)$를 지나므로
$4=a\times2\times(-4)$, $-8a=4$ $\quad \therefore a=-\frac{1}{2}$
즉, $y=-\frac{1}{2}(x+2)(x-4)=-\frac{1}{2}x^2+x+4$이므로
$b=1$, $c=4$ $\quad \therefore abc=-\frac{1}{2}\times1\times4=-2$

28 그래프가 아래로 볼록하므로 $a>0$
축이 y축의 오른쪽에 있으므로 $ab<0$ $\quad \therefore b<0$
y축과의 교점이 x축보다 위쪽에 있으므로 $c>0$

29 $\sqrt{a^2}=-a$에서 $a<0$, $\sqrt{b^2}=b$에서 $b>0$
즉, $y=-x^2+ax+b$에서
(i) (이차항의 계수)$=-1<0$이므로 위로 볼록하다.
(ii) (이차항의 계수)<0, $a<0$이므로 그래프의 축은 y축의 왼쪽에 있다.
(iii) $b>0$이므로 y축과의 교점은 x축보다 위쪽에 있다.
따라서 (i)~(iii)에 의해 그래프로 알맞은 것은 ③이다.

P. 88~96 내신 5% 따라잡기

1 ㄱ, ㄴ, ㄷ, ㅁ **2** ②, ⑤ **3** ③ **4** 12
5 P(2, 1) **6** ⑤ **7** $-\frac{1}{4}$
8 $y=-\frac{1}{3}x^2$ **9** $\mathrm{B}\left(\frac{4}{3}, \frac{2}{9}\right)$ **10** $\frac{1}{3}$
11 18 **12** $\frac{\sqrt{6}}{2}$ **13** -15 **14** 18 **15** $\frac{13}{2}$
16 $\frac{4}{9}\le a\le1$ **17** 16 **18** -4 **19** ④
20 5초 **21** ⑤ **22** $y=\frac{1}{3}(x-2)^2+1$ **23** 6
24 12 m **25** 제1사분면 **26** ② **27** ②, ④
28 ① **29** ④ **30** $(-6, 36)$ **31** 8
32 ④ **33** $a=1$, $m=3$, $n=-1$ **34** 1
35 $\mathrm{B}\left(5, \frac{21}{2}\right)$ **36** ③ **37** -6
38 $\left(-\frac{3}{2}, \frac{5}{2}\right)$ **39** ⑤ **40** $\frac{1}{30}$
41 $y=-\frac{1}{4}x^2+x+8$ **42** 3 **43** 7 **44** ③
45 ㄱ, ㄷ **46** $a<0$, $b>0$, $c>0$ **47** ③
48 (1) $y=-\frac{2}{3}x^2+8x$ (2) 20 **49** (1) $y=x^2$ (2) 81개
50 66.56 m **51** P(2, 5)

1 ㄱ. $y=\frac{x(x-3)}{2}=\frac{1}{2}x^2-\frac{3}{2}x$ (이차함수)
ㄴ. 둘레의 길이가 $4\pi x$ cm인 원의 반지름의 길이는 $2x$ cm이므로
$y=\pi\times(2x)^2=4\pi x^2$ (이차함수)
ㄷ. $y=\frac{1}{2}\times(x+x+2)\times2x=2x^2+2x$ (이차함수)
ㄹ. 주어진 원뿔의 옆넓이는 반지름의 길이가 10 cm, 호의 길이가 $2\pi x$ cm인 부채꼴의 넓이와 같으므로
$y=\frac{1}{2}\times10\times2\pi x=10\pi x$ (일차함수)
ㅁ. $y=\frac{1}{3}\times x^2\times12=4x^2$ (이차함수)
따라서 이차함수인 것은 ㄱ, ㄴ, ㄷ, ㅁ이다.

2 $y=k(k-1)x^2-12x^2-5x=(k^2-k-12)x^2-5x$
$=(k+3)(k-4)x^2-5x$
이 식이 x에 대한 이차함수이려면 x^2의 계수가 0이 아니어야 한다.
$\therefore k\ne-3$, $k\ne4$
따라서 k의 값이 될 수 없는 것은 ②, ⑤이다.

3 $y=ax^2$의 그래프의 폭이 $y=-\frac{1}{3}x^2$의 그래프보다 좁고,
$y=\frac{5}{2}x^2$의 그래프보다 넓으므로
$\left|-\frac{1}{3}\right|<|a|<\left|\frac{5}{2}\right|$, $\frac{1}{3}<|a|<\frac{5}{2}$

이때 $a<0$이므로 $-\frac{5}{2}<a<-\frac{1}{3}$

따라서 a의 값으로 알맞은 것은 ③ $-\frac{3}{2}$이다.

4 $y=ax^2$의 그래프가 점 $A(-2, -2)$를 지나므로

$-2=4a \qquad \therefore a=-\frac{1}{2}$

즉, $y=-\frac{1}{2}x^2$의 그래프가 점 $B(4, b)$를 지나므로

$b=-\frac{1}{2}\times 4^2=-8$

오른쪽 그림과 같이 두 점 A, B에서 x축에 내린 수선의 발을 각각 D, C라 하면

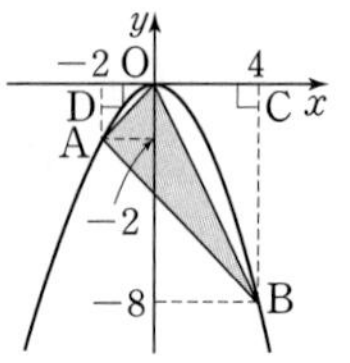

$\triangle OAB$

$=\square ABCD-\triangle ODA-\triangle OBC$

$=\frac{1}{2}\times(2+8)\times 6-\frac{1}{2}\times 2\times 2-\frac{1}{2}\times 4\times 8$

$=30-2-16=12$

5 $y=ax^2$의 그래프가 점 $A(-4, 4)$를 지나므로

$4=16a \qquad \therefore a=\frac{1}{4}$

점 P의 x좌표를 k라 하면 $P\left(k, \frac{1}{4}k^2\right)$

(직선 AP의 기울기)$=\dfrac{\frac{1}{4}k^2-4}{k-(-4)}=-\frac{1}{2}$

$\frac{1}{2}k^2-8=-k-4$, $\frac{1}{2}k^2+k-4=0$, $k^2+2k-8=0$

$(k+4)(k-2)=0 \qquad \therefore k=-4$ 또는 $k=2$

이때 두 점 A, P는 서로 다른 점이므로 $k=2$

$\therefore P(2, 1)$

6 $y=ax^2$의 그래프가 y축에 대칭이므로

$\overline{AB}=\overline{BC}=\overline{CD}=2k\,(k>0)$라 하면

$B(-k, ak^2)$, $C(k, ak^2)$

점 D의 x좌표는 $k+2k=3k$이므로 $D(3k, 6k^2)$

점 C와 점 D의 y좌표는 서로 같으므로 $ak^2=6k^2$

이때 $k\neq 0$이므로 $a=6$

7 $y=x^2$에 $y=4$를 대입하면 $4=x^2 \qquad \therefore x=\pm 2$

즉, $A(-2, 4)$, $B(2, 4)$이므로 $\overline{AB}=4$

오른쪽 그림과 같이 $\overline{AB}$와 y축의 교점을 E라 하면

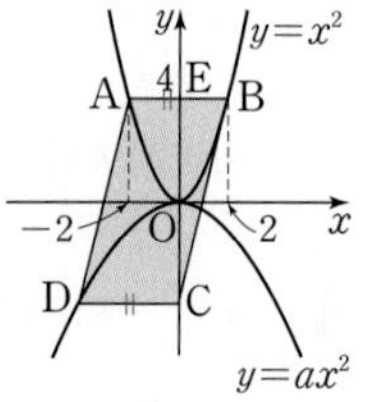

$\square ADCB=\overline{AB}\times\overline{EC}=4\times\overline{EC}=32$

에서 $\overline{EC}=8 \qquad \therefore C(0, -4)$

$\square ADCB$가 평행사변형이므로

$\overline{DC}=\overline{AB}=4 \qquad \therefore D(-4, -4)$

따라서 $y=ax^2$의 그래프가 점 $D(-4, -4)$를 지나므로

$-4=16a \qquad \therefore a=-\frac{1}{4}$

8 점 A의 x좌표를 $k\,(k>0)$라 하면

$A\left(k, \frac{1}{3}k^2\right)$, $B(k, -k^2)$

점 M이 $\overline{AB}$의 중점이므로 점 M의 좌표는

$\left\{\frac{1}{3}k^2+(-k^2)\right\}\times\frac{1}{2}=-\frac{1}{3}k^2 \qquad \therefore M\left(k, -\frac{1}{3}k^2\right)$

구하는 이차함수의 식을 $y=ax^2$으로 놓으면

이 그래프가 점 $M\left(k, -\frac{1}{3}k^2\right)$을 지나므로 $-\frac{1}{3}k^2=ak^2$

이때 $k\neq 0$이므로 $a=-\frac{1}{3}$

$\therefore y=-\frac{1}{3}x^2$

9 점 A의 x좌표를 $k\,(k>0)$라 하면

$A\left(k, \frac{1}{2}k^2\right)$, $D(k, 2k^2)$

이때 점 C의 y좌표는 점 D의 y좌표와 같으므로 $2k^2$

즉, $y=\frac{1}{2}x^2$에 $y=2k^2$을 대입하면 $2k^2=\frac{1}{2}x^2$, $x^2=4k^2$

이때 $x>0$이므로 $x=2k$

↳ 점 C는 제1사분면 위의 점

$\therefore C(2k, 2k^2)$, $B\left(2k, \frac{1}{2}k^2\right)$

$\overline{AD}=2k^2-\frac{1}{2}k^2=\frac{3}{2}k^2$, $\overline{DC}=2k-k=k$이고

$\square ABCD$가 정사각형이므로 $\overline{AD}=\overline{DC}$에서

$\frac{3}{2}k^2=k$, $k\left(\frac{3}{2}k-1\right)=0$

이때 $k\neq 0$이므로 $k=\frac{2}{3} \qquad \therefore B\left(\frac{4}{3}, \frac{2}{9}\right)$

10 $y=ax^2+3$의 그래프의 축은 y축이므로 점 A와 점 B는 y축에 서로 대칭이다.

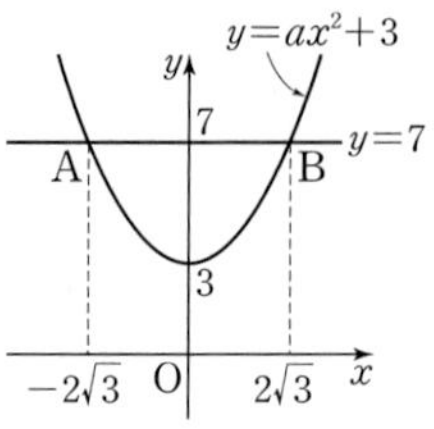

이때 $\overline{AB}=4\sqrt{3}$이고 두 점 A, B의 y좌표는 7로 같으므로 오른쪽 그림과 같이 점 A를 제2사분면 위의 점이라 하면

$A(-2\sqrt{3}, 7)$, $B(2\sqrt{3}, 7)$

따라서 $y=ax^2+3$의 그래프가 점 $B(2\sqrt{3}, 7)$을 지나므로

$7=a\times(2\sqrt{3})^2+3$, $12a=4 \qquad \therefore a=\frac{1}{3}$

11 두 이차함수의 그래프가 모두 점 $C(2, 0)$을 지나므로

$0=\frac{5}{4}\times 2^2+m$에서 $m=-5$, $0=-2^2+n$에서 $n=4$

따라서 두 점 B, D는 각각 $y=\frac{5}{4}x^2-5$, $y=-x^2+4$의 그래프의 꼭짓점이므로

$B(0, -5)$, $D(0, 4)$

$\therefore \square ABCD=\triangle ACD+\triangle ABC$

$=\frac{1}{2}\times 4\times 4+\frac{1}{2}\times 4\times 5=8+10=18$

12 $y=a(x-p)^2$의 그래프의 축이 y축의 오른쪽에 있으므로
$p>0$
$y=a(x-p)^2$의 그래프의 꼭짓점의 좌표는 $(p, 0)$이고,
$y=-\frac{1}{2}x^2+3$의 그래프가 이 점 $(p, 0)$을 지나므로
$0=-\frac{1}{2}p^2+3$, $p^2=6$ $\quad\therefore p=\pm\sqrt{6}$
이때 $p>0$이므로 $p=\sqrt{6}$
$y=-\frac{1}{2}x^2+3$의 그래프의 꼭짓점의 좌표는 $(0, 3)$이고,
$y=a(x-\sqrt{6})^2$의 그래프가 이 점 $(0, 3)$을 지나므로
$3=a(-\sqrt{6})^2$, $6a=3$ $\quad\therefore a=\frac{1}{2}$
$\therefore ap=\frac{1}{2}\times\sqrt{6}=\frac{\sqrt{6}}{2}$

13 (가)에서 $f(x)=a(x-p)^2$으로 놓으면
(나)에서 $|a|=3$이고 (다)에서 $a<0$이므로 $a=-3$
(라)에서 $f(5)=-27$이므로 $-3(5-p)^2=-27$
$(5-p)^2=9$, $p^2-10p+16=0$, $(p-2)(p-8)=0$
$\therefore p=2$ 또는 $p=8$
그런데 $p=8$이면 $y=-3(x-8)^2$에서 $3<x<8$일 때 x의 값이 증가하면 y의 값도 증가하므로 (다)를 만족시키지 않는다.
따라서 $p=2$이므로 $f(x)=-3(x-2)^2$
$\therefore f(1)+f(4)=-3\times(-1)^2+(-3)\times2^2$
$=-3+(-12)=-15$

14 $y=-\frac{1}{3}x^2+3$, $y=-\frac{1}{3}(x-3)^2$, $y=-\frac{1}{3}(x+3)^2$의 그래프를 그리면 다음 그림과 같다.

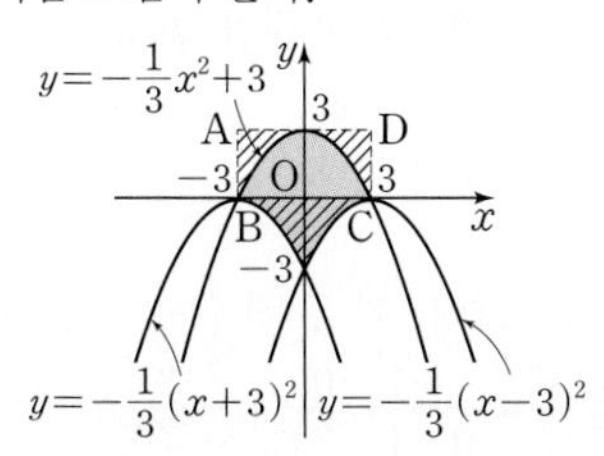

이때 그래프를 평행이동해도 그 모양과 폭은 변하지 않으므로 세 그래프로 둘러싸인 부분의 넓이는 직사각형 ABCD의 넓이와 같다.
따라서 구하는 넓이는
$6\times3=18$

15 $y=ax+b$의 그래프가 두 점 $(-3, 0)$, $(0, -2)$를 지나므로
$a=(\text{기울기})=\frac{-2-0}{0-(-3)}=-\frac{2}{3}$, $b=(y\text{절편})=-2$
즉, 주어진 이차함수의 식은
$y=-\frac{1}{3}(x-3)^2-\frac{4}{3}$ $\quad\therefore \mathrm{A}\left(3, -\frac{4}{3}\right)$
$x=0$일 때, $y=-\frac{1}{3}\times(-3)^2-\frac{4}{3}=-\frac{13}{3}$
$\therefore \mathrm{B}\left(0, -\frac{13}{3}\right)$

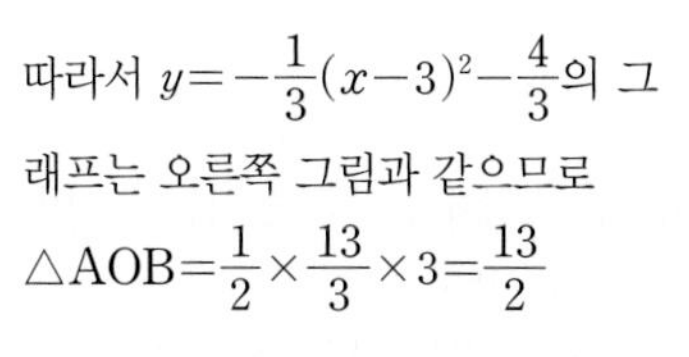

따라서 $y=-\frac{1}{3}(x-3)^2-\frac{4}{3}$의 그래프는 오른쪽 그림과 같으므로
$\triangle\mathrm{AOB}=\frac{1}{2}\times\frac{13}{3}\times3=\frac{13}{2}$

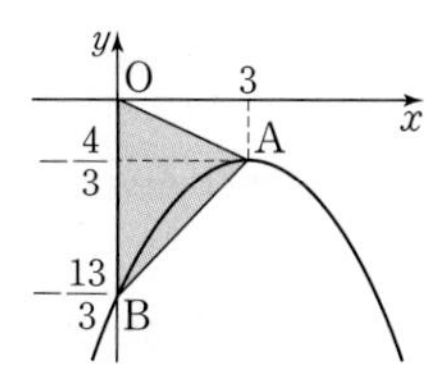

16 오른쪽 그림에서 $y=a(x+1)^2-2$의 그래프의 꼭짓점의 좌표가 $(-1, -2)$이고, 이 그래프가 $\overline{\mathrm{AB}}$와 만나야 하므로
(i) 점 A(2, 7)을 지날 때
$7=9a-2$ $\quad\therefore a=1$
(ii) 점 B(2, 2)를 지날 때
$2=9a-2$ $\quad\therefore a=\frac{4}{9}$

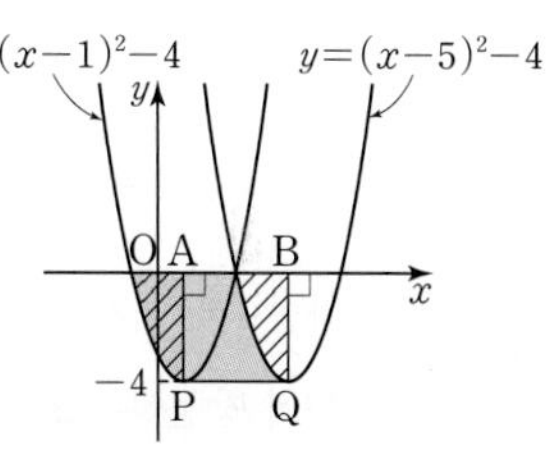

따라서 (i), (ii)에 의해 a의 값의 범위는 $\frac{4}{9}\le a\le1$

17 오른쪽 그림과 같이 두 점 P, Q에서 x축에 내린 수선의 발을 각각 A, B라 하자.
$y=(x-5)^2-4$의 그래프는 $y=(x-1)^2-4$의 그래프를 x축의 방향으로 4만큼 평행이동한 것이므로 위의 그림에서 색칠한 부분의 넓이는 직사각형 APQB의 넓이와 같고, P(1, −4), Q(5, −4)이므로
(색칠한 부분의 넓이)$=\square\mathrm{APQB}$
$=\overline{\mathrm{AB}}\times\overline{\mathrm{AP}}$
$=(5-1)\times4=16$

18 $y=(x-2)^2$의 그래프는 $y=(x+4)^2$의 그래프를 x축의 방향으로 6만큼 평행이동한 그래프이므로 $\overline{\mathrm{AB}}=6$
$\triangle\mathrm{ACB}=\frac{1}{2}\times\overline{\mathrm{AB}}\times\overline{\mathrm{AC}}=\frac{1}{2}\times6\times\overline{\mathrm{AC}}=12$에서 $\overline{\mathrm{AC}}=4$
따라서 $y=(x+4)^2+q$의 그래프는 $y=(x+4)^2$의 그래프를 y축의 방향으로 -4만큼 평행이동한 그래프이므로
$q=-4$

19 $y=-\frac{1}{4}(x-2)^2+3$의 그래프를 y축에 대하여 대칭이동하면
$y=-\frac{1}{4}(-x-2)^2+3=-\frac{1}{4}(x+2)^2+3$
이 그래프를 x축의 방향으로 -3만큼 평행이동하면
$y=-\frac{1}{4}(x+3+2)^2+3=-\frac{1}{4}(x+5)^2+3$

따라서 $y=-\frac{1}{4}(x+5)^2+3$의 그래프를 그리면 오른쪽 그림과 같으므로 그래프는 제2, 3, 4사분면을 지난다.

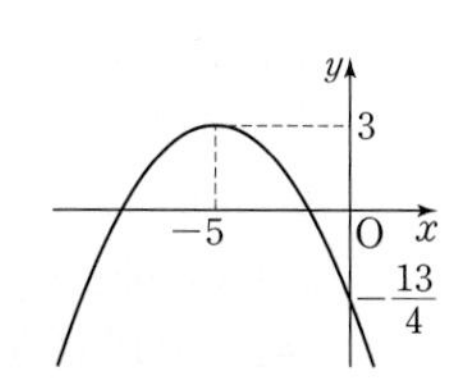

20 주어진 그래프의 꼭짓점의 좌표가 $(2, 45)$이므로 이차함수의 식을 $y=a(x-2)^2+45$로 놓자.

이 그래프가 점 (0, 25)를 지나므로

$25=4a+45$, $4a=-20$ $\quad\therefore a=-5$

물체가 지면에 떨어지는 순간에 물체의 높이는 0 m이므로

$y=-5(x-2)^2+45$에 $y=0$을 대입하면

$0=-5(x-2)^2+45$, $5(x-2)^2=45$, $(x-2)^2=9$

$x-2=\pm3$ $\quad\therefore x=-1$ 또는 $x=5$

이때 $x>0$이므로 $x=5$

따라서 물체를 쏘아 올린 후 지면에 떨어질 때까지 걸리는 시간은 5초이다.

21 $y=(x-p)^2+q$의 그래프의 꼭짓점 (p, q)가 직선 $y=-2x$ 위에 있으므로 $q=-2p$

즉, $y=(x-p)^2-2p$의 그래프가 점 (1, 2)를 지나므로

$2=(1-p)^2-2p$, $p^2-4p-1=0$ $\quad\therefore p=2\pm\sqrt{5}$

이때 $p>0$이므로 $p=2+\sqrt{5}$

$\therefore p+q=p+(-2p)=-p=-2-\sqrt{5}$

22 (가)에서 $y=\frac{1}{3}x^2-4$의 그래프와 모양과 폭이 같으므로 구하는 이차함수의 이차항의 계수는 $\frac{1}{3}$이고, (나)에서 구하는 그래프의 축의 방정식은 $x=2$이다.

따라서 구하는 이차함수의 식을 $y=\frac{1}{3}(x-2)^2+q$로 놓으면

(다)에서 이 그래프가 점 (−1, 4)를 지나므로

$4=\frac{1}{3}(-1-2)^2+q$, $4=3+q$ $\quad\therefore q=1$

$\therefore y=\frac{1}{3}(x-2)^2+1$

참고 이차함수 $y=a(x-p)^2+q$의 그래프는 축 $x=p$를 기준으로 증가, 감소가 바뀐다.

23 $y=a(x-p)^2+q$의 그래프를 x축에 대하여 대칭이동하면

$-y=a(x-p)^2+q$ $\quad\therefore y=-a(x-p)^2-q$

이 그래프의 꼭짓점의 좌표가 (−3, −1)이므로

$p=-3$, $-q=-1$에서 $q=1$

따라서 $y=a(x-p)^2+q=a(x+3)^2+1$의 그래프가 점 (−1, −7)을 지나므로

$-7=a(-1+3)^2+1$, $4a=-8$ $\quad\therefore a=-2$

$\therefore apq=-2\times(-3)\times1=6$

24 오른쪽 그림과 같이 지점 O가 원점, 지면이 x축, 선분 OP가 y축 위에 있도록 주어진 그림을 좌표평면 위에 나타내면 꼭짓점의 좌표가 P(0, 3)이므로 이 포물선을 그래프로 하는 이차함수의 식을 $y=ax^2+3$으로 놓자.

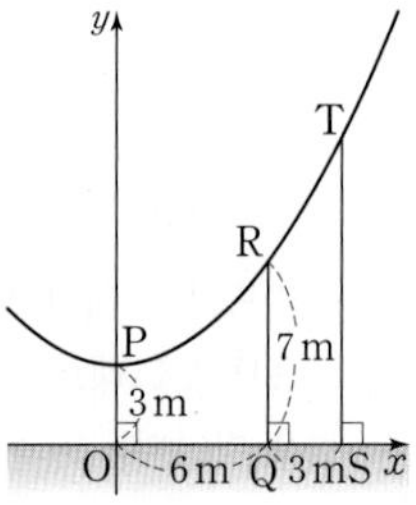

이 그래프가 점 R(6, 7)을 지나므로 $7=a\times6^2+3$

$36a=4$ $\quad\therefore a=\frac{1}{9}$

점 T의 x좌표가 9이므로 $y=\frac{1}{9}x^2+3$에 $x=9$를 대입하면

$y=\frac{1}{9}\times9^2+3=12$ $\quad\therefore$ T(9, 12)

따라서 S 지점에서 T 지점까지의 높이는 12 m이다.

25 축의 방정식이 $x=-2a+4$이므로

$-2a+4>0$, $-2a>-4$ $\quad\therefore a<2$

이때 꼭짓점의 좌표가 $(-2a+4, -5a+13)$이므로

$a<2$에서 $-5a>-10$ $\quad\therefore -5a+13>3$

따라서 꼭짓점은 제1사분면 위에 있다.

26 주어진 이차함수의 그래프가 위로 볼록하므로 $a<0$

꼭짓점 $(p, -q)$가 제1사분면 위에 있으므로 $p>0$, $q<0$

직선 $px+qy+a=0$에서 $q\neq0$이므로 $y=-\frac{p}{q}x-\frac{a}{q}$

따라서 (기울기)$=-\frac{p}{q}>0$,

(y절편)$=-\frac{a}{q}<0$이므로 오른쪽 그림과 같이 직선 $px+qy+a=0$은 제2사분면을 지나지 않는다.

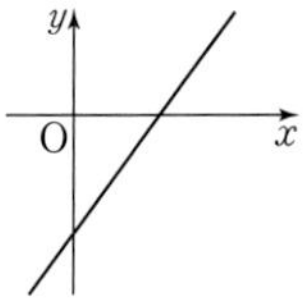

27 $ap<0$, $aq>0$이므로 a와 p는 부호가 서로 다르고, a와 q는 부호가 서로 같으므로

(i) $a>0$, $p<0$, $q>0$일 때

$a>0$이므로 아래로 볼록한 포물선이고,

$p<0$, $q>0$이므로 꼭짓점 (p, q)는 제2사분면 위에 있다.

(ii) $a<0$, $p>0$, $q<0$일 때

$a<0$이므로 위로 볼록한 포물선이고,

$p>0$, $q<0$이므로 꼭짓점 (p, q)는 제4사분면 위에 있다.

따라서 (i), (ii)에 의해 $y=a(x-p)^2+q$의 그래프가 될 수 있는 것은 ②, ④이다.

28 $y=ax+b$의 그래프가 두 점 (−2, 0), (0, −3)을 지나므로

$a=$(기울기)$=\frac{-3-0}{0-(-2)}=-\frac{3}{2}$, $b=$(y절편)$=-3$

즉, 주어진 이차함수의 식은

$y=3x^2-\frac{3}{2}x+4=3\left(x-\frac{1}{4}\right)^2+\frac{61}{16}$

따라서 이 그래프의 꼭짓점의 좌표는 $\left(\frac{1}{4}, \frac{61}{16}\right)$이므로 꼭짓점은 제1사분면 위의 점이다.

29 $y=2x^2-3x+4a=2\left(x-\frac{3}{4}\right)^2-\frac{9}{8}+4a$

이 그래프가 아래로 볼록하고 x축과 만나지 않으므로

(꼭짓점의 y좌표)$=-\frac{9}{8}+4a>0$, $4a>\frac{9}{8}$ $\quad\therefore a>\frac{9}{32}$

또 이 그래프가 점 (a, a^2+6)을 지나므로

$a^2+6=2a^2-3a+4a$, $a^2+a-6=0$

$(a+3)(a-2)=0$ $\quad\therefore a=-3$ 또는 $a=2$

이때 $a>\frac{9}{32}$이므로 $a=2$

30 $y=-x^2+4kx+k+3=-(x^2-4kx)+k+3$
$=-(x^2-4kx+4k^2)+k+3+4k^2$
$=-(x-2k)^2+4k^2+k+3$ $\cdots$ ㉠
이 그래프가 $x>-6$이면 x의 값이 증가할 때 y의 값은 감소하고, $x<-6$이면 x의 값이 증가할 때 y의 값도 증가하므로 축의 방정식은 $x=-6$이다.
㉠에서 그래프의 축의 방정식이 $x=2k$이므로
$2k=-6$ $\therefore k=-3$
따라서 $y=-(x-2k)^2+4k^2+k+3=-(x+6)^2+36$이므로 이 그래프의 꼭짓점의 좌표는 $(-6, 36)$이다.

31 $y=2x^2-4x+1=2(x-1)^2-1$의 그래프를 꼭짓점을 중심으로 $180°$ 회전시킨 그래프는 오른쪽 그림과 같다.
따라서 이 그래프의 식은
$y=-2(x-1)^2-1$이고, 이 그래프를 y축의 방향으로 h만큼 평행이동하면
$y=-2(x-1)^2-1+h$
이 그래프가 점 $(3, 0)$을 지나므로
$0=-2(3-1)^2-1+h$ $\therefore h=9$
즉, $y=-2(x-1)^2+8$에 $y=0$을 대입하면
$0=-2(x-1)^2+8$, $(x-1)^2=4$
$x-1=\pm2$ $\therefore x=-1$ 또는 $x=3$
따라서 $y=-2(x-1)^2+8$의 그래프가 x축과 만나는 두 점이 $(-1, 0)$, $(3, 0)$이므로 $k=-1$
$\therefore h+k=9+(-1)=8$

32 $y=-\frac{1}{2}x^2-2x+3=-\frac{1}{2}(x+2)^2+5$의 그래프의 꼭짓점의 좌표는 $(-2, 5)$이고, 오른쪽 그림에서 빗금 친 부분의 넓이는 서로 같으므로
(색칠한 부분의 넓이)
$=\square\text{PABQ}=5\times\overline{\text{AB}}=30$
$\therefore \overline{\text{PQ}}=\overline{\text{AB}}=6$
따라서 이차함수 $y=-\frac{1}{2}x^2+bx+c$의 그래프의 꼭짓점의 좌표는 $(4, 5)$이므로
$y=-\frac{1}{2}(x-4)^2+5=-\frac{1}{2}x^2+4x-3$
$\therefore b=4,\ c=-3$ $\therefore b-c=4-(-3)=7$

33 $y=-x^2-2x+1=-(x+1)^2+2$의 그래프를 x축의 방향으로 m만큼, y축의 방향으로 n만큼 평행이동하면
$y=-(x-m+1)^2+2+n$
이 그래프를 x축에 대하여 대칭이동하면
$-y=-(x-m+1)^2+2+n$
$\therefore y=(x-m+1)^2-2-n$
이 그래프가 $y=ax^2-4x+3$의 그래프와 일치하므로 $a=1$
이때 $y=x^2-4x+3=(x-2)^2-1$이므로
$-m+1=-2,\ -2-n=-1$ $\therefore m=3,\ n=-1$

34 $y=x^2-4x+7=(x-2)^2+3$의 그래프의 꼭짓점의 좌표는 $(2, 3)$이고,
$y=-x^2+4x-5=-(x-2)^2-1$의 그래프의 꼭짓점의 좌표는 $(2, -1)$이다.
따라서 두 그래프가 직선 $y=p$에 대하여 서로 대칭이므로 두 그래프의 꼭짓점도 직선 $y=p$에 대하여 대칭이다.
$\therefore p=\frac{3+(-1)}{2}=1$

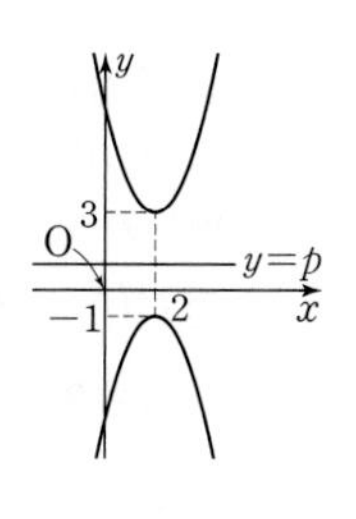

35 $y=-\frac{1}{2}x^2+3x+8=-\frac{1}{2}(x-3)^2+\frac{25}{2}$
두 점 A, B의 좌표를 각각
$\text{A}(k, 0)$, $\text{B}\left(k, -\frac{1}{2}k^2+3k+8\right)$
이라 하고, 축의 방정식이 $x=3$이므로 축과 x축이 만나는 점을 H라 하면
$\overline{\text{AD}}=2\overline{\text{AH}}=2(k-3)=2k-6$
또 $\overline{\text{AB}}=-\frac{1}{2}k^2+3k+8$이므로
($\square$ABCD의 둘레의 길이)
$=2(\overline{\text{AD}}+\overline{\text{AB}})=2\left(2k-6-\frac{1}{2}k^2+3k+8\right)$
$=-k^2+10k+4$
즉, $-k^2+10k+4=29$이므로
$k^2-10k+25=0$, $(k-5)^2=0$ $\therefore k=5$
$\therefore \text{B}\left(5, \frac{21}{2}\right)$

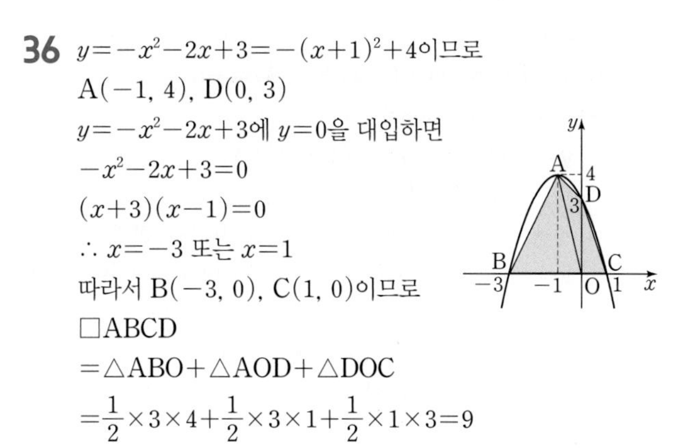

36 $y=-x^2-2x+3=-(x+1)^2+4$이므로
$\text{A}(-1, 4)$, $\text{D}(0, 3)$
$y=-x^2-2x+3$에 $y=0$을 대입하면
$-x^2-2x+3=0$
$(x+3)(x-1)=0$
$\therefore x=-3$ 또는 $x=1$
따라서 $\text{B}(-3, 0)$, $\text{C}(1, 0)$이므로
$\square$ABCD
$=\triangle\text{ABO}+\triangle\text{AOD}+\triangle\text{DOC}$
$=\frac{1}{2}\times3\times4+\frac{1}{2}\times3\times1+\frac{1}{2}\times1\times3=9$

37 $y=x^2-4x-12$에 $y=0$을 대입하면
$x^2-4x-12=0$, $(x+2)(x-6)=0$
$\therefore x=-2$ 또는 $x=6$ $\therefore \text{A}(-2, 0)$, $\text{B}(6, 0)$
$y=x^2-4x-12$에 $x=0$을 대입하면
$y=-12$ $\therefore \text{C}(0, -12)$

이때 점 C를 지나고 △ACB의 넓이를 이등분하는 직선 $y=ax+b$가 x축과 만나는 점을 D라 하면 점 D는 $\overline{AB}$의 중점이므로

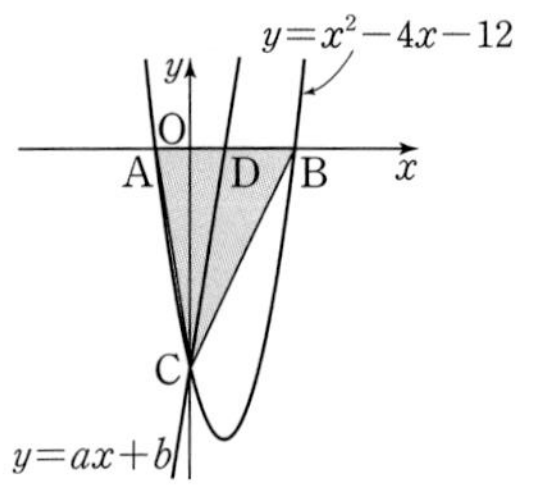

D(2, 0)

따라서 직선 $y=ax+b$는 두 점 C(0, −12), D(2, 0)을 지나므로

$a=(\text{기울기})=\frac{0-(-12)}{2-0}=6$, $b=(y\text{절편})=-12$

$\therefore a+b=6+(-12)=-6$

38 $y=ax^2+bx+c$의 그래프의 꼭짓점의 좌표가 $(-2, -4)$이므로 $y=a(x+2)^2-4$로 놓자.

이 그래프가 점 $(0, -3)$을 지나므로

$-3=4a-4 \qquad \therefore a=\frac{1}{4}$

즉, $y=\frac{1}{4}(x+2)^2-4=\frac{1}{4}x^2+x-3$이므로 $b=1$, $c=-3$

따라서

$y=-bx^2+cx+a=-x^2-3x+\frac{1}{4}=-\left(x+\frac{3}{2}\right)^2+\frac{5}{2}$

이므로 이 그래프의 꼭짓점의 좌표는 $\left(-\frac{3}{2}, \frac{5}{2}\right)$이다.

39 $y=ax^2+bx+c$의 그래프가 점 $(0, -3)$을 지나므로

$c=-3$

즉, $y=ax^2+bx-3$의 그래프가

점 $(-4, -3)$을 지나므로

$-3=16a-4b-3$, $4a-b=0 \qquad \cdots$ ㉠

점 $(1, -8)$을 지나므로

$-8=a+b-3$, $a+b=-5 \qquad \cdots$ ㉡

㉠, ㉡을 연립하여 풀면 $a=-1$, $b=-4$이므로

$y=-x^2-4x-3$

① $a+b+c=-1+(-4)+(-3)=-8$

② $-15\neq-6^2-4\times6-3$

③ $y=-x^2-4x-3=-(x+2)^2+1$

즉, 축의 방정식은 $x=-2$이다.

④ 평행이동하여 이차함수 $y=-x^2$의 그래프와 포갤 수 있다.

⑤ $y=-x^2-4x-3$의 그래프를 x축에 대하여 대칭이동하면

$-y=-x^2-4x-3$

$\therefore y=x^2+4x+3=(x+1)(x+3)$

따라서 옳은 것은 ⑤이다.

40 $y=ax^2+bx+c$의 그래프가 x축과 두 점 $(-5, 0)$, $(3, 0)$에서 만나므로 $y=a(x+5)(x-3)$으로 놓으면

$y=a(x^2+2x-15)=a(x+1)^2-16a$

이 그래프의 꼭짓점 $(-1, -16a)$가 직선 $y=-3x+1$ 위에 있으므로

$-16a=3+1 \qquad \therefore a=-\frac{1}{4}$

따라서

$y=-\frac{1}{4}(x^2+2x-15)=-\frac{1}{4}x^2-\frac{1}{2}x+\frac{15}{4}$

이므로 $b=-\frac{1}{2}$, $c=\frac{15}{4}$

$\therefore \frac{ab}{c}=\left\{\left(-\frac{1}{4}\right)\times\left(-\frac{1}{2}\right)\right\}\div\frac{15}{4}=\frac{1}{8}\times\frac{4}{15}=\frac{1}{30}$

41 $\overline{BC}=8-(-4)=12$이므로 △ABC=48에서

$\frac{1}{2}\times12\times\overline{AO}=48 \qquad \therefore \overline{AO}=8 \qquad \therefore A(0, 8)$

$y=a(x+4)(x-8)$로 놓으면 이 그래프가 점 A(0, 8)을 지나므로

$8=a\times4\times(-8) \qquad \therefore a=-\frac{1}{4}$

$\therefore y=-\frac{1}{4}(x+4)(x-8)=-\frac{1}{4}(x^2-4x-32)$

$=-\frac{1}{4}x^2+x+8$

42 주어진 그래프의 꼭짓점의 x좌표가 -2이므로 축의 방정식은 $x=-2$이고, $\overline{AB}=6$이므로 축에서 두 점 A, B까지의 거리는 각각 3이다.

$\therefore$ A(−5, 0), B(1, 0)

$\therefore y=\frac{1}{3}(x+5)(x-1)=\frac{1}{3}(x^2+4x-5)$

$=\frac{1}{3}x^2+\frac{4}{3}x-\frac{5}{3}$

따라서 $a=\frac{4}{3}$, $b=-\frac{5}{3}$이므로

$a-b=\frac{4}{3}-\left(-\frac{5}{3}\right)=3$

43 오른쪽 그림과 같이 이차함수의 그래프가 y축의 왼쪽에서 x축과 만나는 점을 D라 하면 축의 방정식이 $x=1$이므로 점 D의 x좌표는 $1-4=-3$

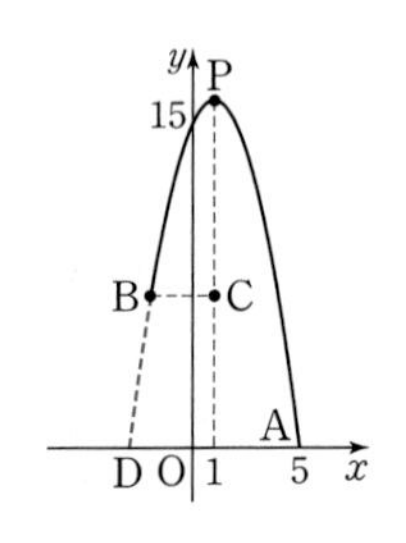

$\therefore$ D(−3, 0)

그래프가 두 점 A(5, 0), D(−3, 0)을 지나므로 $y=a(x-5)(x+3)$으로 놓으면

이 그래프가 점 $(0, 15)$를 지나므로

$15=-15a \qquad \therefore a=-1$

$\therefore y=-(x-5)(x+3)=-x^2+2x+15$

이때 점 B의 x좌표는 $1-3=-2$이므로

$y=-x^2+2x+15$에 $x=-2$를 대입하면

$y=-4-4+15=7$

따라서 건물의 높이는 7이다.

44 그래프가 아래로 볼록하므로 $a>0$

축이 y축의 왼쪽에 있으므로 $ab>0 \qquad \therefore b>0$

y축과의 교점이 x축보다 아래쪽에 있으므로 $c<0$

즉, $y=cx^2+bx+a$의 그래프는 $c<0$이므로 위로 볼록한 포물선이고, $cb<0$이므로 축이 y축의 오른쪽에 있고, $a>0$이므로 y축과의 교점이 x축보다 위쪽에 있다.
따라서 그래프로 알맞은 것은 ③이다.

45 $y=ax^2+bx+c$의 그래프에서
위로 볼록하므로 $a<0$
축이 y축의 오른쪽에 있으므로 $ab<0$ $\quad\therefore b>0$
y축과의 교점이 x축보다 위쪽에 있으므로 $c>0$
ㄱ. $abc<0$
ㄴ. $\frac{b}{2a}<0$
ㄷ. 주어진 그림에서 $x=1$일 때 $y>0$이므로
$y=ax^2+bx+c$에 $x=1$을 대입하면 $y=a+b+c>0$
ㄹ. 주어진 그림에서 $x=\frac{1}{2}$일 때 $y>0$이므로
$y=ax^2+bx+c$에 $x=\frac{1}{2}$을 대입하면
$y=\frac{1}{4}a+\frac{1}{2}b+c=\frac{1}{4}(a+2b+4c)>0$
$\therefore a+2b+4c>0$
ㅁ. $b^2>0$, $ac<0$이므로 $b^2-4ac>0$
따라서 옳은 것은 ㄱ, ㄷ이다.

46 (가), (나)를 모두 만족시키는 $y=ax^2+bx+c$의 그래프는 오른쪽 그림과 같다.

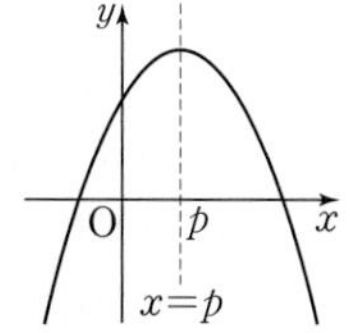

그래프가 위로 볼록하므로 $a<0$
축이 y축의 오른쪽에 있으므로 $ab<0$
$\therefore b>0$
y축과의 교점이 x축보다 위쪽에 있으므로 $c>0$

47 이차함수 $y=ax^2+bx+c$의 그래프가 모든 사분면을 지나는 경우는 다음 그림과 같다. 이때 원점 O는 항상 포물선의 안쪽에 있다.

(i)
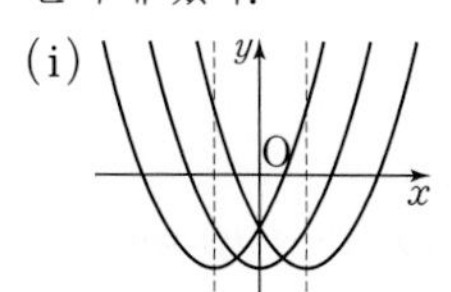

(ii)
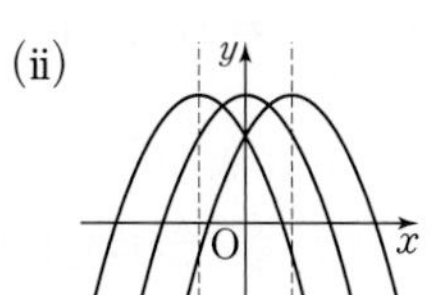

(i) $a>0$일 때, (y축과의 교점의 y좌표)$=c<0$
(ii) $a<0$일 때, (y축과의 교점의 y좌표)$=c>0$
따라서 (i), (ii)에 의해 항상 옳은 것은 ③ $ac<0$이다.

48 (1) $\triangle ASR \backsim \triangle ABC$ (AA 닮음)이므로
$\overline{SR}:\overline{BC}=\overline{AI}:\overline{AH}$에서 $x:12=\overline{AI}:8$
$\therefore \overline{AI}=\frac{2}{3}x$
따라서 $\overline{IH}=8-\frac{2}{3}x$이므로
$y=x\left(8-\frac{2}{3}x\right)=-\frac{2}{3}x^2+8x$

(2) $y=-\frac{2}{3}x^2+8x$에 $y=24$를 대입하면
$24=-\frac{2}{3}x^2+8x$, $\frac{2}{3}x^2-8x+24=0$
$x^2-12x+36=0$, $(x-6)^2=0$ $\quad\therefore x=6$
따라서 $\overline{SR}=6$, $\overline{IH}=4$이므로 직사각형 PQRS의 둘레의 길이는 $2\times(6+4)=20$

49 길잡이 각 단계마다 블록의 위치를 적절히 옮겨서 어떤 규칙으로 블록의 개수가 늘어나는지 생각해 본다.
(1)
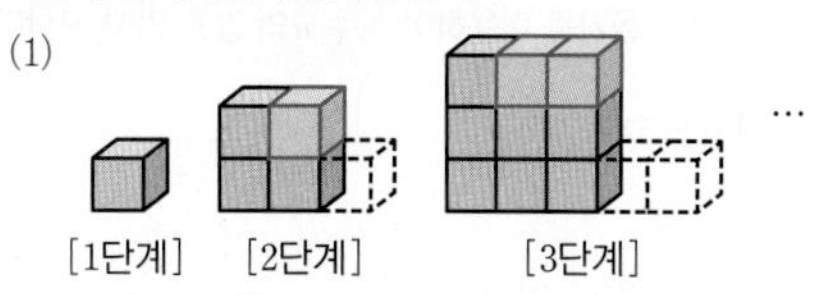

위의 그림과 같이 블록을 옮겨서 생각하면 각 단계에서 사용한 블록의 개수는 다음과 같다.
[1단계] $1^2=1$(개), [2단계] $2^2=4$(개), [3단계] $3^2=9$(개), …, [x단계] x^2개
$\therefore y=x^2$
(2) $y=x^2$에 $x=9$를 대입하면 $y=9^2=81$
따라서 [9단계]에서 사용한 블록의 개수는 81개이다.

50 길잡이 자동차의 제동 거리가 속력의 제곱에 비례함을 이용하여 이차항의 계수를 상수 a로 놓고 이차함수의 식을 세운다.
제동 거리를 ym, 자동차의 속력을 시속 $x$km라 하면 제동 거리는 자동차의 속력의 제곱에 비례하므로
$y=ax^2$ (a는 상수)
시속 50 km로 달리는 자동차의 제동 거리가 20 m이므로
$20=a\times50^2$ $\quad\therefore a=\frac{1}{125}$
즉, $y=\frac{1}{125}x^2$이므로 시속 80 km로 달리는 자동차의 제동 거리는 $y=\frac{1}{125}\times80^2=51.2$(m)
따라서 빗길에서 이 자동차의 제동 거리는
$51.2+51.2\times0.3=66.56$(m)

51 길잡이 이차함수의 식을 $y=ax^2+bx+c$로 놓고 이 그래프가 지나는 점의 좌표를 각각 대입하여 a, b, c의 값을 구한다.
구하는 이차함수의 식을 $y=ax^2+bx+c$로 놓으면
이 그래프가 점 $\left(0, \frac{7}{2}\right)$을 지나므로 $c=\frac{7}{2}$
점 $(-2, 5)$를 지나므로 $5=4a-2b+\frac{7}{2}$ $\quad\cdots$ ㉠
점 $(10, 11)$을 지나므로 $11=100a+10b+\frac{7}{2}$ $\quad\cdots$ ㉡
㉠, ㉡을 연립하면 풀면 $a=\frac{1}{8}$, $b=-\frac{1}{2}$
즉, 이차함수의 식은 $y=\frac{1}{8}x^2-\frac{1}{2}x+\frac{7}{2}=\frac{1}{8}(x-2)^2+3$
따라서 초점 P가 포물선의 축 위에 존재하므로 초점 P의 x좌표는 2이고, y좌표는 5이다.
$\therefore$ P(2, 5)

P. 97~99 내신 1% 뛰어넘기

01 4　02 $\frac{9}{4}$　03 3π　04 4

05 $y=-\frac{1}{2}(x+3)^2+5$　06 -12

07 $a=1$, $b=8$　08 A$(-1, 0)$, B$(4, 0)$

09 $x=b$ 또는 $x=\frac{a+c}{2}$

01 길잡이 직선 AB의 기울기를 이용하여 상수 a의 값을 먼저 구한다.

$A\left(a, \frac{2}{3}a^2\right)$, $B\left(a+4, \frac{2}{3}(a+4)^2\right)$이고

직선 AB의 기울기가 $\frac{4}{3}$이므로 $\frac{\frac{2}{3}(a+4)^2-\frac{2}{3}a^2}{(a+4)-a}=\frac{4}{3}$

에서 $\frac{\frac{2}{3}(8a+16)}{4}=\frac{4}{3}$

$2(8a+16)=16$, $16a=-16$　$\therefore a=-1$

따라서 $A\left(-1, \frac{2}{3}\right)$, $B(3, 6)$이므로

오른쪽 그림과 같이 두 점 A, B에서 x축에 내린 수선의 발을 각각 C, D라 하면

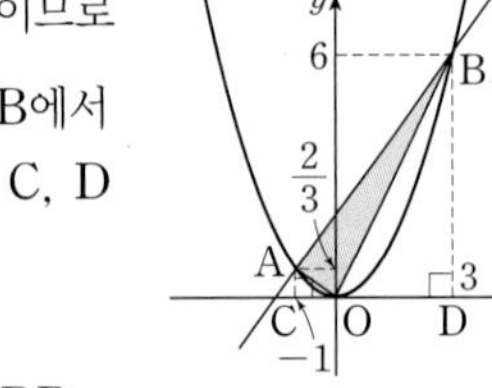

$\triangle AOB$

$=\square ACDB-\triangle OAC-\triangle ODB$

$=\frac{1}{2}\times\left(\frac{2}{3}+6\right)\times4-\frac{1}{2}\times1\times\frac{2}{3}-\frac{1}{2}\times3\times6$

$=\frac{40}{3}-\frac{1}{3}-9=4$

02 길잡이 점 P에서 x축에 내린 수선의 발을 C라 하면 $\triangle AOB$에서 $\overline{AO}\,/\!/\,\overline{PC}$이므로 평행선과 선분의 길이의 비를 이용한다.

직선 $y=-\frac{1}{2}x+b$에서 (x절편)$=2b$, (y절편)$=b$이므로

$A(0, b)$, $B(2b, 0)$

오른쪽 그림과 같이 점 P에서 x축, y축에 내린 수선의 발을 각각 C, D라 하면

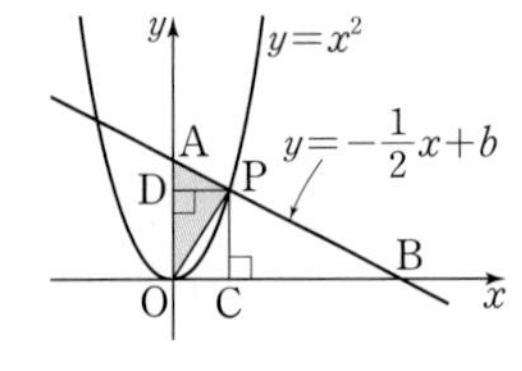

$\triangle AOB$에서

$\overline{AO}\,/\!/\,\overline{PC}$이므로

$\overline{AP}:\overline{PB}=\overline{OC}:\overline{CB}=1:3$

$\therefore \overline{OC}=\frac{1}{4}\overline{OB}=\frac{1}{4}\times2b=\frac{b}{2}$

따라서 점 P의 좌표는 $\left(\frac{b}{2}, \frac{b^2}{4}\right)$이고, 직선 $y=-\frac{1}{2}x+b$가 점 P를 지나므로 $\frac{b^2}{4}=-\frac{1}{2}\times\frac{b}{2}+b$

$b^2-3b=0$, $b(b-3)=0$　$\therefore b=0$ 또는 $b=3$

이때 $b>0$이므로 $b=3$

$\therefore \triangle AOP=\frac{1}{2}\times\overline{AO}\times\overline{DP}=\frac{1}{2}\times b\times\frac{b}{2}=\frac{b^2}{4}=\frac{9}{4}$

03 길잡이 $\overline{OA}$를 그으면 색칠한 부분의 넓이는 부채꼴 A′OA의 넓이와 같음을 이용한다.

오른쪽 그림과 같이 $\overline{OA}$를 그으면 빗금 친 부분의 넓이는 서로 같으므로 색칠한 부분의 넓이는 부채꼴 A′OA의 넓이와 같다. 이때 점 A에서 x축, y축에 내린 수선의 발을 각각 B, C라 하면 $A(2, 2)$이므로

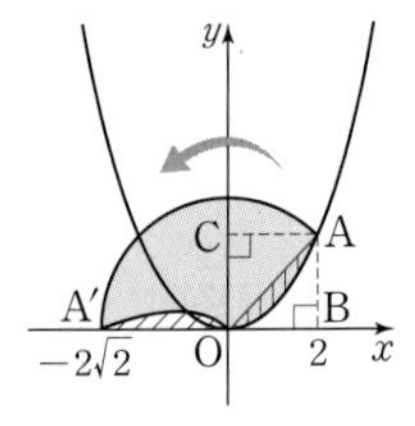

□OBAC는 한 변의 길이가 2인 정사각형이고 $\overline{OA}$는 그 대각선이므로 $\angle AOB=45°$이다.

즉, 부채꼴 A′OA의 반지름의 길이는

$\overline{OA}=\overline{OA'}=2\sqrt{2}$

중심각의 크기는

$\angle A'OA=180°-45°=135°$

$\therefore$ (색칠한 부분의 넓이)$=$(부채꼴 A′OA의 넓이)

$=\pi\times(2\sqrt{2})^2\times\frac{135}{360}$

$=\pi\times8\times\frac{3}{8}$

$=3\pi$

04 길잡이 그래프를 평행이동해도 그 모양과 폭은 변하지 않으므로 적당한 보조선을 그어 색칠한 부분과 넓이가 같은 도형을 찾아본다.

$y=\frac{1}{3}x^2+2$의 그래프는 $y=\frac{1}{3}x^2$의 그래프를 y축의 방향으로 2만큼 평행이동한 것이다.

이때 그래프를 평행이동해도 그 모양과 폭은 변하지 않으므로 오른쪽 그림에서 빗금 친 두 부분의 넓이는 같고, □ABCD는 평행사변형이다.

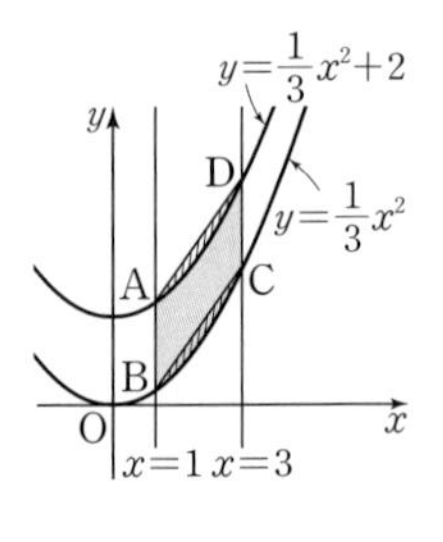

따라서 $\overline{AB}=2$이고, 두 직선 $x=1$과 $x=3$ 사이의 거리는 $3-1=2$이므로

(구하는 넓이)$=$□ABCD

$=2\times2=4$

05 길잡이 대칭이동한 그래프는 대칭하기 전의 그래프와 폭이 같음을 이용한다.

오른쪽 그림에서 $y=\frac{1}{2}(x+3)^2-1$의 그래프를 직선 $y=2$에 대하여 대칭이동한 그래프의 꼭짓점의 좌표는 $(-3, 5)$이다.

또 대칭이동한 그래프는 대칭이동하기 전의 그래프와 폭은 같고, 위로 볼록한 포물선이므로 이차항의 계수는 $-\frac{1}{2}$이다.

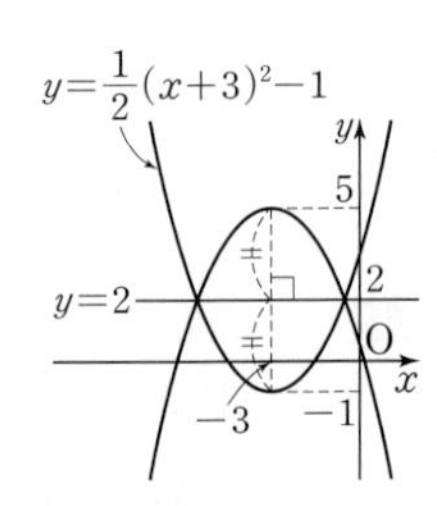

따라서 구하는 이차함수의 식은

$y=-\frac{1}{2}(x+3)^2+5$

06 길잡이 먼저 $y=x^2-6x+5$의 그래프가 x축과 만나는 두 점 사이의 거리를 구한다.

$y=x^2-6x+5$에 $y=0$을 대입하면
$0=x^2-6x+5$, $(x-1)(x-5)=0$
$\therefore x=1$ 또는 $x=5$
즉, $y=x^2-6x+5$의 그래프가 x축과 만나는 두 점의 좌표는 $(1, 0)$, $(5, 0)$이므로 이 두 점 사이의 거리는 4이다.
$y=x^2-6x+5=(x-3)^2-4$의 그래프를 y축의 방향으로 q만큼 평행이동하면
$y=(x-3)^2-4+q$
이 그래프의 축의 방정식은 $x=3$이고, 이 그래프가 x축과 만나는 두 점 사이의 거리는 $2\times4=8$이므로 x축과 만나는 두 점의 좌표는 $(-1, 0)$, $(7, 0)$이다.
따라서 $y=(x-3)^2-4+q$에 $x=7$, $y=0$을 대입하면
$0=16-4+q \qquad \therefore q=-12$

07 길잡이 $\triangle CAO$와 $\triangle COB$는 높이가 $\overline{CO}$로 같으므로 밑변의 길이의 비는 넓이의 비와 같다. 따라서 $\overline{AO}:\overline{BO}=1:2$이다.

$\triangle CAO$와 $\triangle COB$는 높이가 $\overline{CO}$로 같고, 넓이의 비가 $1:2$이므로 $\overline{AO}:\overline{BO}=1:2$
$A(-k, 0)$, $B(2k, 0)$ $(k>0)$이라 하면
$y=-\frac{1}{4}x^2+ax+b=-\frac{1}{4}(x+k)(x-2k)$
$=-\frac{1}{4}(x^2-kx-2k^2)=-\frac{1}{4}\left(x-\frac{k}{2}\right)^2+\frac{9}{16}k^2$
이 그래프의 꼭짓점의 y좌표가 9이므로
$\frac{9}{16}k^2=9$, $k^2=16 \qquad \therefore k=\pm4$
이때 $k>0$이므로 $k=4$
따라서 $y=-\frac{1}{4}(x^2-4x-32)=-\frac{1}{4}x^2+x+8$이므로
$a=1$, $b=8$

08 길잡이 두 삼각형의 밑변의 길이가 같으면 높이의 비는 넓이의 비와 같음을 이용한다.

$y=2x^2-6x+k$에 $x=0$을 대입하면 $y=k$
$\therefore C(0, k)$ $(k<0)$
$y=2x^2-6x+k=2\left(x-\frac{3}{2}\right)^2+k-\frac{9}{2}$
$\therefore D\left(\frac{3}{2}, k-\frac{9}{2}\right)$ $\left(k-\frac{9}{2}<0\right)$
이때 $\triangle ACB$와 $\triangle ADB$는 밑변의 길이가 $\overline{AB}$로 같으므로 두 삼각형의 높이의 비는 넓이의 비와 같다.
즉, $|k|:\left|k-\frac{9}{2}\right|=16:25$에서
$-k:\left(-k+\frac{9}{2}\right)=16:25$
$-25k=-16k+72$, $-9k=72 \qquad \therefore k=-8$
따라서 $y=2x^2-6x-8$에 $y=0$을 대입하면
$2x^2-6x-8=0$, $x^2-3x-4=0$
$(x+1)(x-4)=0 \qquad \therefore x=-1$ 또는 $x=4$
$\therefore A(-1, 0)$, $B(4, 0)$

09 길잡이 이차항의 계수가 1이고, x축과 만나는 두 점의 x좌표가 각각 α, β인 이차함수의 그래프의 식 ⇨ $y=(x-\alpha)(x-\beta)$

이차함수 $y=f(x)$의 그래프가 x축과 만나는 두 점의 x좌표는 각각 a, b이고 이차항의 계수는 1이므로
$f(x)=(x-a)(x-b)$
이차함수 $y=g(x)$의 그래프가 x축과 만나는 두 점의 x좌표는 각각 b, c이고 이차항의 계수는 1이므로
$g(x)=(x-b)(x-c)$
따라서 $f(x)+g(x)=0$에서
$(x-a)(x-b)+(x-b)(x-c)=0$
$(x-b)(2x-a-c)=0 \qquad \therefore x=b$ 또는 $x=\frac{a+c}{2}$

P. 100~101 6 서술형 완성하기

[과정은 풀이 참조]

1 $A\left(-\frac{4}{9}, \frac{16}{81}\right)$ **2** $a=-5$, $b=68$ **3** $\frac{21}{8}$ m
4 $\frac{5\sqrt{5}}{4}$ **5** -6 **6** 제3사분면과 제4사분면
7 2 **8** $\frac{4}{3}$

1 점 B의 x좌표를 a라 하면 $B(a, a^2)$이고,
$y=x^2$의 그래프는 y축에 대칭이므로 $A(-a, a^2)$
이때 점 C는 점 B와 x좌표가 같고, $y=-\frac{1}{2}x^2$의 그래프 위의 점이므로 $C\left(a, -\frac{1}{2}a^2\right)$ … (i)
즉, $\overline{AB}=a-(-a)=2a$,
$\overline{BC}=a^2-\left(-\frac{1}{2}a^2\right)=\frac{3}{2}a^2$이므로 … (ii)
$2a:\frac{3}{2}a^2=3:1$, $\frac{9}{2}a^2=2a$, $9a^2-4a=0$
$a(9a-4)=0 \qquad \therefore a=0$ 또는 $a=\frac{4}{9}$
이때 점 B가 제1사분면 위의 점이므로 $a>0 \qquad \therefore a=\frac{4}{9}$
$\therefore A\left(-\frac{4}{9}, \frac{16}{81}\right)$ … (iii)

채점 기준	비율
(i) 세 점 A, B, C의 좌표를 문자를 사용하여 나타내기	30 %
(ii) $\overline{AB}$, $\overline{BC}$의 길이를 문자를 사용하여 나타내기	30 %
(iii) 점 A의 좌표 구하기	40 %

2 $y=-2(x-1)^2$의 그래프를 x축의 방향으로 a만큼, y축의 방향으로 4만큼 평행이동하면
$y=-2(x-a-1)^2+4$ … (i)
이 그래프를 x축에 대하여 대칭이동하면
$-y=-2(x-a-1)^2+4$
$\therefore y=2(x-a-1)^2-4$ … (ii)

이 그래프가 점 $(-1, 14)$를 지나므로

$14=2(-a-2)^2-4$, $a^2+4a-5=0$

$(a+5)(a-1)=0$ $\therefore a=-5$ 또는 $a=1$

이때 $a<0$이므로 $a=-5$ … (iii)

따라서 $y=2(x+4)^2-4$의 그래프가 점 $(2, b)$를 지나므로

$b=2\times(2+4)^2-4=68$ … (iv)

채점 기준	비율
(i) 평행이동한 그래프의 식 구하기	30 %
(ii) 대칭이동한 그래프의 식 구하기	30 %
(iii) a의 값 구하기	20 %
(iv) b의 값 구하기	20 %

3 분수대의 물줄기를 좌표평면 위에 나타내면 오른쪽 그림과 같다. 이때 꼭짓점의 좌표는 $(0, 6)$이므로 … (i)

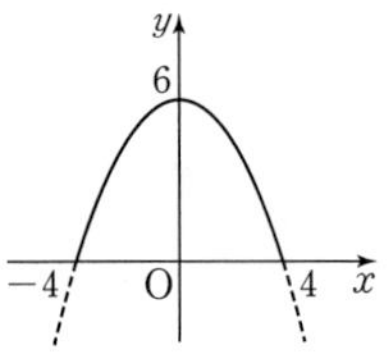

$y=ax^2+6$으로 놓자.

이 그래프가 점 $(4, 0)$을 지나므로

$0=16a+6$ $\therefore a=-\frac{3}{8}$

$\therefore y=-\frac{3}{8}x^2+6$ … (ii)

이때 폭의 중점에서 3 m 떨어진 지점은 x좌표가 3 또는 -3인 지점이고, 물줄기의 그래프는 y축에 대칭이므로 이 두 지점의 y좌표는 서로 같다.

즉, $y=-\frac{3}{8}x^2+6$에 $x=3$을 대입하면

$y=-\frac{3}{8}\times3^2+6=\frac{21}{8}$

따라서 폭의 중점에서 3 m 떨어진 지점에서의 물줄기의 높이는 $\frac{21}{8}$ m이다. … (iii)

채점 기준	비율
(i) 꼭짓점의 좌표 구하기	30 %
(ii) 이차함수의 식 구하기	40 %
(iii) 폭의 중점에서 3 m 떨어진 지점에서의 물줄기의 높이 구하기	30 %

4 축의 방정식이 $x=-1$이므로 주어진 이차함수의 식을 $y=a(x+1)^2+q$로 놓으면 이 그래프가

점 $(0, 1)$을 지나므로 $1=a+q$ … ㉠

점 $(2, -1)$을 지나므로 $-1=9a+q$ … ㉡

㉠, ㉡을 연립하여 풀면 $a=-\frac{1}{4}$, $q=\frac{5}{4}$

즉, $y=-\frac{1}{4}(x+1)^2+\frac{5}{4}$이므로 … (i)

$A\left(-1, \frac{5}{4}\right)$ … (ii)

x축과의 교점의 y좌표는 0이므로 $0=-\frac{1}{4}(x+1)^2+\frac{5}{4}$

$(x+1)^2=5$, $x+1=\pm\sqrt{5}$ $\therefore x=-1\pm\sqrt{5}$

$\therefore B(-1-\sqrt{5}, 0)$,

$C(-1+\sqrt{5}, 0)$

(또는 $B(-1+\sqrt{5}, 0)$,

$C(-1-\sqrt{5}, 0)$) … (iii)

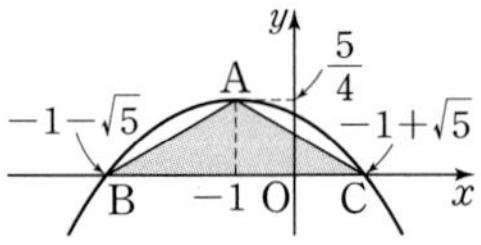

$\therefore \triangle ABC=\frac{1}{2}\times\{(-1+\sqrt{5})-(-1-\sqrt{5})\}\times\frac{5}{4}$

$=\frac{1}{2}\times2\sqrt{5}\times\frac{5}{4}=\frac{5\sqrt{5}}{4}$ … (iv)

채점 기준	비율
(i) 이차함수의 식 구하기	30 %
(ii) 점 A의 좌표 구하기	10 %
(iii) 두 점 B, C의 좌표 구하기	30 %
(iv) $\triangle ABC$의 넓이 구하기	30 %

5 $y=\frac{1}{2}x^2-kx+k+1=\frac{1}{2}(x^2-2kx+k^2)+k+1-\frac{1}{2}k^2$

$=\frac{1}{2}(x-k)^2-\frac{1}{2}k^2+k+1$ … (i)

이 그래프의 꼭짓점의 좌표는 $\left(k, -\frac{1}{2}k^2+k+1\right)$이고,

직선 $3x-y=5$가 이 꼭짓점을 지나므로

$3k-\left(-\frac{1}{2}k^2+k+1\right)=5$, $k^2+4k-12=0$

$(k+6)(k-2)=0$ $\therefore k=-6$ 또는 $k=2$ … (ii)

㉠ $k=-6$일 때, $y=\frac{1}{2}(x+6)^2-23$이므로 이 그래프는 모든 사분면을 지난다.

㉡ $k=2$일 때, $y=\frac{1}{2}(x-2)^2+1$이므로 이 그래프는 제1사분면과 제2사분면을 지난다.

따라서 ㉠, ㉡에서 $k=-6$ … (iii)

채점 기준	비율
(i) 이차함수의 식을 $y=a(x-p)^2+q$ 꼴로 나타내기	30 %
(ii) k에 대한 이차방정식 풀기	40 %
(iii) 그래프가 모든 사분면을 지날 때의 k의 값 구하기	30 %

6 $y=abx^2+bcx+abc$의 그래프에서

위로 볼록하므로 $ab<0$ … ㉠

축이 y축의 왼쪽에 있으므로 $ab\times bc>0$

$\therefore bc<0$ ($\because ab<0$) … ㉡

(y축과 만나는 점의 y좌표)$=abc>0$ … ㉢

㉠, ㉢에서 $c<0$, ㉡에서 $b>0$, ㉠에서 $a<0$ … (i)

이때 $y=a(x+c)^2-b$의 그래프는 $a<0$이므로 위로 볼록하고, $-c>0$, $-b<0$에서 꼭짓점 $(-c, -b)$는 제4사분면 위에 있으므로 오른쪽 그림과 같다. … (ii)

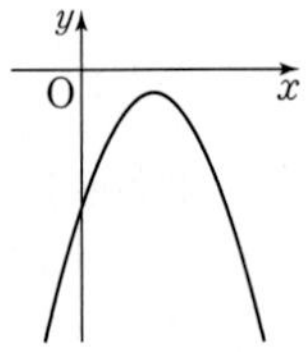

따라서 이 그래프가 지나는 사분면은 제3사분면과 제4사분면이다. … (iii)

채점 기준	비율
(i) a, b, c의 부호 구하기	30 %
(ii) 이차함수 $y=a(x+c)^2-b$의 그래프 그리기	40 %
(iii) 이차함수 $y=a(x+c)^2-b$의 그래프가 지나는 사분면 구하기	30 %

채점 기준	비율
(i) 두 점 A, B의 좌표 구하기	20 %
(ii) 점 P의 좌표 구하기	40 %
(iii) □AOPB의 넓이 구하기	40 %

7 $y=\frac{1}{2}x^2$에 $x=-1$, $x=2$를 각각 대입하면 $y=\frac{1}{2}$, $y=2$

$\therefore A\left(-1, \frac{1}{2}\right)$, $B(2, 2)$ … (i)

점 P의 좌표를 $P\left(k, \frac{1}{2}k^2\right)$ $(k>0)$이라 하면

$\overline{AB} /\!/ \overline{OP}$에서

(직선 AB의 기울기)=(직선 OP의 기울기)이므로

$\frac{2-\frac{1}{2}}{2-(-1)}=\frac{\frac{1}{2}k^2}{k}$, $\frac{1}{2}=\frac{1}{2}k$ $\quad\therefore k=1$

$\therefore P\left(1, \frac{1}{2}\right)$ … (ii)

오른쪽 그림과 같이 세 점 A, P, B에서 x축에 내린 수선의 발을 각각 G, H, I라 하면

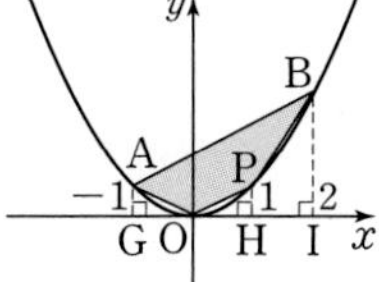

□AOPB

=□AGIB−△AGO−△POH−□PHIB

$=\frac{1}{2}\times\left(\frac{1}{2}+2\right)\times3-\frac{1}{2}\times1\times\frac{1}{2}-\frac{1}{2}\times1\times\frac{1}{2}$

$\quad-\frac{1}{2}\times\left(\frac{1}{2}+2\right)\times1$

$=\frac{15}{4}-\frac{1}{4}-\frac{1}{4}-\frac{5}{4}=2$ … (iii)

8 $f(x)=ax^2+3$으로 놓으면

이 그래프가 점 Q(3, 0)을 지나므로

$0=9a+3$ $\quad\therefore a=-\frac{1}{3}$

$\therefore f(x)=-\frac{1}{3}x^2+3$ … (i)

$g(x)=b(x-3)^2$으로 놓으면

이 그래프가 점 P(0, 3)을 지나므로

$3=b(0-3)^2$ $\quad\therefore b=\frac{1}{3}$

$\therefore g(x)=\frac{1}{3}(x-3)^2$ … (ii)

두 점 A, B의 x좌표가 1이므로

$f(1)=-\frac{1}{3}\times1^2+3=\frac{8}{3}$, $g(1)=\frac{1}{3}(1-3)^2=\frac{4}{3}$

따라서 $A\left(1, \frac{8}{3}\right)$, $B\left(1, \frac{4}{3}\right)$이므로

$\overline{AB}=\frac{8}{3}-\frac{4}{3}=\frac{4}{3}$ … (iii)

채점 기준	비율
(i) $y=f(x)$의 식 구하기	40 %
(ii) $y=g(x)$의 식 구하기	40 %
(iii) $\overline{AB}$의 길이 구하기	20 %